Contemporánea

António Lobo Antunes nació en Lisboa en 1942. Estudió medicina y ejerció como psiquiatra antes de dedicarse de lleno a la literatura y manifestarse como un gran estilista de la lengua portuguesa, lo que le ha convertido en un firme candidato al premio Nobel de Literatura. Entre sus obras destacan la Trilogía sobre la muerte, integrada por *Tratado de las pasiones del alma*, *El orden natural de las cosas* y *La muerte de Carlos Gardel*, *Manual de inquisidores* (premio francés al mejor libro extranjero), *Esplendor de Portugal*, *Exhortación a los cocodrilos* (Grande Prémio de Romance e Novela 1999), *Fado alejandrino*, *Conocimiento del infierno*, *No entres tan deprisa en esta noche oscura*, *Buenas tardes a las cosas de aquí abajo* (premio de la Unión Latina de Escritores), *Segundo libro de crónicas*, *Memoria de elefante*, *Yo he de amar a una piedra*, *Ayer no te vi en Babilonia* y *Acerca de los pájaros*. António Lobo Antunes también ha recibido el premio Rosalía de Castro del PEN Club gallego, el premio de Literatura Europea del Estado austríaco, el premio Jerusalén en 2004, el premio Camões, el mayor galardón en lengua portuguesa, en 2007, y el premio FIL de Literatura en Lenguas Romances en 2008.

António Lobo Antunes

Acerca de los pájaros

Traducción de
Mario Merlino

DEBOLS!LLO

Título original: *Explicação dos Pássaros*

Primera edición en Debolsillo: febrero, 2009

© 1983, António Lobo Antunes
© 2008, de la edición en castellano para todo el mundo:
  Random House Mondadori, S. A.
  Travessera de Gràcia, 47-49. 08021 Barcelona
© 2008, Mario Merlino, por la traducción

Printed in Spain – Impreso en España

ISBN: 978-84-8346-916-3
Depósito legal: B-54104-2008

Fotocomposición: Fotocomp/4, S. A.

Impreso en Cayfosa (Impresia Ibérica)
Ctra. de Caldes, km 3. Santa Perpètua de Mogoda (Barcelona)

P 8 6 9 1 6 3

A Marília y Dinis Machado,
amigos y compañeros de camino

JUEVES

—Un día de estos acabo en la playa, devorado por los peces como una ballena muerta —me dijo él en la calle de la clínica mirando los edificios desvaídos y tristes de Campolide, los monogramas de servilleta de los carteles luminosos apagados, los restos de purpurina de las felices fiestas de los escaparates, un perro que escarbaba, en la mañana de enero, el montón de basura de un edificio demolido: caliza, polvo, pedazos de madera, trozos de ladrillo sin alma. Venía a pie desde la avenida de los tranvías, oliendo las cajas de fruta de los ultramarinos con un apetito brumoso y ávido de gaviota, como cuando niño, al volver del colegio, husmeaba el aroma ácido de las droguerías o la penumbra marrón, color de sangre seca, de las tabernas, donde un ciego, con un vaso en la mano, lo seguía con las órbitas alarmantes e inmóviles de los políticos en los carteles, y pensó Me traen al hospital, empujan por mí el cerrojo de latón de la mampara (No se moleste, No se moleste, No se moleste), me obligan a esperar en la sala repleta de sillas de cuero con grandes tachas amarillas (sillas de velatorio, compruebo), una mesa con patas como sacacorchos, cortinas pesadas como eructos de juez y las visitas invisibles de mi funeral cuchicheando gravemente por los rincones, mientras ellos parlamentan en voz baja con criadas polvorientas que deben de limpiarse por la mañana a sí mismas con plumeros, retirando de los cajones de sus barrigas barajas de naipes antiguos y cajas de costura taraceadas. La muchacha delgaducha y fea de la centralita, en cuclillas detrás de un mostrador de farmacia como una lechuza en su gruta, dibujaba corazones absortos en un bloc: debía de haber ido dos veces seguidas al cine con el mismo funcionario de finanzas miope, que vivía en una habitación alquilada en la Penha de França y hacía cursos de inglés por correspondencia, inclinado ante un cuaderno con muñecos (*my garden, my uncle*) frente a una taza de café vacía. Le dije el nombre de la madre mientras la otra, con la lengua fuera, se esmeraba con un corazón enorme, idéntico a la etiqueta de los frascos de arenar metales de la época de la abuela: un batallón de criadas con uniforme gris frotaba con energía los picaportes del piso de abajo: Mantén las manos quietas, niño, si no me quejaré de ti ante tus hermanas. Olían a jabón azul y blanco, a azúcar amarillo y a pan de segunda, y por la noche unos primos soldados, con grandes dedos de piedra de campesinos o de pastores, iban a tocarles a hurtadillas el pecho en el portón del jardín.

–Tercera habitación a la derecha –informó la lechuza esbozando una flecha de cupido mediante una sonrisa lánguida de postal: las orejas del funcionario de finanzas debían de arder por encima de una suma de repente imposible, y él pasó por una especie de despensa donde dos enfermeras arrullaban, apoyadas en un armario, como una pareja de palomas en un alero: una de ellas comía un pastel, con la mano ahuecada para recoger las migas, y el sol de la ventana otorgaba a las batas almidonadas la albura sin pliegues de la tiza. Un tipo de mediana edad se cruzó con él observando una bolsa de orina que sujetaba a la altura de los ojos, como un alacrán muerto, con una curiosidad meditabunda. El olor a alcohol, a miedo y a esperanza de los hospitales avanzaba y retrocedía por el pasillo, idéntico al de un mar adormecido en el que flotasen los gemidos mudos de los enfermos, ahogados por los suspiros afligidos de la familia: No quiero a nadie aquí cuando me llegue la hora: ahuyentarlos con las cejas hacia donde no los vea, a donde no llegue su insoportable amabilidad compungida, sus cuidados excesivos, las pupilas amarilleadas por su propio pánico a la muerte. Quedarme solo, con la nariz apuntando al techo, vaciarme lentamente de mí: cómo me llamo, el sitio en que nací, los años que tengo, los hijos grisáceos que proporcionan detalles en el pasillo.

—Buenos días, madre —dijo él

y luego pensó Cómo has adelgazado, joder, al mirar los tendones del cuello, la frente demasiado pálida, las venas salientes de los brazos, los iris verdes clavados en la almohada, redondos, acechándolo, el sudor viscoso de la nariz. La alianza bailaba en el dedo: ¿Cuál de nosotros la quitará dentro de poco, la pondrá en el plato de cerámica de la cómoda de tu habitación, bajo el espejo, atiborrado de collares, de pendientes, de anillos? No tengo corbata negra para el entierro, solo la gris de punto de una Navidad antigua, del tiempo en que aún usaba chaqueta, se tomaba en serio, escribía interminables ensayos pésimos que nadie leería, erizados de conceptos prolijos, de teorías confusas, de aproximaciones absurdas. El dedo invisible del editor le rozó el brazo:

—Tal vez se pueda aprovechar algo de esos estudios.

—¿Cómo se siente? —preguntó con una voz derrotada, mientras observaba a su madre y pensaba Las lágrimas están ya al otro lado de tus ojos, se deslizan por dentro de la cabeza, hacia la garganta, con un ardor ácido de orujo.

—¿No te parece que tiene mejor aspecto? —preguntaron de súbito a su izquierda y él vio, sentada en el único sillón del cuarto, comprimido entre la cama y la ventana, a una prima lejana con un libro abierto sobre las rodillas: Seguro que eres la única persona de la familia dispuesta a acompañar a un moribundo. Pegados al cristal los edificios feos, desvaídos de las Amoreiras: ¿Aún estaría viva cuando le llegase su hora?

—Tiene mejor color —confirmé—, se la ve más llena. —Y a mí mismo, avergonzado: Disculpa, madre. Cuando yo era pequeño y estaba enfermo de gripe me traías la vieja radio Philips de padre a la habitación, y yo me quedaba escuchando los programas de discos pedidos sumido en el sopor tibio de la fiebre. Los Nuevos Emisores en Marcha. Cuando el Teléfono Suena. ¿Qué Quiere Escuchar? Piensa Qué castaño era tu pelo, qué firmes tus gestos, en ese tiempo. Nunca habrías dejado, imaginaba él, que nos pasase nada malo.

—¿Los niños? —dijo la madre desde la infinita distancia de dos metros. Había bombonas oxidadas de oxígeno en la cabecera, un aspirador de secreciones junto al lavabo, un ramo de flores en un jarrón de cristal tallado, sobre un tapete.

—Estupendos, madre, estupendos. Sin problemas.

—Siempre que voy a buscarlos al colegio preguntan por usted. —Y lo asaltó la certidumbre de que la madre se había dado cuenta de la pausa, del segundo de espera, de la mentira. Subían de repente al coche, empujándose el uno al otro, como perritos, para darle un beso. La portera del colegio, gorda, con cara de topo, sonreía, en la boutique de al lado una mujer alta y pelirroja acariciaba con sus largas uñas encarnadas un frasco alargado de perfume: Qué caliente me pones.

—¿Adónde queréis ir a almorzar?

—Al Ponei.

—A la Tasca.

Pero la mujer pelirroja fue hasta la puerta y la ternura se le disolvió en un instante en el furioso deseo de aquel rostro de porcelana, con la falda ceñida que le aprisionaba el abanico de carne espesa de los muslos. A través de los años, el compañero de pupitre del instituto le susurró al oído:

—Es lo que ellas quieren, chaval: te agarras al colchón, aprietas los dientes, y hacia atrás y hacia delante, hacia atrás y hacia delante, ¿entiendes?, hasta que los cuadros se tuerzan en la pared.

—Deben de estar muy grandes —afirmó la prima desde el fondo de la silla, sacando la labor de punto de una bolsa de plástico. La respiración de la madre se había convertido en un silbido costoso, bajo, imperceptible. Las falanges, azules, se movían despacio en la manta con reptaciones de insecto.

—Voy esta tarde a Tomar, madre, al congreso, y vuelvo el domingo a la hora de cenar. No se le ocurra enamorarse de ese habilidoso médico hindú en estos tres días: no quiero vacas sagradas en la familia.

Qué falta de humor, chico, no te sale ni un chiste decente, se recriminó él, bromas pesadas como las gotas de plomo de las bañeras del insomnio, naderías necias de revista: necesito reciclarme urgentemente con el *Charlie Hebdo*. La prima separaba cuidadosamente los ovillos en su regazo:

—Son tan simpáticos los hindúes, tan delicados. ¿Te has fijado, Fernanda, en su bigote?

—Tremendas metástasis pulmonares —informó el médico—, un derrame monstruoso en la pleura. —(Parecía referirse a las anginas de un esquimal que ninguno de ellos conocía.)—. Lo mejor es irse preparando para lo que venga.

Mostraba radiografías, exhibía análisis, daba explicaciones solemnes. La perfección del nudo de la corbata me irritaba sobremanera: desabrocharle el cuello de un tirón, arrugar el excesivo cuidado de la camisa: mi madre va a morir y este cabrón como si nada.

Los ojos verdes lo miraban despiadadamente desde la almohada.

—¿Ya ha salido tu manual? —susurró ella a duras penas.

Un carrito con esparadrapos dobló el pasillo chirriando, entrechocándose como cántaros de leche los botes cromados, llenos del silencio blanduzco de las compresas. Desde la habitación vecina crecía una quejumbre rítmica, la ondulación de un gemido, una protesta de mujer que subía y bajaba: Tápenme la boca para no gritar. Respondió a disgusto:

—Aún no, madre, un montón de pegas en la imprenta, las pruebas llenas de erratas —pensando Ya se me echarán encima los cínicos de los críticos con su insidia de impotentes, las reseñas minúsculas, anónimas, secas, sin foto, en los periódicos de la tarde. Cuando comience a pudrirme me considerarán primordial, me harán entrevistas, disertarán sobre mí, me seleccionarán para los aburridos cementerios de sus antologías. Dio un paso adelante, acarició la mano de la madre: porosa, sin sangre, leve y dura como las raíces huecas de las viñas.

—A la gente ya no le gusta la historia, la poesía —suspira la prima por detrás de las agujas de punto, confeccionando un horrible suéter tornasol, a rombos, que nadie se pondría (Muchas gracias pero ahora no me hace falta, creo que a Francisco le encantaba.)–. No le gustan las novelas sin escándalos, sin palabrotas, sin sexo: cuantas más guarrerías, mejor.

El olor de los sanatorios, pensó él, me causa un peso en la frente, un malestar, un dolor extraño: cuando me operaron la espalda vi mi pus en un cubo y me vinieron ganas de vomitar entre arcadas, boca abajo en la camilla, el interior de las tripas. El cirujano conversaba con el ayudante mientras removía el relleno de su cuerpo, y él reparaba en las botas de tela idénticas a las de los burros falsos, formados por dos comparsas, en el circo. Una niña con falda de lentejuelas y sombrilla paseaba en un alambre altísimo, iluminada por un foco morado y amarillo. En las gradas desiertas, un payaso rico, con la boca roja, ensayaba con el saxofón.

–¿Y padre? –preguntó él, y las palabras vibraron mucho tiempo, delante de los labios, como una escala de música.

El progenitor, con levita y los párpados subrayados con carbón, avanzó hasta el micrófono con meneos menudos de maestro de ceremonias. Un cono de claridad azul, venido del techo, lo perseguía:

–Sobran las palabras –anunció alisándose las hebras de la calva entre los silbidos gangosos de los altavoces–. Es un artista portugués.

–Mucho trabajo en la oficina –explicó la madre–. Luego pasará por aquí.

–Su secretaria ya ha telefoneado tres veces –aclaró la prima–, ha mandado esas flores envueltas en celofán con una cinta rosada a la altura de los tallos.

El jarrón de cristal tallado aumentó súbitamente de tamaño: el padre extendió la mano hacia una cortina sobada y él y las hermanas salieron de allí dentro corriendo, vestidos de tártaros, en un torbellino de piruetas y de saltos.

–Quietos –ordenó el padre–, estoy leyendo el periódico.

La calva severa, la cara sombría, el olor a agua de colonia y a tabaco americano de la ropa: y después, de tiempo en tiempo, los viajes de negocios cuyo motivo tardé años en entender, madre encerrada en la habitación, tumbada en la cama (Una jaqueca, no es nada, ya voy a cenar), las visitas al psiquiatra, el yoga, la macrobiótica, los juegos de naipes, la gimnasia. Y mis ojos mudos interrogándote a tu espalda ¿Por qué no vuelves más temprano a casa?

—Tal vez pase luego por aquí —suspiró la madre—, tal vez pase luego por cualquier parte.

La enfermedad le había limado las aristas de la voz, la había vuelto dulce, suave, delicada como el canto de una caracola: Mozart, *la mer ou l'écho de vos rêves*: anuncio de una marca cualquiera de tocadiscos franceses, leído en una revista en la clínica dental. Se acercó a la ventana, miró hacia fuera: una mujer con delantal desplumaba una gallina en la calle (la cabeza del animal, colgante, oscilaba al ritmo sin ritmo de sus tirones), dos perros, asentados sobre las patas traseras, la contemplaban de lejos con una avidez sumisa. Los edificios de las Amoreiras flotaban, desgobernados y feos, en la neblina: ciudad de mierda, ¿por qué no me largo ahora que estoy a tiempo?

—La comidita —gritó una criatura jovial, sosteniendo una bandeja metálica: sopa de gallina, merluza cocida con grelos, una pera, un plato puesto del revés para proteger el vaso de agua. Las hermanas desaparecieron con una pirueta postrera, el padre probó el micrófono con la uña:

—Comida de enfermos —vociferó ante un público de primas lejanas, que tejía instalado alrededor en los asientos de madera—. Cuidado, Fernanda, no se arriesgue. Solicitamos a la estimada asistencia el máximo silencio durante el peligroso almuerzo.

La criatura jovial comenzó a subir con la manivela la cabecera de la cama, como los tipos de uniforme azul que estiran la mesa alemana para los ejercicios de salto. El lazo, tieso por el almidón, del delantal, le vibraba en el culo a la manera de un ala de mariposa aprisionada.

–¿Quién se va a comer toda la comidita, quién? –preguntó ella con el tono irritantemente gracioso de una maestra de niños–. Sopita, merlucita, perita, qué delicia, la capsulita primero y el comprimido después, ya está.

–Alehop –gritó triunfalmente el padre con un molinete del brazo.

–Tus hermanas también han telefoneado –dijo la madre quitando cuidadosamente las espinas en forma de aspa, muy blancas, de la merluza–. Esta noche, con todo el mundo que ha dicho que vendría, la habitación se va a convertir en una sociedad recreativa en martes de carnaval: me voy a divertir un montón.

Una orquesta de parientes entrados en años, con una chaqueta con lengüetas plateadas, tocaba un bolero lento junto al lavabo, con la expresión impasible o vagamente aburrida de los músicos de bar. A la luz velada de la lámpara con volantes, llena de manchas, de la mesilla de noche, las enfermeras, los médicos, los tíos graves conversaban bajito, masticaban croquetas clavadas con palitos, se acercaban y se alejaban, al azar, con los rostros pálidos y lunares. El médico hindú bailaba con la prima del punto con un recato digno de balneario, cuando apartan las mesas del comedor para lúgubres veladas de violonchelos tristes.

–Quietos –repitió el padre–, estoy leyendo el periódico.

La madre sonrió inesperadamente: la infancia se le escurrió, lenta, a lo largo de la boca, como el agua en un desnivel de tablas:

–No te preocupes –dijo ella–, aquí se ocupan tan bien de mí.

Él salía de casa con la maleta llena de etiquetas de hoteles extranjeros y tú te quedabas sola, minúscula en un rincón de la cama enorme, leyendo gruesos libros ingleses incomprensibles, novelas, historias de guerra, un hombre y una mujer besándose sin vergüenza en la tapa. Volvía tres, cuatro días después, quemado por el sol, con un resto de luz extraña en las pupilas absortas. Yo iba a verlo afeitarse por la mañana, con pantalones de pijama y el torso desnudo, fascinado por el brillo de la navaja. Usaba Fijador Azevichex El Producto Favorito del Hombre de Éxito, y hacía gárgaras impetuosamente, con la nariz empinada, contra la caries, la piorrea y el mal aliento: Cuando sea mayor haré callar a todo el mundo para leer el periódico. Los perros de las Amoreiras, frente a la clínica, husmeaban en la niebla las plumas de la gallina, un resto de sangre, el montículo gelatinoso y repelente de las tripas. La madre marcaba el libro con un billete de tranvía, apagaba la luz, y yo tenía la certidumbre de que sus ojos seguían abiertos en la oscuridad, resplandecientes y fijos como los de los muertos en los retratos. Un teléfono empezó a llorar como un niño en una mesita baja junto a él.

—Sí —respondió la prima que se apoderó velozmente del auricular como un elefante de su manojo de zanahorias—. Sí. Sí. No, ha pasado bien la noche, el médico la verá luego por la tarde. Si hubiese alguna alteración, yo te aviso.

El padre, la vaga culpabilidad del padre, la preocupación distraída del padre, la amante de la que solo conocía su voz ronca y densa, como si una lamparilla de alcohol le calentase permanentemente la garganta. Una vez al mes almorzaban juntos en un restaurante al lado de su oficina, sin hablar, comiendo silenciosamente con una turbación que se palpaba, que crecía. La calva inclinada hacia el plato relucía como una tetera. Las mejillas aumentaban y disminuían, elásticas, mientras masticaba, y me venían a la cabeza días lejanos de infancia, en la quinta (la sombra móvil de los árboles en el suelo, el olor seco de las hojas y de la tierra), y un hombre joven, delgado, alegre, cuyas carcajadas se esparcían por el sosiego de la tarde, trotando, conmigo a horcajadas, camino de casa. Piensa: Vamos a volver la película hacia atrás, a recomenzar. La prima tapa el micrófono con la mano:

—¿Quieres decirle algo a tu marido?

El cubierto de pescado se estremece sin responder, agarro el aparato:

—Padre.

Las sílabas llegan desde el otro lado, dentro de su oído, nítidas y precisas como los paisajes grabados a estilete en una placa de bronce:

—¿Cómo está ella?

El hombre joven, delgado y alegre, dio paso a un señor de edad que engordaba, apretando constantemente los escasos pelos contra las sienes:

—Mejor, padre, mejor. No se preocupe.

Sentado en tus hombros casi tocaba las ramas de los castaños con la cabeza, aureolado de luz a la manera de los santos de los milagros, mientras una eternidad de fotografía me inmovilizaba la sonrisa que encuentro, tantos años después, en el espejo de la habitación, burlándose de mí con una mueca mordaz: cómo he crecido, caramba, cómo el pelo, a la vez, me empieza a faltar también: intento calcular de memoria la edad de padre en esa época (¿serías más joven que yo hoy?) y la voz le enreda las cuentas a través de los agujeritos de baquelita del teléfono:

—He oído decir que ibas a salir unos días.

Se distinguía el ruido de las máquinas de escribir de la oficina, gente inclinada ante las mesas, el desodorante de la secretaria transformando el espacio libre, salas, paredes, pasillos, en una enorme axila depilada y tibia: ¿Ya te la has tirado, viejo?

—¿Qué? —pregunta el padre.

—Nada, estaba diciendo que sigo viaje ahora mismo hacia Tomar. Un congreso sobre el siglo diecinueve, ya sabe cómo son estas cosas.

Mi hermana me contó que tenías otra casa con otros hijos, otro televisor, otros óleos, otra mesa de chaquete, otro bote de Fijador Azevichex El Producto Favorito del Hombre de Éxito, otro periódico. Escribir es una idiotez, ¿entiendes?, cuando no se gana el Nobel: deja la carrera.

Hubo una pausa y la voz del señor calvo respondió vacilante:

—Realmente con estos teléfonos no se entiende nada.

—No tiene importancia, sigo viaje ahora mismo hacia Tomar.

—Hum —refunfuñó el padre, desconfiado.

Y él le adivinaba los ojos oscuros, detrás de las gafas, calculando sin dar crédito: Tenía que mentirte, siempre tenía que mentirte, no soportabas que yo fuese diferente de ti, que emborronase versos, que prefiriese ser profesor en un pésimo instituto de los suburbios, por un sueldo miserable, a trabajar en la empresa, compuesto, con corbata, como los otros de la tribu. A veces me consolaba pensar que el hombre joven y alegre, que paseaba conmigo por la quinta, me habría entendido: íbamos los dos hasta el muro cubierto con trozos de botellas, y nos quedábamos fascinados mirando al tití del vecino, sujeto a la casucha con una cadena de perro, la higuera suspendida sobre el pozo, la tranquilidad malva de los atardeceres, mucho más allá de las estatuas de cerámica del jardín y de las sillas de lona descoloridas de la familia, al azar en el césped. Los pavos reales del bosque gritaban angustiadamente a lo lejos:

—Le da miedo la noche —explicaba el padre—, le da miedo poder soñar.

Piensa Bien puede ocurrir que el tipo que me llevaba a caballito entendiese, seguro que entendía: quien conoce a los pavos reales comprende a un mal poeta a la legua. Piensa Caray, lo que me gustaría decirle y no puedo. Piensa La falta de valor es una verdadera mierda.

—¿Cuándo vuelves? —pregunta el padre como si hurgase con un palito cruel en una herida infectada.

—El domingo, creo —declara él.

Y corrige, irritado consigo mismo (Como ves me das miedo, no sirvo para dirigir ninguna empresa), con una afirmación categórica:

—El domingo sin falta.

El domingo era el tedio de la ociosidad, el cuarto de los juguetes revuelto, el cuerpo arrastrándose, hastiado, por los rincones. La madre jugaba a las cartas con sus amigas, en la sala, en medio de un centelleo de pulseras y de pendientes, conversaban las bocas pintadas, como periquitos, de hijos, de criadas, del trabajo de sus maridos. Madre. Y ahora estaba allí muriéndose en el otoño de Campolide, en la habitación de una clínica, frente a la bandeja con espinas del almuerzo, que la prima colocó junto al jarrón de las flores antes de sumergirse, distraída, en la labor de punto.

—Por si acaso deja el número de teléfono ahí —ordena el padre—. Ya sabes cómo son estas cosas: puede ser que en cualquier momento tenga necesidad de hablar contigo.

Las amigas de las cartas se echan a reír a coro, inclinadas hacia atrás en las sillas de terciopelo rojo: un grupo de caras blancas, piensa él, en torno al cadáver del payaso pobre, cuyos enormes zapatos apuntan hacia la lona agujereada del circo, conmovedores y ridículos. Un burro formado por dos tíos trota rebuznando alrededor de la arena, agitando a diestro y siniestro la estopa color rosado de las crines. El guardés, con bigotes postizos, vestido con una piel de tigre de plástico, exhibe el tatuaje dibujado con estilográfica del brazo y alza, en medio de un tronar de aplausos, la cama en que la madre agoniza, delgada y leve como un gorrión en otoño.

—Claro que sí, padre, en la recepción —promete él.

El padre cuelga sin responder, y yo me quedo con el teléfono mudo pegado al oído, inmóvil como una concha sin mar. La voz aburrida de la muchacha de la centralita pregunta:

—¿Ha pedido alguna llamada?

y él mira con asombro el aparato, admirado por el grillo parlante que lo cuestiona desde el interior, imperativo: el funcionario de finanzas, si ella pudiese pillarlo, las iba a pasar canutas.

—No, gracias, acabo de hablar —titubeo yo deprisa colocando el auricular en la horquilla (plin, canta un timbre débil) y enfrentándose de nuevo al espejo con su rostro que envejece, las gafas, el pelo ralo siempre graso a pesar de los sucesivos champúes, las arrugas aún jóvenes de los treinta años surcando su camino en las mejillas y en la frente: dentro de un tiempo estaré hecho polvo. Piensa en los hombres de edad con bañador en la playa, con las tetas flácidas y el vientre blando sobre las piernas delgaduchas desprovistas de pelos, trotando hacia el agua con una jovialidad desmañada, en los que entran en los restaurantes caros acompañados por muchachas jóvenes, y les susurran sobre el bistec intimidades sonrientes, piensa que el mes pasado vio a una mujer rubia conduciendo con actitud de dueña el automóvil del padre, y que la sangre empezó a pulsarle con fuerza en las sienes, furibundo: Le montó una casa y yo con dos habitaciones en Campo de Ourique, cuatro inquilinos por piso, los cubos de basura siempre arrimados a la puerta, perros vagabundos, gitanos, barro, la ropa colgada de las ventanas, blanda y fea, entristeciendo la mañana, libros y periódicos por todas partes, ceniceros sucios, el olor a fritanga en la cocina: a joderse. Se sienta en la cama de la madre y le acaricia el pie por encima de las sábanas, los huesos estrechos, los dedos, las tibias salientes. Mi vieja. Los ojos claros de la enferma, desenfocados por una especie de niebla interior, lo observan simultáneamente desde muy lejos y desde muy cerca como los animales encerrados del Jardín Zoológico. Una espumita rosada crece y decrece en los ángulos de la boca. Piensa Qué distantes han quedado las partidas de canasta, cómo ha adquirido tu rostro una densidad insospechada, cómo se estremece tu cuello frágil.

—Voy tirando, madre.

Nunca tuvimos tiempo, ¿no?, los unos para los otros, y ahora es tarde, estúpidamente tarde, nos quedamos así mirándonos, ausentes, extranjeros, llenos de manos superfluas sin bolsillos que las alberguen, en busca, en la cabeza vacía, de las palabras de ternura que no supimos aprender, de los gestos de amor de los que nos avergonzamos, de la intimidad que nos asusta. Una camioneta ocupa completamente la ventana de la habitación en la mañana decrépita, y la cara del conductor, opaca y neutra, se pegaba casi al blanco amarillento de las cortinas, a la piel de cristal de los espejos, a los muebles impersonales pintados de color crema, al botón del timbre suspendido sobre la cama con un desánimo trenzado. La mujer rubia que conducía el automóvil del padre cruzó el techo, con una vara en las manos, en equilibrio sobre un alambre tenso: cuidado,

Dolores, no se arriesgue. A cada pirueta caían nubecitas de tiza de las zapatillas doradas.

—Hasta el domingo, madre —dijo él y pensó Nunca es ahora entre nosotros, y siempre hasta el domingo, hasta el viernes, hasta el martes, hasta el mes que viene, hasta el año que viene, pero evitamos cuidadosamente enfrentarnos, nos tenemos miedo los unos a los otros, miedo a lo que sentimos los unos por los otros, miedo de decir Te quiero. La camioneta ha desaparecido y en su lugar ha surgido de nuevo el revoque deshecho de las fachadas melancólicas de las Amoreiras, los balcones sin gracia, la palidez hinchada y ocre del cielo, el cartel oscilante de un barbero: Salón Gomes. La prima fue detrás de él hasta el pasillo, confidencial:

—El médico le da a lo sumo una semana, querido.

—El infarto le ha afectado casi todo el corazón —aclaró el hindú en el centro de la pista, ante la familia que aplaudía, entusiasta, desde las gradas.

Sacó del bolsillo un volumen rojo, redondeado, que sangraba, y lo mostró lentamente a los espectadores:

—Le pido a la distinguida asistencia el favor de que se fije en esto.

El burro de tela de los tíos fue al trote husmeando el corazón, y el médico lo apartó de un puntapié con su zapato gigantesco de payaso. Los pantalones demasiado anchos y cortos dejaban ver los calcetines a rayas rojas y los pelos muy largos, postizos, de las piernas. El camillero que había llevado a la madre a la clínica, disfrazado de vendedor de globos de gas, endilgaba de fila en fila sus esferas coloridas. Una enfermera apareció corriendo jeringuilla en ristre, desapareció en un cuarto del fondo, y la prima y él tuvieron que pegarse a la pared en el pasillo sombrío, en cuyo techo se deslizaban de aquí para allá manchas pálidas de sol.

—A lo sumo una semana —repitió la prima—. ¿Has visto como está cada vez más consumida?

—Ese corazón ya no funciona —gritó el hindú con una entonación de paparrucha en una feria, en un intermedio de las carcajadas del público que se reía del burro tendido en el suelo, panza arriba, pataleando—. Ese corazón no funciona, pero ¿hay, damas y caballeros, algún corazón que funcione? Tengan la bondad ahora de fijarse en el mío.

Sacó de debajo de la camisa una bola arrugada de fieltro, que aumentaba y disminuía rítmicamente accionada por algún mecanismo, lo elevó Para que esta selecta asistencia pueda verlo, si alguien quiere tocarlo que baje a la pista, y en ese momento una mujer cubierta de arpillera salió tropezando de detrás de una cortina, le quitó la bola de una palmada y enfiló al trote, con las piernas esmirriadas, hacia una puerta pequeñita.

La muerte, pensó él. Siempre imaginé que era un ángel. O una mujer de pelo rubio. O un hombre muy viejo con una hoz en la mano.

—Dejo el teléfono en la recepción por si necesita algo —dijo a la prima que lo miraba con las órbitas empañadas y ásperas de gallina de Guinea: Tengo que llegar a Tomar antes de la hora del almuerzo. Apoyó el oído en el umbral, no oyó nada: la madre debía de estar durmiendo un sueño ligero, sobresaltado, de ardilla, en medio de sus revistas inútiles de enferma. A lo sumo una semana. A lo largo del pasillo, las paredes lo miraban con odio: Márchate. Doctor Oliveira Nunes, doctor Oliveira Nunes, llamó una voz detrás de él. En la despensa, la enfermera de los pasteles, sentada en un banco giratorio, se pintaba las uñas, soplando por la punta de los labios los dedos ya listos.

Una criada con uniforme marrón, inclinada hacia delante, empujaba una enceradora como una cortacésped sin motor: qué estupidez la congoja de mañana, durante el café con leche y la soñolienta limpieza de la casa, cuando el universo adquiere el inofensivo tamaño de una taza de café vacía, qué fastidio dejar de respirar antes de la señal horaria de las doce que es como el Cabo Bojador del tiempo, cuando se sacuden las alfombras en los balcones y los vendedores ambulantes pesan el pescado y la fruta, con grandes gestos de honestidad espectacular, en el otoño húmedo de Campolide. Le dejó un papelito escrito (Si me necesitáis estoy aquí) a la empleada flaca de

23

la centralita, empujó la mampara cuyos goznes chirriaban a la manera de una rodilla impedida, y salió a la calle gris bajo el cielo gris de cinc. En el local abierto del barbero centelleaban los metales, multiplicados, en los espejos, las tijeras volaban sobre los cabellos abriendo y cerrando sus grandes picos aguzados. Buscó con los ojos la ventana de la habitación de la madre y encontró una hilera de alféizares idénticos, con la pintura desconchada, persianas oblicuas, tejados sin palomas, una chimenea negra que tosía: que al menos muriese en su casa, en la gran cama de matrimonio en la que me gustaba acostarme, cuando era pequeño, durante las semanas de gripe, intentando hacer coincidir mi cuerpo minúsculo con la depresión del cuerpo del padre, mientras tú de pie, junto a la cómoda, sumabas números en un libro cuadriculado de tapa negra. Las brasas deshechas del hogar se estremecían a ratos con vibraciones anaranjadas. Los cuadros de la sala, con marcos tallados, representaban paisajes, recodos de ríos, árboles, iglesias a lo lejos. Fuiste a acabar lejos del paño verde de la mesa de la canasta, de los perros de porcelana, de los retratos redondos de los hijos colgados de una especie de arbusto de plata, lejos de las criadas, de los bassets, del óleo de san Juan Bautista del comedor. La enfermera del pastel se soplaba las uñas pintadas apoyada en el escritorio de la oficina del padre, el olor nauseabundo de los medicamentos impregnaba la comida. Comenzó a subir lentamente la acera en dirección a la avenida de los tranvías: He dejado el coche mal aparcado sobre la acera, Dios quiera que no me hayan puesto una multa. La tristeza de la mañana se escurría por la cara y la ropa de las personas, el tráfico se deslizaba sin rumor rozándolo como un gran animal múltiple y suave: de ahí al apartamento de Campo de Ourique a buscar a Marília y después la carretera sin fin hacia Tomar, siempre atestada de tractores, de autobuses, de motos, de perros: dos o tres horas de automóvil junto a ella, ¿de qué voy a hablar todo ese tiempo? Te llevo conmigo a Tomar para decirte que ya no te quiero. Imaginan enseguida que hay otra mujer: No hay ninguna mujer, quiero estar solo unos meses, pensando, ya veremos, intenta entenderlo. Y el perfil de ella, callado, tenso, duro, recriminándome en silencio por cuatro años de expectativas frustradas: siempre es tan fácil empezar y tan difícil acabar: y después los telefonazos interminables, las acusaciones, las súplicas, los gritos, el eterno chantaje sibilino de costumbre: Si me ocurre algo no te sientas culpable. Llegó al final de la acera, junto a un quiosco de periódicos atendido por un tipo inmundo con muletas, con el emblema del Benfica, a quien le faltaban dedos en la mano izquierda, saltando sobre una única pierna como un saltamontes cojo. Frente a él, un caballero digno hojeaba vacilante una revista de desnudos, deteniéndose en la foto a color de la página central, y él se acordó de las hermanas, bien casadas, serias, tejedoras, reproduciendo ya el modelo de la madre (la misma clase de amigas, la misma clase de intereses, las cartas, el Algarve en las vacaciones, los hijos): observó por encima del hombro del caballero digno, Vaya par de tetas, caramba, y pensó Cómo serán ellas en la cama con sus maridos, a la espera, resignadas, de que ellos se quiten el reloj, se vacíen los bolsillos, se desnuden despacio, acomoden el pantalón raya con raya en la silla, se tumben por fin panza arriba, rumiando las peripecias económicas de la empresa: por lo menos sé siempre cuándo quieres hacer el amor, Marília, siento en el cuello tu respiración afanosa, encuentro la ansiosa urgencia de tu cuerpo en mi sangre, veo la líquida congoja de tus ojos, Apaga la luz, formas vagas que se confunden en la oscuridad azul, un brazo que se mueve, un codo, el temblor de los pies, estoy en ti como una pluma Parker en el estuche, ahora ahora ahora ahora ahora ahora ahora más deprisa córrete qué bien. Piensa ¿Y eso llega? Piensa Nunca tengo ganas de volver después de las clases a casa, subir las escaleras, meter la llave en la puerta, surges en el marco de la cocina removiendo algo en un cazo, Hola, amor, he ahí los muebles de costumbre, los objetos de costumbre, el televisor encendido sin sonido y un tipo cualquiera con ojos de róbalo perorando en silencio allí dentro, Me marcho, adiós, o me quedo, cuál es la alternativa, ir adónde, seré más feliz solo, conseguiré alguna vez ser feliz con esta inquietud de siempre en las tripas, esta especie de colitis del alma, este desasosiego de entrañas, giro el botón del sonido, la adhesión de Portugal al Mercado Común, vuelvo a quitarlo, los lomos de los libros me irritan, el escritorio me irrita, las muñecas de trapo me irritan, el sofá demasiado blando me irrita, voy hasta la ventana a observar la tranquilidad de la calle, los coches inmóviles bajo las farolas, la piel lunar de los edificios, cómo harán los demás para aguantar la mecha, las parejas que conozco vivirán íntimamente satisfechas consigo mismas, lograrán lavarse los dientes por la mañana con una esperanza relativa, cuál es la solución cuando ya no hay nada que conocer, que descubrir, que inventar, han sido cuatro años muy agradables, disculpa, pero me parece mejor que nos separemos, y tu cara, con el cazo en la mano, boquiabierta de asombro, primero, arrugándose de duda, de incredulidad, después. Debes de haber bebido dice ella, No he bebido nada digo yo. De cualquier manera deja la charla para luego que ahora no estoy con ánimo dice ella, Hablo lo más seriamente posible digo yo, y la voz tiembla, Vete al cuerno dice ella desde la cocina regulando el fuego y los azulejos amplifican su grito, lo astillan en mil partículas agudas, lo reproducen en un mosaico menudo de rabia, me siento en el sofá y pienso Qué desilusión esta sala, qué fúnebre la reproducción de Picasso de la época rosa en la pared, qué fea tu escribanía con cajones, el caballero digno cierra la revista, la deja de nuevo en el quiosco de los periódicos por detrás del cual una chiquilla de ocho o nueve años mastica un bocadillo de jamón observándome con las pupilas gigantescas, fijas y oscuras, piensa Va a llover, esta humedad en el aire anuncia lluvia, los edificios de las Amoreiras se desteñirán aún más, palidecerán aún más, se volverán aún más feos, viejos y tristes, encuentra el automóvil, sin notificación de multa en el parabrisas, entre una moto y un coche americano de los años cincuenta con cristales verdes y un hombrecillo con sombrero dentro, debe de usar pulsera, cadena, cinco anillos y la fotografía de su esposa y sus hijos «PIENSA EN NOSOTROS» en el salpicadero, debe de estar esperando a la amante que se oxigena en la peluquería del segundo izquierda, el hombrecillo con sombrero se entretenía con los botones de la radio del coche, un borbotón de música, de silbidos, de voces distorsionadas surgía ahogado de ahí dentro, abriste la puerta de tu lado, te sentaste frente al volante, Qué incómodo este asiento y ahora a Campo de Ourique a buscar a Marília, las maletas, tu nula voluntad de partir acompañado, el hotel de Tomar, las caras conocidas y desconocidas, el trastorno de la llegada, la horrible lentitud de la noche a tu vera, apoyado en el peñasco dormido de tus riñones. Bajó por el Arco do Carvalhão frenando siempre (Hay algo que no funciona en este cascajo, un día de estos me rompo la cabeza contra un muro y se acaban los incordios, las vacilaciones, las clases, los ensayos, los eructos asqueados de los cabrones de los críticos) y giró a la altura de un cartel luminoso, después de la comisaría con su inofensivo soldado de plomo con ametralladora vigilando la entrada, en dirección a la Rua Azedo Gneco a través de la geometría sin gracia del barrio, de sus quincallerías y tabernas cutres, oliendo a cuadernos de dos líneas y a queso de la sierra caducado. Enfrente de su edificio un grupo de chicos jugaba a la pelota en el asfalto. Una vieja con un perro obeso y un misal entró en la cafetería vecina para la tostada eucarística. El cielo se aclaraba del otro lado del día, por entre borbotones fuliginosos de nubes: los mojones de mierda de las chimeneas de Barreiro, pensó él, viva la Portugal industrial. Desde la casa de un amigo se avistaba el muelle y las fábricas de la margen opuesta, y yo me asomaba desde el alféizar, por la noche, mientras los compañeros hablaban de literatura, de política y de música, sumergidos en coñac de mala calidad y de nauseabundos cigarrillos franceses sin filtro, mirando el cielo de pizarra del carbón: fue el primer año en que vivimos juntos y deseaba tanto tu cuerpo en aquel entonces que me quedaba inmóvil, de pie, en la sala, observándote maravillado por tus gestos, tu sonrisa, la curva estrecha de los hombros. Joder las veces que escribí tu nombre, con el índice, en las ventanas del invierno, mientras las letras se escurrían hacia los marcos como si llorasen, lentamente zancudas de una especie de lágrimas. Cerró el coche y cruzó la calle en dirección al edificio haciendo esquina que detestaba, y pensó: Campo de Ourique me habita irremediablemente los huesos, creo que no sería capaz de vivir lejos de estas manzanas tibias y sin gracia, de esta triste prisión de fachadas desigualmente idénticas, construidas en la pasta sin grandeza de un decorado de melancolías resignadas. El padre, uniformado de cicerone, sin afeitar y con los zapatos sin betún, señaló la casa con el índice presuroso, seguido por un racimo de japoneses risueños y miopes:

–Vivió allí cuatro años antes de separarse, a los treinta y tres, de su segunda mujer. No había hijos ni hubo escenas: los vecinos no repararon en nada, la portera no llegó a enterarse hasta una semana después. La mujer se fue con lo puesto y un cepillo de dientes, alquiló un apartamento en São Sebastião y dejó de dar clases. Parece que tiene la intención de emigrar a Angola: el comunismo le ablandó el cerebro.

–¿Ya? –comentó Marília, sorprendida. Había una maleta abierta encima de la cama (La misma de cuando te conocí, las cosas cambian tan poco) y el torso de ella desaparecía en el armario de los vestidos, en cuya puerta con espejo se colgaban las corbatas y los cinturones que yo no usaba nunca: solo camisas a cuadros, vaqueros y trenca, el uniforme de la Izquierda: El viejo es rico, lo que dignifica mi opción de clase. Un olor leve y dulzón se evaporaba de los cajones porque tu agua de colonia lo impregna todo, hasta la ausencia de ti cuando te recuerdo. Converso, por ejemplo, con un alumno, y el aroma me visita con tal intensidad que busco tu mano en mi brazo y no estás, que palpo con una mirada de soslayo el aire a mi alrededor y no existes, y después, poco a poco, a medida que te alejas de mí en mi interior, voy dejando de tropezar con tu perfume, de acordarme de tus arrugas en el trabajo, de echarte de menos si almuerzo solo en la taberna. La madre comenzó a repartir las cartas de la canasta, volvió la cabeza hacia mí y dijo:

–Nunca aprobamos aquella relación.

–¿Cómo anda la buena señora? –preguntó Marília ordenando una pila de camisas–. No te esperaba tan temprano.

Mi madre se negaba a recibirte y tú le respondías con una mueca altiva: No necesito a esos fachas de mierda para nada, pero cuando yo iba a verla en Navidad y por su cumpleaños me lanzabas al regreso chistes sibilinos. No eres más que un estúpido burgués, un conservador intragable, me voy a quejar al Partido. Una noche se encerró en el retrete llorando, él espió por el ojo de la cerradura y allí estaba ella limpiándose con papel higiénico los párpados gruesos de repente: me dieron tantas ganas de abrazarte, Te quiero Te quiero Te quiero, de hacer el amor así, de pie, contra los azulejos, discutir las complicaciones, que no entendía, de la vida.

–El clínico ha dicho que una semana –respondió él–. Lástima que las semanas de los facultativos duren siempre tres días.

–Nunca pensé que yo acabaría así –aseguró mi madre sirviendo el té a las amigas con la tetera de plata de la abuela–. Imaginaba algo más agradable, más civilizado, diferente, lejos de estas horribles enfermeras con las uñas sucias y de este médico negro con veleidades de marido de Mahalia Jackson.

–¿Os habéis fijado en que solo le falta el sombrero de copa? –pregunta mi hermana mayor con una risita feroz–. Vamos a cantar todos a coro un espiritual.

–Saca del cajón los suéteres que quieres –dice Marília–. Tus suéteres y yo nunca nos entendemos muy bien: da la impresión de que elijo invariablemente los que te repatean.

–Le faltaba por completo el sentido del color –acusa la prima de la clínica vistiendo a la madre difunta, como a una gran muñeca de trapo, con una falda negra y color lechuga–. Pobre, era hija de un guardia republicano, llevaba el mal gusto en la sangre.

Lo primero que me llamó la atención en la casa de tus padres (había que coger el autobús casi hasta el fin del mundo) fue el color de las paredes y la profusión de tapetes, de hadas de cerámica y de Sanchos Panza de bronce, la ausencia de libros, Marília, y el jardincito mal cuidado de la entrada, que los gatos destruían con sus pasos leves de tela. Me senté avergonzadísimo en un sillón con el respaldo forrado con labores de ganchillo, con una copa de oporto en la mano, conversando con el padre de ella mientras tú y tu madre poníais la mesa de la cena, un mantel de encaje, brillos de cubiertos, platitos con almendras y bombones. Las manos enormes del guardia republicano se demoraban, también desmañadas, en los botones de la camisa. No quieren venir a comer: sopa, carne asada, pudin instantáneo que temblaba como un doble mentón riendo, tu hermano pequeño siguiéndome de reojo, desconfiado, la farola de hierro forjado en el porche de la salida, Buenas noches muchas gracias, y otra vez el autobús, ahora vacío, camino del centro de la ciudad, y el río allá abajo, inmóvil, poblado de las pupilas de los barcos.

—Vamos a llegar tardísimo a Tomar —dijo él.

Los domingos, por tanto, iba a casa de los padres de ella, gente sin alardes, sin pretensiones, me recibían bien, estudiábamos juntos en las escaleras de piedra del patiecito de la trasera, usabas un vestido floreado ceñido en las caderas, veíamos a tu madre a través del vidrio oscuro de la puerta de la cocina, lidiando con las sartenes bajo el reloj eléctrico redondo cuyas agujas se movían sin ruido apresurando el crepúsculo, el padre aparecía con zapatillas y chaqueta de pijama en el marco de la ventana No vienen aquí dentro, sabihondos, había sido guardagujas de la Carris en su juventud, tu abuelo trabajaba en el campo, y ahora la hija, importante, doctorándose, dando clases en la facultad a los ricos, contribuyendo sin protestas a los gastos de la casa, abría el bolso Para vosotros. Y no obstante, pensó él, se veía a las claras de qué ambiente venías, nunca he visto pies tan grandes como los tuyos, de uñas achatadas y anchas, sembrados de grietas, pies de palmípedo en el otro extremo de la sábana o espoleándome los muslos si me echaba sobre ti, Ay ay ay amor ay qué piel tan suave la tuya, qué polla tan bonita.

—Trae lo que necesitas para afeitarte y ya podemos cerrar la maleta —respondió Marília.

—La unión entre personas de clases desiguales siempre termina mal —sentenció la hermana limpiando la boca del niño más pequeño con un babero con el ratón Mickey estampado.

Pero hace cinco años yo era idealista, entusiasta, un poco simplón, había salido medio trastornado del matrimonio con Tucha y creía en la Revolución, pensó él en el cuarto de baño metiendo en una bolsa de plástico la maquinilla, la espuma de afeitar, el cepillo de dientes, el peine muy gastado que me acompaña no sé desde cuándo, el champú que por lo menos le dará algún brillo a la calva. El rostro de él, preocupado y serio, apareció en el espejo. La madrina, vestida como las mujeres de los perritos amaestrados, sacude gravemente los pendientes largos y le señala un marco de terciopelo al público:

—Lo crean o no, era un bebé bonito.

El marido, de augusto de *soirée*, apareció detrás de ella, se ajustó un elástico en los pantalones ajedrezados, y dos chorros de agua brotaron en arco de los ojos:

—¿Quién podía prever que se iba a suicidar así?

La cara en el espejo intentó una sonrisa mustia como una flor de herbario, recorrí con los dedos desanimados la calvicie incipiente. Piensa ¿A los treinta y tres años comenzar qué? Había un amigo que lo recibiría en casa, que le había prometido una cama en el tendedero (Por los chavales no tenemos otro sitio, disculpa, ¿entiendes?) para las primeras semanas, ¿y después? Los alumnos, las habitaciones alquiladas, el cine de vez en cuando, el vacío.

—Siempre hay una esperanza —gritó el padre con levita y bombín arrugado, sacando de la nariz de los niños de la primera fila una lluvia de monedas.

—Es para hoy, ¿no? —preguntó Marília desde la habitación.

Piensa No te imaginas la que te espera. O tal vez sigas igual, las personas son tan imprevisibles, quién sabe. Cuando Tucha me dijo Es mejor que nos separemos, estábamos viendo una obra en televisión, cogidos de la mano, en la sala, y de repente un viejo barbudo iba a abrir la boca y oí tu voz en lugar de la de él, tranquila, educada, sin aristas:

—Me gustaría que te fueses hasta finales de mes.

Las facciones en el espejo se redondearon de asombro, se serenaron: no seas demasiado burgués, tal vez el divorcio te permita escribir finalmente el ensayo sobre el sidonismo que proyectas desde hace tanto tiempo.

—No siento nada salvo amistad —dice Tucha—, y cuando no se siente nada, pffffffff.

Le soltó la mano y encendió un cigarrillo.

Piensa ¿Y ahora?

—Lo malo de este chico —informa la madre sonriente, tomando nota de los puntos— es que nunca supo hacer que lo amasen.

Se levantó para apagar el televisor (la imagen disminuyó, disminuyó, disminuyó, hasta convertirse en un puntito luminoso que se esfumó en la pantalla) y empezó a andar de un lado para otro entre el sofá y la cómoda. Piensa No soy capaz de razonar, ya no seré capaz de razonar sobre esto, no se le ordena así a una persona, después de tanto tiempo, Vete, tratándome como una basura, como un resto de mierda que se echa a la calle. Un odio inmenso le crecía en las tripas, Si te crees que me dejarás sin los niños olvídate. Piensa Maldita zorra, seguro que has estado tramando esto con tus amigas la tira de meses, charlitas, cuchicheos, telefonazos a un abogado conocido, una conspiración sórdida de ardides, sola no te habrías embarcado en algo semejante. Barrió con el brazo todo lo que se acumulaba encima de una cómoda Imperio, retratos y cerámicas se escacharraron con estrépito en el suelo:

—¿Qué coño significa esto? —gritó él.

Cerró la bolsa de plástico, volvió a la habitación. Marília había cerrado ya la maleta y observaba, sentada en la cama, el rosario de burbujas del tubito de vidrio del acuario, y el pez transparente que se estremecía, como una hoja, allí dentro:

—Debe de tener fiebre —dijo ella.

—Ese pez siempre ha tenido cara de sinusitis —respondí acomodando la bolsa de plástico en la maleta—. Disuélvele en el agua una cápsula de tetraciclina cada seis horas.

El ascensor, de doble puerta metálica, llegó a estremecerse como una barquilla. En la hilera vertical de botones negros sobre una placa cromada había uno, rojo, con la palabra «ALARMA» grabada: siempre que entraba en aquel ludión precario lo asaltaban unas ganas locas de pulsarlo con el dedo y oír lo que imaginaba como el ruido aterrador de una sirena del cuartel de bomberos, enterrando la casa bajo los escombros de sus alaridos. La portera, despeinada y gorda, asomaría en su cubículo, armada con la escoba agresiva de las grandes ocasiones. Arrastró el equipaje hasta el ascensor, cerró las puertas y pulsó el botón de la planta baja, los dos comprimidos en aquel túmulo idiota que bajaba a trompicones camino de la calle.

—¿Has puesto gasolina? —preguntó ella.

—No hagas escenas ridículas —dijo Tucha volcando las colillas de un cenicero pequeño en una vasija de plata—. Y no rompas todos los muebles, piensa en los vecinos.

—¿Y qué querías, con una actitud como la tuya? —interrogó la hermana menor, con turbante y pantalones pitillo, pisando, descalza, una alfombra con trozos de botella. Uno de los sobrinos, con el ombligo al aire, la acompañaba tocando el tambor.

La madre movió las muñecas muy blancas sobre la sábana de la clínica:

—Pobre —murmuró ella—, nació sin brújula.

—He puesto gasolina —informó él, irritado—, he comprobado los neumáticos, el agua de la batería, el aceite del motor, he ajustado la dirección, he calibrado las ruedas, y he pedido por radio a los automovilistas del país que hiciesen lo mismo. Si su alteza quiere hacerme el obsequio de su compañía, tenemos algunas posibilidades de llegar enteros.

Piensa ¿Por qué me cabreo tanto, por qué demonios me cabreo tanto con los demás por tan poca cosa? De repente, sin aviso, sin control, sube una oleada de furia dentro de mí, se me hinchan los testículos, se retuercen las tripas de gases, un extraño hormiguero me llega a los dedos, y empiezo, sin motivo, a gritar.

—Perro que ladra no muerde —dice Tucha como deformada por uno de esos espejos ondulados de las ferias, sobre un fondo de carcajadas y de chillidos—. Si no te vas tú, me voy yo —añade tranquilamente liando un porro. Sus bonitas piernas seguían cruzadas en la posición de costumbre, los párpados bajos difundían medias lunas de sombra en las mejillas. Piensa Eres tan guapa. Piensa ¿Qué dirán mis padres de todo esto?

Cerró de un golpe el maletero del coche (la llave entraba siempre mal, se diría que cierta resistencia se oponía tenazmente desde dentro) y las fachadas de la Rua Azedo Gneco, grises bajo el cielo gris, se le antojaron deshabitadas de toda especie de vida, absolutamente neutras y ciegas. Amas de casa de mediana edad trotaban en las aceras arrastrando sus rickshaws de compras, que saltaban sobre las piedras desiguales. Un gitano viejo sin afeitar, borracho perdido, intentaba en vano subir al asiento de su carreta destartalada. Piensa ¿Es esto la vida? Tucha se casó de nuevo (Un tipo con gafas, medio tonto, ¿qué le habrá visto ella a ese bestia?), él veía a sus hijos los fines de semana alternos, tocaba el timbre abajo, se quedaba esperando, la mano del encendedor temblaba y de repente los chicos se le aferraban a las piernas Hola, papá, vamos al Jardín Zoológico, papá, vamos al circo, papá, y aquella mirada tristísima, casi líquida, de las jirafas. Comían helados, cacahuetes, compraban globos, pasaban de las focas, y después, a las siete de la tarde, el timbre, la puerta que se abría en una especie de eructo del mecanismo eléctrico, los chicos desaparecían corriendo, olvidados de él, y se sentía tan abandonado que le daban ganas, qué fastidio, de llorar.

—Para ser un día entre semana, hay mucho tráfico en la carretera —dijo Marília en busca de los chicles en el bolso.

—Lo malo de él fue no haber creído nunca realmente en nada, no haberse dejado guiar nunca por la Santa Fe —afirmó el padrino, con paramentos de sacerdote, bendiciendo el ataúd.

Un grupo de payasos enanos, disfrazados de mujeres de luto, sollozaba entre gemidos en un rincón, blandiendo grandes pañuelos rojos–. Quien no cree en nada, queridísimos cristianos, acaba así –concluyó con los brazos abiertos, en medio de un estruendo de platillos de la orquesta.

Marília tiró el papel del chicle por el cristal triangular del coche y empezó a mascar ruidosamente. Salieron de Lisboa detrás de una larga fila de camionetas militares, repletas de soldados de rostros agudos, inquietos, de pájaros. Piensa No me apetece un carajo ir al congreso, me cago en el siglo diecinueve. Piensa Tú no te imaginas el discurso de despedida que te voy a soltar mañana o pasado, las frases bonitas, teatrales, los silencios cargados de sobrentendidos sutiles, los gestos estudiados, y tú de pie, estupefacta, en la habitación del hotel, entre maletas, mirándome.

–Ni se te ocurra pensar que me voy a separar de ti –le declaró a Tucha empujando los añicos debajo de la mesa con el pie–. Y si dices que estás harta de mí, zorra, es porque yo te doy lo bastante para que te hartes.

–¿No venís a cenar? –preguntó la madre de Marília introduciendo la cabeza, como un cuco de reloj, por la ventana de la cocina. El sol se cuajaba en grandes películas verdes en las hojas de los árboles, del cementerio próximo llegaba el olor espeso, de begonias, de los muertos, el carraspeo del guardia republicano sacudía las paredes. El padre de Tucha, por el contrario, no tosía nunca, usaba chaleco y se machacaba varios días seguidos en el despacho respirando el polvo de los mamotretos antiguos y bebiendo whisky color pis de una botella con una etiqueta incomprensible. La madre jugaba a la canasta y a la brisca con la madre de él, padecía cierta enfermedad del corazón que la obligaba constantemente a repetir el gesto del sí, y parece que había huido unos meses, siendo joven, con un primo oficial de la Marina llamado Tomás. Ahora era una vieja inútil, casi conmovedora, llena de joyas, que dejaba caer las cartas de los dedos con una torpeza que ningún teniente querría.

Piensa Estoy fumando demasiado, encendiendo el tercer cigarrillo del viaje, mientras unas casas dispersas, postes telefónicos, algún que otro ciclista solitario se deslizaban a los lados del capó como agua surcada por la proa de un barco. Los campos sonámbulos del otoño se desdoblaban, sin majestad, en pobres colinas redondas como cráneos calvos: la Rua Azedo Gneco se alejaba de ellos con sus libros, sus retratos, los carteles pegados en la pared, la cisterna eternamente averiada.

–Nunca creyó en nada, nunca creyó realmente en nada –repitió el padrino, montado en el falso burro, con lágrimas que caían, en surcos oscuros, por la cara pintada.

El siglo diecinueve, pensó él, ¿quién se interesa todavía por el siglo diecinueve? Unos pocos sexagenarios necios, algunas muchachas feísimas, uno o dos extranjeros distraídos que financia la facultad, señoras mohosas capaces de disertar doce veladas seguidas, para turbas borrachas de sueño, sobre el desembarco de Mindelo.

–¿Otro cigarrillo? –dice Marília, sorprendida–, fíjate solamente en el color de tus dedos.

El médico hindú exhibe contra la ventana una radiografía del tórax:

–Cáncer de pulmón –diagnostica–, apuesto que espinocelular. Un tiempo más consumiéndose y adiós muy buenas. A esas alturas, la habitación de su madre ya estará desinfectada y la cama vacía: lista para usted.

O si no, Tucha, los sábados por la noche íbamos a dar una vuelta por la Marginal en el Peugeot antiguo que me regaló mi padre, las formas oscuras, geométricas, de los almacenes de las dársenas, se agigantaban del lado del río, las puertas del automóvil se movían y se sacudían como las chapas de lata de los vagones del Castillo Fantasma circulando entre carantamaulas y esqueletos, me apetecía llevarte hasta el Guincho, me dolían los huevos, parar el coche en el arcén, donde se oye el mar y el viento lanza contra los cristales mamporros furiosos de arena, abrazarte en las tinieblas oliendo a tapizado de automóvil, a goma quemada y a colilla fría, las olas se deshacen allí abajo en las rocas en un rezongo inmenso, me apetecía sobre todo salir de donde hubiese luz hacia los aparcamientos desiertos o a las callejuelas transversales de Carcavelos pobladas de viviendas sombrías, buscarte el pecho con las manos, la juntura del pubis, la saliva sin sabor de la boca, y en esto Tucha Quiero ir a bailar, y acababa entrando contrariado, detrás de ella, en una caverna ruidosa con focos intermitentes, llena de personas difusas acuclilladas en asientos bajos frente a platos con palomitas. Piensa ¿Me casé porque te quería o porque todo el mundo se casaba en aquel entonces, mis hermanas, mis primos, los amigos, fotografías de novias, de grupos con un vaso en la mano, grandes mesas puestas abarrotadas de comida? Piensa ¿Me casé por el vértigo que me causaba el olor de tu cuerpo, tu mirada lenta de soslayo, los brazos indiferentes, inmóviles, inertes? ¿Me casé porque me invadía la ilusión de poder ser dueño de cualquier cosa aunque fuese, al menos, de mí mismo, dueño de cenar lo que me apeteciese, de acostarme a la hora que me apeteciese, de no tener que darle, joder, explicaciones a nadie? Piensa Tenía veinte años, ¿quería usar alianza, elegir mis trajes, ser mayor, ir a cenar a casa de mis padres contigo al lado, ajena, tibia, silenciosa?

–Él nunca me ha gustado mucho –explicó Tucha apagando el porro en el cenicero–. Qué paciencia hay que tener para esa manía de los libros.

–Un plomazo la familia del tipo –dijo la primera novia, vestida de trapecista, poniéndose polvo de tiza en las manos. La red del Coliseo le lanzaba una sombra geométrica, oblicua, en el rostro–. Nunca he aguantado a esa gente.

Y no obstante, ¿entiendes?, yo no tenía alternativa que ofrecer salvo la dignidad distante de mi padre, mi madre jugando a las cartas en la salita inundada de humo, los cacareos definitivos y patéticos de mis hermanas, el silencio color miel del piso en el verano, con muebles cubiertos por los sudarios polvorientos de las sábanas. La casa, el jardín, la misa de Santa Isabel, la Rua de São Domingos à Lapa inundada de sol: fue ahí, piensa, donde comprendí que había muerto, que ya no me resultaba posible fingir que seguía vivo. La primera muerte fue en la cena de mi cumpleaños con todos a la mesa, Tucha inclusive, disfrazados de troupe búlgara de equilibristas, riendo y gritando, acuciándome con su extraño acento sobre un fondo desordenado de clarinetes y tambores. Marília dejó por un instante de mascar, bajó la ventanilla del coche para tirar el chicle con un gesto rápido de la mano, acomodó mejor las nalgas en el asiento y dijo:

—¿No podríamos parar a tomar un café?

Una tabernucha junto a la carretera, una barra corrida, algunas mesas y sillas, frascos con caramelos, un hombre gordo, perdido en la inconmensurable extensión de la tarde, ahuyentando las moscas con un trapo inmundo. Detrás de una cortina de palitos, una vieja, inclinada ante un barreño de plástico, pelaba patatas. Un perro amarillento y humilde, con los ojos turbios de legañas, vacilaba a la puerta doblando delicadamente una de las patas delanteras como un meñique al coger la taza de té. El hombre gordo se acercó cojeando, de lado, a nosotros.

—Dos cafés —pedí.

Piensa ¿Sería la vieja su madre? ¿Su hermana? ¿Su mujer? Su mujer tal vez: por la noche se empujaban el uno al otro, refunfuñando, en una cama demasiado estrecha, demasiado descoyuntada, torcida y deformada de interminables combates, de rencorosos insomnios, de abrazos rápidos en el colchón gastado. El hombre colocó dos platos, dos cucharillas y dos sobres de azúcar en la barra, y tiró con fuerza de una palanca cromada. El perro, perseguido por una avispa tenaz, se esfumó en la tarde, y él pensó Cuando compraste una máquina de hacer café, Marília, y la trajiste a mi casa, entendí por segunda vez Estoy perdido, ¿qué puedo hacer para librarme de ti? Y vinieron las maletas, un cepillo de dientes desconocido apareció al lado del mío en el cuarto de baño, y la cuerda de la ropa se llenó de pantalones y de blusas extrañas.

—¿Adónde quieres que vaya? —le preguntó a Tucha.

—La indecisión —afirmó el psicólogo vestido de domador de tigres, con una silla a la derecha y un látigo a la izquierda—, he ahí uno de los rasgos fundamentales de su carácter. Si le preguntan si le apetece vivir o morir se queda varias horas paseando por la habitación, con las manos en los bolsillos, sin saber la respuesta. Hagan la prueba.

Golpeó violentamente con la fusta en el suelo, dio dos pasos hacia mí, encogido y delgado encima de una peana colorida, preguntó a gritos que retumbaban

—¿Quieres vivir? ¿Quieres morir?

retrocedió con los brazos abiertos frente a la evidencia de mi silencio, y concluyó alzando la ceja hacia el público vencido:

—Ya lo ven.

—Dos cafés —dijo el hombre gordo apoyando las tazas en los platos. Un gran silencio tibio se difundía desde el local hacia el paisaje de fuera, empañado por la humedad densa del otoño, del que los árboles se desprendían a duras penas como dedos estrechos de una mancha de barro. El cielo, a ras de tierra, se diría construido de la propia textura del viento.

—Lo mandamos al psicólogo para un test de orientación profesional —aclaró la madre poniéndose las gafas, sujetas al cuello por una cadena, para consultar el papel de los puntos del juego—, y él hizo el retrato de mi hijo y le salió igualito. Un hombre notable. Me informaron de que estudió en Suiza: los cursos acá son tan flojos.

Bebieron el café observando por la puerta Santarém a lo lejos, vibrando desenfocada en la distancia, refractada por sucesivas capas de vapor. En la vitrina colgada de la pared se amontonaban pilas de chocolates antiguos, con envoltorios manchados por las moscas. Los iris urbanitas de Marília recorrieron el espacio circundante en busca de calles:

—¿Nos vamos? Este sitio me deprime.

Una o dos veces por semana, no lo sabía seguro, buscaba al psiquiatra para largos conciliábulos sibilinos. Lo vio en una ocasión: un tipo insignificante, afeminado, miope, con una cartera bajo el brazo y un abrigo gastado: ¿de qué le hablaría ella? ¿De la infancia en Olivais, de los primeros amores en la facultad, bruscos y desmañados, de mi persona? ¿Y qué podría aquel estúpido cheposo entender de mí? Piensa Tal vez lleva en la cartera el expediente de ella, el mío, la decepcionante historia difícil y sin historia de nuestra relación. Piensa Expediente n.º 326, referente a Marília Tal y a Fulano Tal y Cual, y nosotros dentro, impúdicamente desnudos a costa de términos técnicos y de fórmulas huecas, de lugares comunes que no nos representan. Pensó en correr tras él, sacudirle sus secretos que debían de tintinear como una alcancía: ahí está la tarde en que te di una bofetada furibunda, ahí están tus orgasmos etiquetados, numerados, verificados, por orden cronológico, o de intensidad, o de acuerdo con algún criterio aterrorizadoramente oscuro, pero antes de que lograse moverse el psiquiatra se subió a un tranvía apiñado y desapareció.

—¿Cuánto es? —le preguntó al cojo.

Un niño minúsculo, descalzo y con el culo al aire, entró en el local bamboleándose al andar como un pato: el espacio entre la nariz y la boca estaba cubierto de mocos. El pelo sucio y encrespado crecía en todas direcciones, a la manera de un arbusto de espinos. El tío, vestido de ilusionista, apartó la capa y señaló al chico, con la varita, ante la irrisión general:

—Y ahora, damas y caballeros, voy a transformar a esta tierna criatura en un profesor de instituto.

—Buenos días, colega —le soltó al pequeño, y el cojo lo observó con asombro.

Se aseguró de que Tucha lo observaba para asestarle un puntapié suplementario a una silla que cayó de lado, mortalmente herida, con el relincho de los caballos abatidos:

—Ni sueñes con separarme de mis hijos.

Marília lo esperaba sentada dentro del automóvil, desenvolviendo uno más de aquellos chicles sin sabor de los que parecía alimentarse. El coche, así parado, se asemejaba a una especie de sapo dormido.

—Puedes verlos siempre que quieras —dijo Tucha. Uno de los niños, despierto, lloraba al final del túnel de sombras del pasillo.

–Comportamiento típico de los temperamentos frágiles –explicó el psicólogo mostrando los jeroglíficos de un test–. Curiosas alternancias de súplica infantil y agresividad inconsecuente: personalidad inofensiva pero aburrida.

–Un plomo –suspiró la hermana mayor, que jugaba a las cartas con la madre. Las cejas, pintadas hacia arriba, parecían ir a alzar el vuelo de la planicie de polvo de arroz de la frente.

–¿Has pagado los cafés con cuentas de colores? –preguntó Marília–. He tenido la sensación de que el tipo no debía de saber lo que era el dinero.

Hay un lado amargo en ti que no logro entender, pensó él instalado a tu lado en el coche, bajo la sombra verde, transparente, mentolada, de un árbol bajo, de copa horizontal, cuyo nombre desconocía, una acritud que te vuelve de súbito seria, corrosiva, casi feroz, destilando veneno de tu comisura como una de esas arañas grandes, escondidas en la buganvilla del jardín de mis padres, y que yo mataba a pedradas, de lejos, temeroso de sus maleficios oscuros. El niño descalzo, apostado ahora frente al automóvil, los examinaba con las órbitas fijas y ardientes de los terneros. A lo lejos, una pavimentadora humeaba entre calderos de asfalto, y se intuía en algún lado una respiración de agua. El cielo gris y liso se fundía con la tierra gris a la manera de un rostro sin facciones pegado a su propio reflejo. Tal vez la amargura te venga de no haber sido nunca feliz, pensó él, tus padres, un matrimonio fallido, la falta de dinero, la desesperación de no hacer lo que se quiere. Más allá de unos montes, subió un silbato largo de tren.

–¿Y si nos cagásemos en el congreso? –preguntó él de repente.

Circular con una tarjetita en la solapa, con el nombre escrito a máquina, escuchar ponencias sesudas, hastiarse de la solemnidad, soportar los discursos interminables de la cena de despedida, sufrir al fotógrafo trotando alrededor de la mesa y sus estampidos inesperados de magnesio. Se oían claramente las ruedas de los vagones tropezando en las vías, y el canto a dos notas de un pájaro solo. El reloj del salpicadero marcaba las once y veinte desde que se estrellara contra una camioneta por una confusión de semáforos: eran las horas inmóviles de un día muy antiguo, cuando me había separado hacía poco tiempo, te sentía solo irritante, Marília, y dormía en una habitación alquilada junto al cementerio de los Prazeres: abría la ventana, por la noche, y los cipreses avanzaban, verticales y enhiestos, hasta mi cama, envueltos en el halo de viento subterráneo de la muerte.

—Podría haber venido a casa —dijo la hermana menor estirándose la falda con ambas manos para que no se le viesen los muslos—. Tenemos una habitación libre, se mudaban los niños. Carlos incluso insistió bastante por teléfono, pero ya se sabe cómo es él: nunca le ha hecho mucho caso a la familia y desde que se hizo comunista le gusta ir de pobre por la vida. Parece que ha conseguido un hueco en algún sitio.

—¿Qué? —dijo Marília, asombrada—. ¿No ir al congreso?

—Vamos a conversar serenamente —le pidió él a Tucha—. Todo esto es una tremenda estupidez y, si no has conocido a ningún hombre que te interese, no veo por qué razón tenemos que separarnos. ¿Por capricho? ¿Porque estás harta? También yo, palabra de honor, estoy harto de muchas cosas, pero piensa un poco en los niños. Pedro es un niño complicado, sufriría un montón.

El chico granujiento, de dieciocho o diecinueve años, que manejaba los focos de varios colores, se asomó por una especie de balcón:

—No me acuerdo de mi padre. Se separó de mi madre hace mucho tiempo, he oído decir que llegó a vivir con una compañera y que poco después se murió, fuera de Lisboa, en un hostal. Tal vez mi hermano se acuerde mejor, pero para ello tendrían que ir a conversar con él a Canadá: trabaja en una empresa de ordenadores. No sé la dirección, no nos escribimos nunca.

—Claro —dije yo muy deprisa—, ¿has pensado en el plomazo que nos espera? Cambiamos de plan y pasamos el fin de semana en un sitio tranquilo, sin obligaciones, sin gente, sin necesidad de hablar. No, en serio, cuatro días, piénsalo. Hay buenas posadas por ahí en las que nunca hemos puesto el pie.

La máquina de asfalto trepidaba como una locomotora enferma, escupiendo chispas anaranjadas por los espacios entre las ruedas. Un perfil humano, sentado encima, dirigía entre sollozos aquel frenesí de llamas. La vieja pasó por detrás de la casa, vació el contenido de un cubo en un hoyo, y volvió adentro, encorvada, con el paso menudo del reumático. El chico de las nalgas al aire seguía observándolos, fascinado, con las órbitas incandescentes de ternero. El gris uniforme del cielo se disgregaba, poco a poco, en una maraña de nubes.

—Campo de Ourique —bostezó la madre guardando el estuche de plástico con las cartas en el cajón de la mesa de juego—. ¿Quién se acuerda de vivir en Campo de Ourique?

Carlos le pidió al chófer, con la mano, que esperase un momento, y guardó las gafas oscuras en el bolsillo exterior de la chaqueta:

—A pesar de nuestras ideas diametralmente opuestas (la palabra «diametralmente», en su boca, parecía latir, subrayada con rojo), nunca he discutido con mi cuñado. En el fondo era un pobre diablo, un tipo con buenas intenciones del que se aprovecharon los socialistas. Llegué a ofrecerle mi casa varias veces y siempre la rehusó. Declino cualquier responsabilidad en lo que ha ocurrido.

—¿Conversar? —se rió Tucha—. He tomado una decisión, no tengo nada que conversar contigo.

—Me parece que te las traes —dijo Marília—. Una luna de miel al cabo de cuatro años, ¿qué mosca te ha picado?

Piensa Cuando yo era pequeño, los peones camineros hacían señas de adiós desde el arcén de la carretera con los sombreros, apoyados en las piquetas bíblicas, y nosotros aplastábamos la nariz contra la ventanilla trasera, viéndolos desaparecer en una espiral de polvo. Piensa En esa época aún no vacilaba en unirme al Partido, ayudaba en misa, antes del instituto, en la iglesia desierta, y el pato Donald era mi animal favorito. Piensa Las dudas comenzaron más tarde, mi falta de generosidad y mi temor a ser preso o a soñar comenzaron más tarde. Firma aquí: y luego me asaltaba el miedo a traicionar a mis padres y a romper con los estúpidos que huelen bien, me impedía adherirme, me obligaba a inventar explicaciones inútiles, consoladoras, a apaciguarme con un estalinismo de pacotilla. Los amigos barbudos y miopes, imperiosos de dogmas, dejaron poco a poco de buscarme para llenar mis ceniceros con colillas y el alma con las gloriosas conquistas de la Patria del Socialismo, y Tucha, aliviada, empezó a invitar libremente a compañeras estúpidas y a amigos sin dudas, que se reunían alrededor de los alaridos de los Jefferson Airplane.

—A pesar de todo tenía algunas cualidades —dijo la hermana del medio, soltera y profesora de iniciación musical en un colegio de secundaria (platillos, triángulos y chismes así, alumnos dedicándose jubilosamente a un pandemónium sonoro). Le gustaba, por ejemplo, Chopin. Los martes almorzábamos juntos y yo le tarareaba una *polonaise* a los postres (las cabezas muy unidas, su cara fea, cantando, en el restaurante atestado. Los tipos que esperaban sitio de pie se inclinaban, divertidos, para oír: Nunca fuiste exigente ni pretenciosa, pensó él: ¿por qué no conseguiste marido?).

Las nubes adquirían, confluyendo, un espesor de cartón: dentro de poco empezaría a llover. Mirando mejor, distinguió otra casa (¿medio derruida?) a lo lejos, una verja, lo que quedaba de un muro.

—Estoy harto del siglo diecinueve, nada más —dije yo—. Y además nunca salimos, nos quedamos siempre metidos en Campo de Ourique, como topos, en aquel agujero horrible repleto de libros, rozando las volutas del calefactor con las rodillas frioleras. Vamos a ver el mar.

—Pedro se las arregla perfectamente conmigo —dijo Tucha, de espaldas, limpiando la aguja del tocadiscos con un cepillito especial—. Lo que no soporta son las discusiones constantes que tenemos.

–Pero ¿quién discute en esta casa? –argumenté yo–. Nunca levanto la voz. He perdido un poco la cabeza hace un momento, disculpa, ya ha pasado.

–Agresividad-sumisión, agresividad-sumisión, agresividad-sumisión –articuló el psicólogo moviendo el índice como un metrónomo–. Las mujeres detestan a los hombres demasiado previsibles, les encanta un ingrediente de sorpresa y ¿qué sorpresas nos reserva un temperamento como este? Ninguna.

–Todos conmigo –gritó el padre haciendo aparatosos gestos de director ante el público de la familia. Las solapas de la levita, sueltas, flotaban–. Todos conmigo a la de tres. La frase es: A nadie se le escapaban sus burradas.

–La cuestión no es que Pedro se las arregle –afirmé yo–, está claro que se las arregla: es la importancia de tener a su padre y a su madre juntos, sobre todo a su edad.

–Si ya no estaba en casa, pobre, era porque no podía –explicó la madre con una sonrisa triste, sentada en su rincón del sofá, junto al hogar–. Los negocios, ya se sabe cómo son. Pero se preocupaba enormemente por la educación de los niños: telefoneaba día sí día no.

–Murió en Aveiro, no sé añadir mucho más –vociferó el chico de los reflectores, con las manos abocinadas a los lados de la boca–. Mi madre volvió a casarse con un amigo común, se fueron a vivir a Suiza, mis abuelos maternos se hicieron cargo de nosotros. Parece que vive en Lausana, sola, con un perro. De vez en cuando me manda una caja de bombones rellenos, y yo se los regalo al portero diabético que se pirra por los dulces.

–¿Ver el mar? –dijo Marília–. Yo veo la Rua Azedo Gneco todas las mañanas, el olor a cadáver de los cubos de basura, escondidos detrás de los coches, que se han olvidado de recoger las camionetas.

–¿Sí? –preguntó la vocecita microscópicamente autoritaria del padre–. ¿Qué nota le han puesto en matemáticas?

–No sirve de nada –advirtió Tucha–, tus argumentos no me interesan.

—Si llega a suspender en geografía —ordenó la vocecita—, tendrá prohibido ir al cine tres domingos seguidos.

Piensa ¿Desde dónde nos telefoneabas, padre? ¿Hamburgo, París, Londres, grandes ciudades desconocidas bajo la lluvia? ¿Desde la habitación de un hotel, con un vaso de whisky en la mano, una muchacha con abrigo de piel, parecida a las actrices de cine que mascan chicle, sentada en una silla, a la espera? Piensa ¿Has sido feliz, eres feliz, qué le pides a la vida? Un día, de pequeño, al atardecer, estábamos en la quinta y una bandada de pájaros alzó el vuelo desde el castaño del pozo en dirección a la espesura del bosque, azulado por el comienzo de la noche. Batían las alas con un ruido de hojas agitadas por el viento, hojas pequeñas, muy finas, múltiples, de diccionario, estábamos cogidos de la mano y te pedí de repente Háblame de los pájaros. Así, sin más, Háblame de los pájaros, una petición embarazosa para un hombre de negocios. Pero tú sonreíste y me dijiste que sus huesos estaban hechos de la espuma de la playa, que se alimentaban de las migajas del viento y que cuando se morían flotaban panza arriba, con los ojos cerrados como las viejas en la comunión. Pensar que cinco o seis años después lo que te interesaba eran las notas de geografía y matemáticas me provocaba una especie extraña de vértigo, de impresión de absurdo, de imposibilidad casi cómica, como si el médico hindú se volviese de súbito hacia mí y me anunciase de golpe Tiene cáncer.

—Me hablaron hace tiempo de una posada en la ría de Aveiro —dije yo—. Podríamos intentarlo, ¿qué te parece?

Cielo gris, tierra gris, la lluvia que no llegaba, que no llegaría por cierto en los próximos días a juzgar por la respiración ansiosa, casi asmática, de la tierra. El valle de Santarém se asemejaba a cortinas superpuestas de algodón que ondulaban levemente en el frío del mediodía. El chico con el culo al aire comenzó a correr, con la boca abierta, hacia la taberna. Allí dentro, el hombre cojo debía de estar lavando las tazas de ellos en el mármol de la pila, bajo la luz de aguada árida e incómoda del postigo.

—En Lausana, sola, con un perro —repitió el chico de los reflectores. Su cara, incierta, parecía sonreír ante la imagen de una mujer envejecida, con el pelo canoso, una pila de periódicos bajo el brazo y un perro descolorido por la correa.

—Nunca me convenció ese matrimonio —dijo el padre de Tucha contando las entradas sin vender en el interior de una especie de garita, arrimada a las roulottes y a la lona del circo—. Ambos eran personas inestables, frágiles, especiales. Tarde o temprano estallaría la noticia de la separación.

—Le gustaba Chopin —dijo la hermana de la música—, iba a São Roque a escuchar el coro de la Gulbenkian, se quedaba sentado aquí atrás, mirando las paredes de la iglesia, de las que parecía surgir el canto, sorprendido. En el fondo somos un poco las ovejas negras de la familia.

—Aveiro —dijo Marília—, ¿por qué no Aveiro? Debes de estar tramando algo y ahora me gustaría ver adónde quieres llegar: aunque la película no sea buena, me quedo viéndola hasta el final.

Piensa Dejé el teléfono del hotel de Tomar en la clínica, si llega a haber jaleo no me encuentran, dan con una desorganización de nombres, una batahola de gritos. Piensa Mi madre no me haría una jugada de esas el fin de semana, empezó a preocuparse tanto por la elegancia de los sentimientos a partir del momento en que le faltaron otros atractivos. Piensa Nunca di nada para la colecta del cáncer, evitaba a las muchachas bien vestidas que me asaltaban en las esquinas, me extendían las ranuras de sus cajas de metal, solícitas, generosas, saludables, las evitaba porque en mi opinión es cosa del Estado, lo que es una buena disculpa para: entregar en manos de una entidad indefinida algo tan concreto que me asusta.

—En tres días ocurren muchas cosas —le dije sin convicción a Marília como si le mintiese a una niña—. Y además nos hace falta descansar, conversar.

El obstetra casado con mi otra hermana encendió la pipa: sus dedos gelatinosos tenían el espesor y la densidad de los pulpos:

–Tal vez la enfermedad de la madre haya tenido alguna influencia en todo esto. Personalmente no lo creo: lo veía extraño desde hacía varios meses.

–Nunca he dejado de quererte –le gritó él a Tucha asestando un puñetazo inútil en un baúl tachonado (Lo compramos en Sintra.)–. Y para tu información no voy a desistir de esto así porque sí. –Puso el coche en marcha y retomó la carretera con un pequeño salto. El local solitario se fue empequeñeciendo detrás de ellos, definitivamente perdido, junto a la sombra de acuario inútil de su árbol. Lo mejor es enfilar hacia Coimbra, pensó él, y si nos entra hambre comemos algo en el camino, en uno de esos restaurantes atestados de aldea, con manteles de papel en mesas de metal pintado, y el siglo diecinueve que se vaya al carajo con sus hidalgos de bigote y sus sangrientas revoluciones de pacotilla. Pasaron la máquina de asfalto que trepidaba como una cacerola, y los tipos remendando el suelo con una especie de grano negro burbujeando bajo los neumáticos. Piedrecillas oscuras saltaban como granizo contra el guardabarros. Los arbustos espesaban al azar gestos afligidos de náufrago, la ciudad quedó a la derecha, cerrada sobre sí misma como un misterio.

–Conseguidle un profesor de física si hace falta –ordenó la vocecita–. No quiero que mi hijo ande por ahí rascándose la barriga como un inútil.

–Nunca ha comprendido el Segundo Principio de la Termodinámica –reveló un señor mayor con el cuaderno de los problemas de sexto curso abierto frente a él, y un barco en una botella en el estante de los libros–. Puede ser que tenga más inclinación por las letras, no lo discuto, pero en ciencias exactas siempre ha sido un desastre.

De cualquier manera, tengo que decirte que me marcho, pensó él, y me resulta más fácil lejos de la Rua Azedo Gneco, de la casa que conseguimos juntos, de los telefonazos constantes de tus camaradas de Partido, de la atmósfera entorpecedora, cáustica, castradora, de los objetos familiares. Tengo el viernes, el sábado y el domingo para recuperarme en una habitación desconocida de hostal, mirando las aguas de la ría que se deslizan, lentamente, hacia el mar. Mi cuñado ejecutivo rodó allí una película: gaviotas y barcos en la mañana azul: el proyector trabajaba haciendo tictac en la oscuridad, y nosotros derechos y callados en las sillas con la solemnidad de quien asiste, desde un palco, al Juicio Final. Mi hermana, en un balcón, avergonzadísima y desenfocada, esbozaba adioses tímidos con la mano.

—Si crees que no hay nada que hacer, entonces me marcho —le dijo él a Tucha—. Ayúdame al menos a hacer la maleta.

—Una mujer excéntrica —aulló el muchacho de los reflectores—. Llegó a vivir unos meses con un anticuario ruso y doce dálmatas.

El médico hindú se quitó cuidadosamente los gruesos guantes de goma de la autopsia:

—Aparte de las piedras de la vesícula, no se le encuentra nada. Sin el suicidio, habría durado treinta o cuarenta años más, libre de problemas orgánicos.

—Aveiro —dijo Marília revolviendo en el bolso en busca de chicles (El perfil de ella le dolía como un remordimiento.)—. Por lo menos voy a saber qué andas tramando desde hace tiempo.

Piensa ¿Se entienden así mi inquietud, mis vacilaciones, mis dudas, el flujo de amargura que a veces, después de cenar, me corroe por dentro como un ácido, me impide escribir la tesis sobre Sidónio Pais, me empuja hacia la ventana a observar la noche opaca, doméstica, familiar del barrio, los perros que husmean en los cubos de basura, las camionetas enormes de la limpieza, con luces girando en el tejadillo? Piensa Debería votar a la derecha, usar corbata, trabajar con mi padre, pasear por los bares de Estoril a los accionistas extranjeros, ya completamente gruesos, vomitando los restos de la cena en el uniforme sumiso del chófer, con algunas muchachas amigas, cuya boca está excesivamente pintada, borrachas también, tropezando con sus tacones demasiado altos. Piensa Debería ser economista, haberme casado rico, dirigir un banco, telefonear de lejos exigiendo buenas notas en matemáticas a mis hijos, amenazarlos con domingos sin cine, con trágicas prohibiciones de ir a fiestas, de salir con sus compañeros, de bailar.

El cuñado obstetra sonrió: llevaba consigo un enorme fórceps de cartón y lo agitaba amenazadoramente frente al cadáver:

—Ahora vamos a extraer esa tristeza.

—Arisco, respondía mal, dejaba el almuerzo por la mitad —dijo la madre pintándose de color marrón la uña del meñique—. Completamente diferente de las hermanas.

—Comunista —susurró bajito el párroco por temor a que lo oyesen—. Nacer semejante desgraciado de una familia tan seria, tan católica. En la época de estudiante andaba a escondidas por la facultad repartiendo panfletos, escribía propaganda en las paredes, estuvieron a punto de meterlo preso.

—Si su padre no hubiese sido influyente —dijo un tipo con gabardina intentando ocultar la cara con el brazo—, habría acabado con sus huesos en la trena.

Tucha hizo bajar con el índice el brazo del tocadiscos y volvió a sentarse: una voz a gritos inundó estrepitosamente la sala:

—No te ayudaré a hacer la maleta en absoluto —respondió ella—, sabes dónde está tu ropa, tus cajones, tus libros. Hazte cargo.

—¿Qué tiene Aveiro? —preguntó Marília. Se ven decenas y más decenas de gaviotas en la posada, en los juncos, en el barro de la margen, en el agua de la ría, en las chalanas ancladas. Cuando yo era pequeño, mi padre me hablaba acerca de los pájaros, de los nidos, de sus costumbres, de su modo de volar. No hagas muecas, ambos éramos diferentes en esa época. Si lo hubieses conocido, comprenderías.

La había llevado a la casa de los padres a cenar y todo el tiempo había sentido, en los martinis previos, a la mesa, en la sala, en las despedidas del vestíbulo, por un lado la buena educación hostil de ellos, pasmados ante aquella mujer con poncho y zuecos, uniformada de extrema izquierda vehemente, y por el otro la furia proletaria de la hija del guardia republicano, exagerando, obstinada, los modales y el uso de los palillos. Piensa ¿Por qué tanta necesidad de escandalizar a los viejos, de herirlos, de machacarme, al fin y al cabo, a través de ellos? De hecho soy un burgués (No sé muy bien qué es ser burgués), me casé con una burguesa, existen cosas, ¿entiendes?, a las que no logro renunciar: cierta manera de mirar las cosas, cierto pudor de los sentimientos, el buen uso de los cubiertos, los hábitos en el vestir, el vocabulario inconscientemente pulido.

—No era mal tipo y como tapadera nos servía —dijo un maltrabaja con barba y camisa de algodón, rodeado de pancartas enérgicamente rojas con hombres con el puño en alto frente a perfiles humeantes de fábricas—. La policía no sospechaba que formábamos una célula con un petimetre como ese entre nosotros. Lo peor ocurrió después, cuando se lo tomó en serio, quiso hacerse el marxista, y empezó a salir con folletos prohibidos bajo el brazo, tan despistado que nos vimos obligados a apartarlo un poco.

—Insisto en saber —dijo la voz del padre al teléfono— si la culpa es del profesor o tuya. Otro suspenso y te saco del instituto en un santiamén.

Piensa Ho Chi Minh, Mao, Che Guevara, Lenin, el traidor de Trotski con su canto de sirena de aliado de las clases dominantes, en lugar de geografía, de matemáticas, de francés. Reuniones ardientes, nubladas de cigarrillos, la certidumbre de la redención próxima, definitiva. Piensa Eran todos mayores que yo, mi familia ponía el capital, nunca me pedían opinión, ¿me tomarían en serio? Piensa No tenía a nadie con quien conversar, Tucha abría la boca de sueño si yo le hablaba de las conquistas del proletariado, mis hermanas se sumergían con sus novios, con los dedos entrelazados, en los sofás, mostraban las piernas, derretidas de pasión, una amiga de mi madre dejó en un momento dado de ir a jugar a las cartas, una viuda pelirroja con hijos de mi edad, alta, delgada, tintineante de pulseras, se rumoreaba que ella y mi padre se encontraban, que la llevaba en los viajes, que la presentaba en el extranjero como su mujer.

—Lo único que hay que discutir —dijo Tucha— es la pensión de los niños, nada más. He traído una propuesta de mi abogado, te la voy a mostrar.

—Los pájaros —dijo Marília—, ¿qué sabíais vosotros de los pájaros?

Seguían por la carretera, atestada de tráfico, camino de Coimbra, con grandes camionetas subiendo a pulso las cuestas bordeadas de árboles feos, consumidos por la sequía, bajo el cielo pálido de la mañana: no iba a llover, ya no volvería a llover en esta tierra, el mar daría paso a los porosos y profundos cráteres polvorientos con que imaginaba la luna, y sobre los cuales se cierne, inmóvil, el silencio de piedra de una noche perpetua. Coimbra se le antojó una pequeña ciudad insignificante y prolija, con un único guardia de tráfico braceando, frenético, en una especie de trono, y carteles con muchas flechas indicando Lisboa, Leiria, Aveiro, Oporto, Figueira da Foz, y otras localidades más cuyo nombre ha olvidado. Pararon a comer en un café en el que unos hombres canosos, unidos en parejas como las mariposas de los gusanos de seda en las cajas de cartón, jugaban a las damas frente a las tazas vacías. Por el cristal del escaparate veía al hombre de la gasolinera vecina frotarse las manos con un trapo inmundo, o buscar cambio en la bolsa de cuero colgada en bandolera del hombro. Los edificios se mezclaban colina arriba, ciegos, a la manera de fichas de dominó que ha barajado la mano del azar. Tenía un dolor leve en el estómago, como una especie, muy tenue, de añoranza: El hambre, pensó, debe de ser el hambre. O si no es que envejezco. O si no estoy enfermo como los caballos de una carreta inservible. Los pájaros, explicaba el padre apoyado en el muro del pozo de la quinta, mueren muy despacio, sin motivo, sin darse cuenta, y un buen día despiertan panza arriba, con la boca abierta, flotando en el viento.

—De pequeño era un chico tranquilo —dijo la madre observando cuidadosamente la laca de las uñas—. Respetuoso, alegre, no lloraba. Fue al crecer cuando se volvió raro. Sobre todo después de meterse en política.

–Nunca perteneció al Partido: ausencia de espíritu militante –declaró el gandul de barba y camisa de algodón–. Demasiado egoísta, demasiado burgués, demasiado miedoso. Le faltaba valor, nervio, fibra, convicción, capacidad de lucha. Repartía unos panfletos, pegaba unos carteles, apaciguaba su mala conciencia, poco más que eso. Un verdadero comunista, camarada, no se suicida.

El Mondego era un canal en la arena, hilo tímido abriendo un camino penoso entre las hierbas del fango: murallas ennegrecidas emparedaban inútilmente aquella inexistencia de agua. El hombre de la gasolinera, en cuclillas, comprobaba las ruedas de una moto. A uno de los tipos canosos de las damas se le amorataron de repente las mejillas flácidas y se puso a toser.

–El cadáver se reconocía perfectamente –anunció el obstetra señalando el gigantesco ataúd de cartulina con cuatro antorchas falsas en los ángulos–. Esos mechones color caca, ese suéter azul y morado, esos enooooooormes zapatos deformados, eran de él. No hizo falta examinar los guantes y los tirantes encarnados. Muerto, panza arriba y con la boca abierta, como un pájaro en medio de los pájaros, incapaz de volar.

El padre lo llevó de nuevo a caballito (mi cara casi tocaba los castaños) y se dirigió a casa. La madre los esperaba sonriendo, sentada en la sala, con una novela en las rodillas: Mis hombres, decía ella, y no había ninguna arruga, ninguna sombra, ninguna oculta tristeza en su mirada clara. Los gorriones se escondían ya en el bosque, las hermanas, con las nalgas entonces prietas, hablaban de novios en la habitación.

–Se confundía con los polinomios –se disculpó el profesor de matemáticas–, y cuando un alumno se confunde con los polinomios, ¿qué hay que hacer?

–A pesar de eso insistimos durante un tiempo –se justificó el de la camisa de algodón ante el público en silencio–, bastantes revolucionarios auténticos salieron de una clase como la suya. Le asignamos tareas menores, le permitimos que asistiese a las reuniones, al final de la carrera lo elegimos vocal de la sección de propaganda, pero en vez de preocuparse prioritariamente por la clase obrera y los comentarios, escribía versos, vacilaba, holgazaneaba. Si Fidel hubiese sido de su especie, aún hoy tendríamos a Batista en el poder. Y peor que eso, camaradas, se enamoró de una copetuda de tres al cuarto.

–Mi propuesta es diez mil escudos al mes –dijo Tucha (El disco de Eric Burdon estaba a punto de acabar.)–. Tus padres pueden ayudarte.

–Nadie me saca de la cabeza que estás tramando algo –afirmó Marília por encima de la tostada–. Siempre que vienes con alguna idea disparatada apareces con esa sonrisa de estúpido que me pone de los nervios.

Pidió la cuenta, sin responder, a un camarero altísimo y amanerado que se inclinaba ante las mesas con una gracilidad de junco, buscándonos los ojos con órbitas dulces de perra. Piensa ¿Llegamos alguna vez a flirtear, a enamorarnos? Ve su perfil duro, inquisidor, las manos de palma ancha y dedos cortos y gruesos, el pecho inesperadamente grande, y piensa ¿Por qué motivo llevamos cuatro años juntos? Comenzó durante la resaca de Tucha, yo me sentía solo, abandonado, inútil, las paredes de la habitación alquilada me oprimían la cabeza, enseñabas semiótica en la facultad, fuimos algunas veces juntos al cine, me agradó tu modo desapasionado y seco de encarar la vida, tu pragmatismo inconmovible, el olor de tu cuerpo en la penumbra, conversamos de varias cosas, guardabas los cigarrillos en un chismecito de mimbre, al domingo siguiente fui a visitarte a tu casa, conocí a tus padres, Un compañero me presentaste, un día, casi sin yo querer, nos besamos en el coche después de un coloquio, nunca me olvidaré de tus ojos abiertos junto a los míos, no creías en mí, me veías ligado a Tucha, enamorado, sin rumbo, y en cierto sentido, joder, tenías razón. Piensa ¿O sería por pertenecer al Partido, haber estado presa, representar, en cierto sentido, mi redención, la venganza sobre el miedo que me impedía actuar, la unión con la hija de explotados que mi mala conciencia me exigía? Después surgió el piso en Campo de Ourique, dos mil quinientos no es caro, pagábamos el alquiler a medias, venías allí conmigo, iba a buscar a los niños el domingo y el olor de tu cuerpo persiguiéndome, no me dejabas que te tocase el pecho, Quieto quieto quieto quieto, y por fin, al cabo de una larga lucha, te bajé las medias, me desembaracé de tu falda, te rasgué (¿rasgué?) las bragas en el diván demasiado estrecho, me di con el codo en el suelo, una especie de corriente eléctrica me subió, instantánea, hasta el hombro, te solté y me lo toqué gimiendo, y tú Qué ha pasado te has roto algún hueso, Debo de haberme quebrado el brazo, Marília, ayúdame, tus padres habían salido, no había nadie en casa, el sol de poniente se arrastraba por las tablas de la habitación, filtrado por la cortina a lunares, trajiste algodón, alcohol, una arruga preocupada en la frente, Déjame ver dobla el brazo estíralo qué maricón no es nada, semivestida, semidesnuda, los dedos de los pies extendidos en la tarima, la blusa abierta mostraba el sostén rosado, me tumbé de espaldas sobre el colchón, con los párpados cerrados, y de repente un peso a mi derecha, tu boca contra mi oreja Métemela. Te abrí la puerta, puse el motor del coche en marcha. Tal vez el Mondego crezca en invierno, tal vez las piedras oscuras se cubran de una corriente lodosa, derivando, oblicua, hacia la desembocadura. Los edificios color acónito lo miraban despiadadamente, el cielo marrón se ensanchaba, sin límites, como las alas de una toca de monja.

—El abogado dice que diez mil es poquísimo —argumentó Tucha frotándose con la manga del suéter una mancha en el pantalón—. Con el dinero que tiene tu padre yo podría exigir mucho más.

—Pájaros —dijo Marília—, pájaros e ideas locas. Me gustaría ver qué saldrá de esto.

De nuevo la carretera sin belleza de Oporto con su tráfico ininterrumpido de camionetas, de automóviles, de tractores, de motos obstinadas y despaciosas, temblando. Algo atrás, una pieza suelta, el gato, la caja de las herramientas en el maletero, saltaba con un ruido desagradable y obstinado, irritante.

—Nunca aprobamos su segundo matrimonio —dijo la hermana mayor batiendo claras a punto de nieve en la cocina—, pero ya era mayor y crecidito, así que ¿qué se podía hacer para impedirlo? Carlos, pobre, incluso habló con él, vino de allá preocupadísimo. Me acuerdo perfectamente de que me dijo O estoy equivocado por completo o me huele que este tipo acaba mal. Y en casa de mis padres fue una vergüenza horrorosa, con esa mujer, tan maleducada, insultando a todo el mundo.

—Le gustaba Chopin —intervino la profesora de música, en un susurro, abriendo el piano—. Voy a tocarles su nocturno favorito.

—Me da igual que te cases o no te cases —dijo el padre, de pie, en medio del despacho, ajeno al teléfono que sonaba—. Tú, para mí, te moriste desde el momento en que te metiste en política.

Piensa Tenías tantas canas en ese momento, padre, la espalda encorvada, el traje bailándote un poco en el pecho, ya no serías capaz de llevarme a caballito. Piensa Seguro que te olvidaste de los pájaros, que nunca más volviste a preocuparte por los pájaros.

—De una cosa puedes estar seguro, chico —añadió el padre mirándolo con una mirada de odio derrotada, una mirada amarilla, tambaleante, desconocida—: no te daré ni un céntimo.

Óleos modernos en las paredes, un estante con códigos, el sofá donde la amiga de la madre, con medias negras y abrigo de piel, debía de recostarse, pataleando. Piensa ¿Aún tendrías fuerzas, aún podrías hacerlo?

—Vas a ver como te gustará la ría —dije—. Unos días de sosiego, lejos de todo, bastan para pasar la vida a limpio.

La política, piensa Me fuiste a buscar en una ocasión a la comisaría por garrapatear tonterías en las paredes, desde entonces no volví a causarte disgustos. Me alejaron de la célula, me explicaron que me mantenían en reserva, cuando la verdad es que no querían saber nada con el hijo de un rico. Tú, muy serio, parlamentando con un tipo minúsculo y pomposo, con una corbata sobada, y yo presenciando, soñoliento, bajo una lámpara sin pantalla, en una salita con un escritorio y una silla, pesada con ese silencio grasiento y espeso hecho de la ausencia de gritos.

—Confío en que sepa disculparnos, señor ingeniero —peroraba el tipejo minúsculo—, pero nosotros no somos los responsables de este fastidio. El chaval circulaba por ahí, influido por otros, pintando frases ofensivas contra el gobierno.

El padre respondió en voz baja algo que él no consiguió escuchar, y el microbio abrió inmediatamente los brazos, comprensivo y consternado:

—La juventud, señor ingeniero, la sangre caliente, pero debemos cortar el mal de raíz antes de que crezca, ¿entiende? Y además a los otros, al pez gordo, ya lo tenemos bajo control desde hace mucho tiempo. Claro que no podía dejar de prevenirlo a usted, un pilar del régimen, un industrial de peso. El director general sabe perfectamente lo que el país le debe, pero, por favor, vaya advirtiéndole a su hijo de los peligros que corre —(El enano se había puesto serio, cómicamente serio y agresivo.)—. La indulgencia tiene sus límites, no podemos cerrar los ojos indefinidamente.

Piensa Aquella debía de ser la sala de los interrogatorios, día tras día apaleando a las personas, ¿qué habrán conseguido obtener a cambio de mi padre? ¿Amistades, influencias, contactos, negocios, un cheque discreto en Suiza? El padre escuchaba, pálido de humillación, el discurso idiota del gusano, buscaba inquieto un cenicero que no había, mantenía el cigarrillo recto intentando sostener de esa forma kilómetros precarios de ceniza: y seguro que el otro se daba cuenta de eso y de su ansiedad, y obtenía una especie de alegría sádica del malestar del viejo.

—¿Pueden traerme un cenicero? —preguntó el padre por fin, señalando la colilla con el mentón, con un tono humilde, sumiso, resignado.

El microbio le sonrió victoriosamente de abajo arriba (Cabrón, pensó él) exhibiendo sus dientes cariados:

—Disculpe, señor ingeniero, no me había dado cuenta, aquí en la comisaría está prohibido fumar.

El padre, con la palma ahuecada debajo de la colilla, esperó que un segundo individuo, jorobado y minucioso, golpease la puerta, pidiese permiso, colocase un plato abollado de hojalata sobre la mesa. Nunca creí que la vergüenza lo abatiera tanto: las mejillas se poblaban de arrugas oscuras, me fijé en que el nudo de la corbata, torcido, se aflojaba. El inspector, exultante, le daba palmaditas amistosas en la espalda, repentinamente protector e íntimo:

–Todo esto es un tremendo fastidio, señor ingeniero, no se imagina los disgustos que tenemos. En fin, el joven parece arrepentido, es lo principal. Pero por prudencia aquí queda fichado, a ver.

El padre buscando en los bolsillos otro cigarro, agradeciendo con un inesperado servilismo de subalterno (Esto no se volverá a repetir, señor ingeniero, se lo aseguro), empujándolo hacia la salida a través de escritorios vulgares donde hombres vulgares tecleaban desanimadamente documentos a máquina, de pasillos estrechos y sombríos, de despachos cerrados, con luces rojas y verdes por encima de la puerta, cubiles de jefes de policía tramando en secreto la matanza de los comunistas. El tipo minúsculo corría detrás de ellos, acabó desapareciendo (Hasta la vista, señor ingeniero, mucho juicio, chaval) en un cubículo cualquiera. Las uñas lacadas de él centelleaban en la penumbra y después fue la ciudad de repente, el chófer apoyado en el capó guardando deprisa la revista de deportes *A Bola* y quitándose la gorra, el sol de noviembre en las casas, en los tejados, en los árboles, en los rostros neutros de las personas. Piensa Fue entonces cuando me morí, padre, cuando me consideraste muerto por el disgusto que te di, te rebajaste ante un pelagatos cualquiera, un infeliz con segundo de instituto y ropa comprada en una tenducha de barrio con maniquíes de pasta en el escaparate, un cagatintas como los tuyos, a quienes ni siquiera mirabas. El chófer te cerró respetuosamente la puerta, se instaló al volante, Adónde vamos, señor ingeniero, Déjame en el aeropuerto deprisa y después llevas a mi hijo a casa. Me duché, me senté a almorzar, nadie me preguntó nada, madre tomaba pastillas para el dolor de cabeza, la hermana de la música, con las gafas en la partitura, se distraía con Debussy en la sala. Nunca me dejaste siquiera rebelarme, llevar hasta el fondo mis enfados: tu sombra enorme, tutelar y autoritaria, me protegía castradoramente, y fue a partir de entonces cuando decidí hacer letras, ser profesor, renunciar a la empresa, dejar de usar corbata, enseñar estructuralismo, teoría de la literatura, poesía francesa u otras inutilidades equivalentes y aberrantes. Le gustaba tal vez trabajar en el sindicato pero la Izquierda desconfiaba de él, la Derecha lo odiaba como a una especie de traidor, y ambas tenían razón en sus reservas, en sus recelos, en sus críticas. Piensa Qué soy al final, qué quiero yo al final, una mujer burguesa, una mujer comunista, una extraña combinación de conservador y de aventurero frustrado, patético, sin fuerzas.

—Bien, bajo hasta ocho mil y un domingo cada quince días —dijo Tucha buscando, en cuclillas, otro disco en una pila enorme—, pero no esperes ninguna concesión más de mi parte. Depositas el dinero en el banco y tocas tres veces el timbre para que tus hijos bajen: Pedro se las arregla perfectamente con los botones del ascensor, heredó tu habilidad para las cosas mecánicas.

Qué bonito era tu cuerpo con el culo a ras de suelo, cómo me excitaban tus nalgas: abrazarte por detrás, hacerte sentir el pene en la espalda, aspirar el perfume confuso, variable, del pelo. Ese pliegue de tus muslos, la forma de la boca, la tonalidad densa, color uva, de los ojos. Y además me gusta tanto que duermas maquillada, voy a sentir la falta del rímel en la sábana, voy a echar de menos deleitarme en la piel clara, firme, de tu vientre, los leves surcos blanquecinos de los partos en la curva de los riñones.

—Aquí le dejo al chaval, señor ingeniero, que se ande con cuidado con sus compañeros.

Conspiraciones de pacotilla en la sala de alumnos, conversaciones en voz baja de los amigos que se callaban si yo me acercaba. Nunca le permitieron que compartiese más que eso, inocentes tropelías de estudiantes sin consecuencias: tal vez un día, amigo, es necesario sortear varias pruebas, tenemos que tomar precauciones, ¿vale?, de actuar serenamente, de tomar algunas precauciones fundamentales, ¿comprendes?, los papanatas de la policía siempre encima de nosotros nos obligan a eso, unas cuantas muecas, las facciones severas, palmaditas en la espalda, el sol bajaba en el bosque al fondo, las aves se desprendieron todas, al atardecer, al mismo tiempo, como frutos extraños del castaño del pozo, flotaron, como perdidas, un instante en el viento, emprendieron la fuga hacia la noche, los compañeros con la gabardina desabrochada trotaban camino de las clases, buscaban lugar en los asientos de los anfiteatros como los petirrojos en las ramas de la higueras, su hijo que se comporte señor ingeniero, que no se meta en más líos, mis dos hombres dijo la madre sonriendo, yo era tan pequeño que no llegaba al suelo con los pies cuando me sentaba en los sofás, no veía lo que estaba por encima de las mesas, de los anaqueles, de la parte alta de las cómodas, bibelots, cuadros, cajas de alpaca, soperas, platos verticales en sus soportes de madera, encontró un asiento atrás, el profesor ya había comenzado la clase, don Juan VI, sacó la estilográfica del bolsillo para tomar apuntes, tal vez un día pueda entrar en el Partido, luchar en serio por la clase obrera, redimirte de tu origen burgués, los brazos jóvenes de mi padre me alzaron hasta su regazo, su perfume a agua de colonia me entró agradablemente en la nariz, señaló el bosque azul con el dedo, su cabeza se acercó a la mía, muestra lo que puedes hacer por nosotros, reparte estos panfletos en la facultad, y dijo voy a hablarte de los pájaros.

—Aveiro, qué espantosa idea, Aveiro —protestó Marília mirando los pinos, los eucaliptos, las aldeas anónimas, el cielo denso y convexo de la lluvia que tardaba en caer, que probablemente, anunciaban los periódicos, no caería nunca. Piensa Los comentarios que habrán hecho tus camaradas de Partido al anunciarles que ibas a vivir conmigo: recriminaciones, advertencias, mofa, nos va a cambiar por un privilegiado, imagínate, un copetudo de mierda, un explotador no asumido. Y no obstante yo no tenía dinero, había cortado prácticamente con la familia, nuestra fortuna era el acuario de la habitación y el pez transparente flotando sobre los guijarritos del fondo, quería borrar en mí mi historia triste con Tucha, comenzar desde el principio, ser, digamos, feliz.

—Los polinomios ya se sabe, las raíces cuadradas un desastre —declaró el profesor de matemáticas, con bigotes postizos retorcidos, levantando una pesa de cartón que anunciaba escrito a tiza «VEINTE TONELADAS»—. Con un padre administrador de empresas, nunca he visto una negación tan absoluta para los números.

El monitor de gimnasia, vestido de blanco, apareció detrás del plinto con flexiones enérgicas de atleta. Una nariz redonda, roja, sujeta con elástico a las orejas, le otorgaba un aspecto de clown:

—Pésimo en las espalderas, pésimo en la cuerda, mediocre en el balonmano —profirió él con un tono monocorde y agudo—. Se quedaba sentado, quieto, delgaducho, casi raquítico, observando a los demás.

Dos tipos con casco conversaban junto a una moto a la entrada de Estarreja. Se detuvo al lado de ellos, bajó la ventanilla del coche, asomó la cabeza y preguntó:

—¿Para la ría, por favor?

La humedad se adhería a las palabras de ellos, un vapor lento, envolvente, pegajoso: febrero, pensó, quién me manda decidir sobre mi vida en febrero, querer volver a las habitaciones alquiladas en invierno, a veinte escudos más por ducha, sin derecho a visitas, sin derecho a usar el televisor, teniendo que ahorrar en calefacción, en agua, en el propio aire que se respira. Quién me manda cambiar de vida a los treinta y tres años, qué estúpido.

Tucha enderezó un cuadro en la pared y retrocedió dos pasos para comprobar el efecto:

—A pesar de estas rencillas, me gustaría seguir siendo tu amiga. Si quieres, claro, no es una obligación. Tenemos dos hijos en común, ¿no?

—Los niños, pobrecitos —dijo la madre sirviéndoles el té a las visitas inmóviles como estatuas de cera, muy erguidas en los canapés de la sala—. ¿Qué culpa tienen ellos de haber venido a este mundo? Yo nunca me separé de mi marido, a pesar de haberme dado razones de sobra.

—Apenas se le distinguía el cuerpo —aclaró Carlos—, comido por los pájaros, por el fango de la ría, por el tiempo que tardaron en encontrarlo. El inspector de la policía judicial me contó que no es fácil dar con un cuerpo en medio de los juncos, y además las gaviotas disimulan, fingen que no lo conocen, que no entienden, que no huelen. Las gaviotas, los albatros, los patos, aquella fauna insólita del mar.

Uno de los tipos abandonó la moto, se acercó al automóvil. Visto tan de cerca se le antojó mayor, más gastado de lo que supusiera al principio, con arrugas oscuras en las mejillas y las manos hinchadas y rojas de sabañones y callos:

—Desde aquí derecho a Murtosa y después aparece siempre señalizado «HOSTAL» como si fuese una ciudad. De Aveiro al otro lado solo se puede ir en barco.

—De repente pasas de tu carrera, del congreso, de la tesis sobre el sidonismo, de doctorarte, ¿qué bicho te ha picado? —dijo Marília—. Da casi la impresión de que la vida ha dejado de tener sentido para ti.

—Amigos una mierda —respondió él—, por mí te puedes meter la amistad por el culo.

Y a gritos, morado de rabia:

—¿Con quién te vas a enrollar ahora, perra?

—No cuentes conmigo para eso —advirtió el padre exhibiendo la punta del meñique—. Solo me faltaba un hijo idiotizado conspirando contra el gobierno. La política es un asunto demasiado serio para los críos.

—Bien, le voy a dar un puesto de asistente —dijo el viejo con bigote, instalado debajo de un grabado confuso de batalla, en el que unos tipos con espada en ristre (¿castellanos?) se masacraban jovialmente, con una alegría furiosa—. No hay quien se interese en serio por la Primera República y usted puede ofrecernos una contribución interesante. Me agradó la faceta psicosocial de su estudio sobre los orígenes remotos del Cinco de Octubre, aunque algunas de sus teorías me resulten discutibles o fantasiosas. (Los pájaros cuando mueren —explicó el padre— flotan panza arriba en el viento.) Un poco menos de Freud y más objetividad no le vendrían mal. Pero, en fin, acerca de este último aspecto, Oliveira Martins no era muy diferente de usted.

En esa época, yo usaba gafas a lo Gramsci, era gordo, granujiento, y aún no había empezado a caérseme el pelo: una aureola de rizos grasos me rodeaba las mejillas, pero mi padre era rico, Tucha, y yo un marido en cierto modo complaciente: salías tantas veces ya desde los primeros meses de casada, pasabas tantas horas fuera de casa, tenías tantas reuniones de trabajo por la noche, ejercías de secretaria de un vago amigo de tu padre en cierta empresa de contenedores, endilgabas seguros para ganar dinero: vestidos, zapatos, esquí en Serra Nevada en carnaval, fines de semana en grupo (¿en grupo?) en el Algarve. Había un hombre casado, bastante mayor que tú, cuyo nombre nunca supe, en algún punto de tu historia: ¿habría, a lo largo de nuestra relación, otros hombres mayores, otros misterios? La mañana de aceite impregnaba los gestos de Marília con su triste peso:

—Así de sopetón a la ría de Aveiro, caramba. Hay momentos en que me pregunto cómo es que te soporto.

Caprichos negros, rabiosas melancolías, ansias del color de las nubes que se agrandaban en el mar, cojines y cojines superpuestos, repletos de dobles mentones, de tafetán. La voz irritante del tipo minúsculo dándole palmaditas benévolas en las nalgas, frente a los de paisano que custodiaban la puerta. De la melancolía de los pinos pendían largas y pesadas lágrimas transparentes, qué demonios me llevaron a enredarme con un burgués, la mujer de pelo cano que paseaba el perro en un parque extranjero se quitó las gafas oscuras y sonrió: los ojos desaparecieron en medio de un montón de arrugas:

—No me acuerdo bien de mi primer marido —vaciló ella—, han pasado veinte años y poco a poco nos vamos olvidando de las personas. Recuerdo que no se quería separar, armó un jaleo de mil demonios, rompió cerámicas en casa, despertó a los vecinos. Las furias de los débiles, ¿entiende?, los enfados patéticos de los inseguros. Vivió después un período con una comunistilla cualquiera, una compañera, una de esas de poncho rojo y zuecos vehementes, y después se suicidó, apareció descompuesto entre los juncos de Aveiro, en el barro, rodeado de pájaros. Debía ir a un congreso y no llegó a poner allí los pies, solía además incumplir los compromisos que tenía. Y por otra parte, sexualmente, nunca he visto desastre igual, no lograba empalmarse, languidecía, empezaba a pedir disculpas, a llorar. No entiendo su interés, seguramente no hay mucha gente que se preocupe por él.

—Tres kilos doscientos al nacer y algunas dificultades en coger el pecho —leyó el pediatra torpón consultando la ficha (Nadie aguardaba en la sala de espera.)—. Las enfermedades habituales de la infancia, vacunas en orden, operado de fimosis a los ocho años.

Alzó despacio los ojos del papel:

—Sin duda sabe qué significa: es ese problema que se da cuando la piel del pene no baja.

Vamos a llegar a Aveiro, Marília, los letreros de la posada se multiplican, Posada, Posada, Posada, Posada, flechas que señalan la niebla de la mañana, un olor a agua estancada, una sospecha de arenal, y no pensé en nada para decirte, no encuentro palabras en la cabeza que te expliquen lo que siento y lo que no siento, mis ganas de huir de nuevo, de volverme del revés, de salir, quedándome, en este país de mierda, en torno a estos cines, estos bares, estos amigos barbudos latosamente artistas, refunfuñando por lo que no concretaban nunca frente a una cerveza solitaria. Ya no te quiero (¿te quise alguna vez?), prefiero vivir solo por un tiempo (¿he llegado a desear otra cosa, carajo?), necesito el día a día sin amarras, ¿vale?, sin cuerdas que me sujeten los brazos y las piernas (me daré prisa en conseguir otras, tranquila), mis hijos están creciendo y necesito tiempo para ellos (¿cuántos fines de semana hace que no voy a verlos?), vamos a llegar a Aveiro y olvidé el olor de tu pelo, la forma de tu pecho, la lenta salida del flujo con que se humedecen tus muslos. Cuando había parientes, mi padre desplegaba la pantalla con trípode al fondo de la sala, montaba el proyector, apagaba las luces, aparecía temblando un rectángulo blanco, trazos y cruces rojas vibraban y se disolvían, un cono de luz en el que se enrollaba el humo de los cigarrillos en volutas lentas sobre nuestras cabezas, y en esto el mar repleto de albatros, la línea obtusa de la espuma, la extensión horizontal, color serrín, de la playa, y de nuevo los albatros avanzando en el ángulo recto de azul denso de la película, la forma ahusada de los cuerpos, los picos pálidos abiertos, los plumeros achatados de las alas, decenas, centenares, millares de pájaros de los cuales se atisbaban los graznidos, los gritos, los leves gemidos de niño, pájaros posados en las rocas desafiándose o combatiéndose, hinchando el pecho, furibundos, apasionados, alegres, llamándose, provocándose, alejándose, mi padre solo filmaba pájaros y los invitados fruncían comentarios sesudos y necios, encendían puros, echaban cubitos de hielo en los vasos de whisky, la voz minúscula al teléfono se endureció de repente, autoritaria y sorprendida:

—¿Letras? ¿Por qué letras si solo sirven para dar clases en un instituto y ganar una miseria al mes? Sé sensato, chico, económicas o derecho, que letras es una estupidez supina. ¿Conoces a algún graduado en letras que dirija una empresa?

—Se niega a trabajar para nosotros —informó el amigo del padre, con gafas bifocales, que dirigía la oficina de Londres, subrayando con lápiz rojo los pasajes mecanografiados de un expediente enorme—. Se desinteresa completamente de lo que es suyo, de lo que llegará a ser suyo un día, sus cuñados le doran la píldora en menos que canta un gallo y el tipo dale que te pego, como un imbécil, con don Afonso Henriques y don Pedro IV, antiguallas estúpidas por las que nadie se interesa, se pasa los días en las bibliotecas consultando manuscritos. Francamente no sé de dónde le viene esa manía.

—Letras —preguntó la madre con el ceño fruncido—, ¿qué es eso?

Barajaba las cartas con una destreza de prestidigitador, las repartía rápidamente, a lo largo del paño verde, entre los jugadores, y ahora tienes un cáncer, estás pálida, delgadísima, te vas a morir, la prima desocupada asiste tejiendo a tu agonía solitaria, el teléfono sonará tal vez el fin de semana en la habitación de hotel donde no estoy, mi hermana menor entre sollozos Padre acaba de irse hace un momento de aquí no sería mala idea que vinieses, pero seguí hacia Aveiro, hermana, explicándome a mí mismo, qué egoísta, cosas de los pájaros, las gaviotas que se distinguen ahora, más allá de los pinos, en vuelos circulares o largas elipses ascendentes, seguí hacia Aveiro y quiero que os vayáis a la mierda todos vosotros y vuestras desgracias de familia, vuestras muertecitas tan lejos de mí como la casa de la quinta, de pequeño, si mi padre me sentaba en su regazo para hablarme de las aves bajo el castaño enorme, quiero que todo se vaya a la mierda menos este aroma de agua estancada en el lugar al que llego, estos sauces, estas hierbas, estos árboles sin nombre, Al menos que la cama no sea muy blanda, dice Marília, no puedo dormir en camas blandas porque hasta los sueños se me hunden, ya resignada, ya humilde, ya dispuesta a la seguridad de unas treguas duraderas, Esta mujer me quiere, pensó él sorprendido adelantando a un tractor, esta mujer, qué extraño, me quiere sinceramente, más niebla, más pinos, ninguna casa ahora, solo la tierra y el agua, ambas horizontales y grises, acercándose y confundiéndose, reflejándose la una a la otra como espejos paralelos que se observan, Cuál de ellas es la real, muchacho, distingue la auténtica de la falsa sin tocarlas, ordenaba la profesora de geografía, hombres oscuros pedaleando por los arcenes, por la carretera, ¿camino de qué?, curvando sobre el volante las espaldas anchas e hinchadas, Letras, repetía la madre con el ceño fruncido, qué es eso de letras, Cómo duermen los pájaros, se preguntó él en busca de cigarrillos en los bolsillos, Dios mío, qué cantidad espantosa de cosas quedaron sin aclarar en mi infancia, la oscuridad, el sol, la lluvia, la risa de las personas, y en ese instante una casa aislada al borde del agua junto a pequeños botes carcomidos anclados sujetos en el barro con anclas y cuerdas, dos o tres automóviles de matrícula extranjera (¿franceses?, ¿ingleses?, ¿alemanes?) estacionados a la puerta, sacamos las bolsas del coche, como de costumbre la maleta se negaba a abrirse, se negaba a cerrarse, tuvo que apoyar las manos con toda la fuerza en la chapa hasta oír un chasquido tranquilizador, ya está, Marília, muy erguida, aislada, de pie, cerca de la arena, contemplaba el río que se deslizaba sin un pliegue en dirección a mares improbables, una vez que solo la niebla y los troncos y el silencio los rodeaban, en la mañana súbitamente inmensa sin postigos de azul, cogió la maleta, un volumen, otro volumen más pequeño, tú agarraste aquella cosa negra y barnizada, parecida a la de los médicos con pajarita de las películas de vaqueros (¿Dónde está el herido sheriff?), para llevar los objetos menudos de tocador, Aquel hombre, doctor McGraw, extendido sobre las esquirlas del espejo del *saloon*, y siguieron uno detrás de otro, sin hablar, camino del hostal, la entrada acristalada, «ENGLISH SPOKEN», emblemas de papel de asociaciones de turistas pegados junto al cerrojo, centenares de gaviotas bogaban en silencio en la bahía sin límites, como posadas levemente en una película metálica, sin reflejos, había una mujer con gafas en el mostrador a la derecha, tomando notas en un libro cualquiera de contabilidad, con las llaves colgadas en un armarito a sus espaldas, y una especie de cascada profusamente adornada con flores más allá, un subalterno alto y delgado, con chaleco y zapatos de charol, subía escaleras al fondo, Queríamos una habitación hasta el domingo dije yo, la mujer con gafas prosiguió con sus sumas, imperturbable, fuera las gaviotas bailaban ahora dulcemente en una oscilación imperceptible, un meneo, Una habitación hasta el domingo repitió él con fuerza dejando caer la maleta y la bolsa más grande, plof, plof, con un ruido de cuerpos muertos, en las baldosas del vestíbulo, carteles de propaganda de Espinho y Armação de Pêra, el gallo de Barcelos de costumbre en un estante, un cenicero de barro con una colilla mal apagada aún ardiendo, la mujer miope, siempre con el mentón bajo, nos extendió sin mirarnos una ficha de cartulina, Una estilográfica, le pedí yo a Marília que pasaba de un cartel a otro con una curiosidad irónica, Qué país de mierda el nuestro denunciaban sus muecas frente a los paisajes de papel, qué país francamente de mierda el nuestro, Como siempre que estás enfadada o perpleja conmigo tus rabias se vuelven cósmicas, pensó él, abarcan en círculos concéntricos el universo entero en una sola ola de acritud, me gusta Espinho, me gusta Armação de Pêra, me gusta Barcelos, me gusta Campo de Ourique los domingos cuando no estoy constipado, ha ganado el Benfica, es verano y no me duele la columna, me gusta ser de aquí y estar contigo a veces, alguna rama rozaba los cristales con sus mechones secos de melena de viejo y el sonido me producía dentera como la tiza del profesor en el colegio, empujé la ficha, la mujer de las gafas extendió el brazo a ciegas, sin mirarme, cogió una llave con la delicada destreza sorprendente de las pinzas quirúrgicas, me la entregó, levanté la cabeza y me enfrenté a los ojos enormes que las dioptrías agrandaban desmedidamente, un par de insectos repelentes rodeados de las infinitas patas de las pestañas, todas las gaviotas alzaron vuelo al mismo tiempo, describieron un semicírculo ascendente en la neblina, se sentaron en la bahía más cerca de la desembocadura, quise comenzar a individualizarlas, a contarlas, una dos tres cuatro cinco seis siete y ocho, iba a llegar a diecinueve cuando tú me llamaste, Rui, me faltaban tantas gaviotas aún en la cabeza, tantas gaviotas en la mañana lúgubre saturada de frío y de humedad, un tipo también con chaleco y zapatos de charol pero ahora más viejo, con las facciones agrietadas, con aquel aspecto de animal humillado de los campesinos y ancho tronco huesudo de mula (Deben de pagarle menos que a los demás) transportaba nuestro equipaje a través del pasillo, habitaciones con números de metal, una alfombra exhausta, acuarelas cutres en las paredes, una criada con bata marrón se cruzó con ellos arrastrando una aspiradora cuya trompa blanda pendía como la de un elefante muerto, Es aquí dijo el campesino lidiando con una cerradura tan pertinaz como la del maletero del coche, una entrada muy estrecha con la tabla de los precios en un marco, una sala a oscuras en la que se distinguían brillos de toallero (Los jabones pequeñitos, pensó, odio los jabones pequeñitos que colocan inevitablemente en los lavabos de los hoteles, muy bien envueltos en papel de plata con florecitas), dos camas con colcha floreada, la perilla del timbre en una de las cabeceras, una cómoda con espejo y nosotros tres del otro lado, idénticos pero zurdos, mirándonos mutuamente con expresión seria, Nunca me he habituado a ser mayor, pensó, qué estupidez todo esto, incluso cuando mi padre resolvía estos asuntos por mí, elegía el lugar de las vacaciones, pagaba las propinas, mandaba reparar el automóvil, los pequeños dramas de la vida se mitigaban uno tras otro con una facilidad de milagro, El profesor de matemáticas te da la nota y no te metas en más líos el año que viene, Tienes cita con el dentista esta semana, Pasado mañana te presentas en el Estado Mayor ante el coronel Barroso y él te resuelve la situación en el acto, el padre, los amigos del padre, las estratagemas del padre, el poder del padre, el dinero del padre, y ahora reducido a hacer cuentas mentalmente para saber si el cheque con el que iba a pagar el hostal el domingo tendría fondos, el campesino corrió una cortina hacia el Vouga y él reencontró la tranquila lámina del agua, lo que se asemejaba a una especie de viento a ras de las hierbas, la madre conversaba de criadas con las amigas, Háblame de las aves, padre, puso veinte escudos muy doblados en la mano del hombre, la puerta se cerró, se quedaron solos, y se produjo en él el mismo pánico de la tarde en que tuvo relaciones por primera vez, le preguntó todo al cuñado mayor, cómo se ponen las piernas, cómo se ponen los brazos, qué hago, la muchacha sonreía desde la cama, con la sábana estirada hasta el cuello, Ven aquí chaval que ando de capa caída y con ganas de una buena polla, pertenecía al género patético, rico en desgracias tremendas e inimaginables, el suicidio del marido, la muerte del hijo, algunos meses trágicos de sanatorio, ¿Ves esta cicatriz de neumotórax en las costillas?, acabó sentado en el colchón, acariciándole el pelo con los dedos y sintiéndose adulto y responsable, Te casarás de nuevo y serás feliz ya verás, las axilas de ella poseían un olor penetrante y desagradable (¿ajo?), su boca se deslizó pecho abajo, se demoró lamiéndole el ombligo, la ingle, los testículos, tumbado en las sábanas, con los ojos cerrados, se retorcía presa de un placer desconocido, sucesivas ondas que crecían piel arriba, piensa Voy a hacerme cargo de ti, regenerarte, en cuanto acabe el séptimo curso consigo un trabajo y una casa en cualquier sitio, lo que no falta son casas, prefiero la Estrela o un barrio en que se vea el río, te pones la chaqueta de leopardo sintético y vamos al cine los sábados, dramas de amor en el Odeón, «LA PAREJA MODELO FORMADA POR EL VÁSTAGO DEL INGENIERO Y LA ANTIGUA PROSTITUTA RECIBIDOS POR EL PAPA», la lengua se demora a lo largo del pene hasta que los labios absorben mi cilindro que gotea, rojo de calentura, Mira qué dura se me pone, me voy a correr, qué harás (¿escupir?, ¿tragar?, ¿escupir?, ¿tragar?, ¿escupir?, ¿tragar?) con lo que te voy a dar de mí, y a continuación Ahora dame doscientos ha estado bien ¿no?, ni siquiera se quitó el sostén negro con una rosa de encaje en el medio, tal vez hasta lo del hijo fuera mentira, bajó las escaleras con el disgusto por el mundo con que imaginaba a los tipos que se arrojan de los viaductos asomándose por la muralla, avanzó a pie, hasta São Pedro de Alcântara, dando puntapiés a los papeles que encontraba y tramando una forma eficaz de vengarse de todo el universo, apretó con las manos el parapeto helado de hierro, ciudad de mierda, pensó él, ciudad podrida de mierda, tantas casas y tantas calles llenas de cabrones y de gilipollas dentro, había apoyado la frente en los cristales de la ventana para observar el río y el movimiento de los pájaros, y el espejo de la habitación del hostal devolvía ciertamente, por detrás de él, las espaldas sin energía ni músculos de sus treinta años, guardaron la ropa en los cajones sin hablar, se lavó los dientes para sacarse de la lengua el gusto amargo del tabaco, aquí estoy de nuevo con la espuma que se me escurre por el mentón, y estas arrugas, y estas ojeras, y estas entradas de septuagenario, te bajaste los pantalones, Marília, las bragas, te sentaste en la taza para orinar en una escala de arpa con tus codos sobre las rodillas y las palmas en el mentón y tu ausencia de pudor me dio asco, podías esperar a que yo saliese para hacer eso, limpiarte, como de costumbre, con mucho papel higiénico, una tira enorme, interminable, rasgada con rabia del soporte, hija de proletarios y comunistas pero gastadora a tope, la cantidad de pasta, por ejemplo, que extendías en el cepillo, los baños hasta el borde, el piloto del calentador eternamente encendido como un pabilo votivo, y las bragas hacia arriba, los leotardos, los pantalones (es preciso sacudir las caderas, como un pavo, para caber en ellos), el pelo corto peinado al azar con las manos, nada de pintura, el suéter muy holgado de hombre que caía por ti como la carne por los huesos de las personas que adelgazan, Tucha tardaba horas en arreglarse, se pintaba los ojos con un lápiz preciso, esparcía sombra en los párpados con un cepillito, pero observándolo desde ahora, en la distancia, mi tedio es igual, mi deseo de soledad idéntico, mi ansia de silencio la misma, quiero simultáneamente que me dejen en paz y no me dejen en paz, que me amen y no me amen, que me llamen y me olviden, Tucha acomodó mejor la foto de nosotros cuatro en la cómoda y preguntó con un tono de conversación amistosa:

—Ahora que ya está todo definido, ¿qué día te vas, entonces?

Había almorzando dos parejas de extranjeros entrados en años, cada una a su mesa, en la bahía acristalada del comedor vacío, donde el camarero delgado empujaba un carrito con dos bandejas de quesos y tartas, y cuando se sentaron uno frente al otro, como para una partida de ajedrez, uno de los viejos les sonrió. Se le ocurría que el agua se deslizaba al revés, lentamente, color plomo fundido, arrastrando sus aves innumerables. Un barco enorme, de vela amarillenta, pasó junto al balcón, tripulado por tres hombres confusos. Un perro ilocalizable ladraba. Un tipo con chaqueta roja recogió, aburrido, las cartas del menú (con una cuerda en medio ¿para qué?).

—Aveiro —dijo Marília como si anunciase una última parada—. Se prepara la gran escena.

—Para mí se trataba de huéspedes absolutamente iguales a los demás —afirmó la mujer con gafas de la recepción, guiñando sus ojos gigantescos—. No hago distinciones entre clientes.

El consomé era de sobre (Condenado toda la vida, desde la infancia hasta la muerte, a comer sopa de sobre, comprobó él con resignación), los huevos peor cocidos que los de la antigua criada de sus padres, que se casó al borde de los cincuenta años (Se casó aquí en casa, se enorgullecía la madre) con un inspector fiscal estrábico y yo fui padrino de su hijo, un idiota que se le aparecía en Navidad, vestido con *pied de poule*, en el afán ansioso de un billete, Felices fiestas, padrino, y él en silencio Vete al carajo, mongoloide, el ahijado lo miraba fijamente como las perritas con hambre, torciendo con los pies tímidos el fleco de la alfombra, la carne sin sabor se asemejaba a un aglomerado de grasa con patatas y plantas mustias alrededor, los ingleses (había periódicos ingleses encima de sus manteles) conversaban de mesa a mesa con sus borborigmos educados, por la puerta abierta de la cocina se avistaba una escoba diligente barriendo las baldosas, me eché hacia atrás en la silla, pedí dos cafés, La mayoría de los pájaros, explicó el padre, salvo los periquitos, los papagayos y tal, viven muy poco tiempo si no mueren al nacer, están los que emigran en invierno a países más cálidos, los que no logran completar el viaje y se quedan en el camino, los que devoran los búhos y las lechuzas si los pillan rezagados al atardecer, retrasados, intentando escapar por la noche camino del bosque, Me hizo tragar la píldora no hay duda, pensó él en el jardín de São Pedro de Alcântara, observando los tejados, el laberinto de las calles y el azul pálido del cielo en una melancolía sin nombre, me hizo tragar la píldora y yo tan imbécil que le creí, una zorra peluda que no se dignó quitarse siquiera la ropa interior, Córrete, guapo, en mi boquita, qué salada es el agua de tu rabo, Gracias dijo él con una súbita brusquedad, no quiero tarta, no quiero fruta, dio una pulgarada en el sobrecito de azúcar, rasgó una de sus esquinas, volcó el contenido en el líquido marrón, Solo hacen letras las chicas y los maricones observó Carlos, madre ha dicho que si quisieras te pagaría un curso de periodismo en Bruselas, las belgas están más buenas que el pan, te divertirías a tope, Hasta fin de mes a lo sumo concedió Tucha, no tiene ningún sentido que sigamos así, se levantó, fue de un lado a otro por la sala, se inmovilizó frente a la estantería de los libros, con fotografías de bebés y de adultos risueños apoyados en los lomos:

—Por los niños —argumentó él—, lo único que me interesa son los niños.

—Mis nietos son unos chicos profundamente traumatizados —dijo la madre, con la cabeza bajo el secador, mientras que la pedicura, de rodillas, le hacía los pies, le limaba los juanetes, le pintaba las uñas—. Se siguen orinando en la cama con trece años: ¿cuál es la criada que soporta eso hoy día?

—Un bebé absolutamente vulgar —concluyó el pediatra entregándole la ficha a la enfermera—, hasta que llegó un momento en que lo perdí de vista y nunca más lo examiné. Debe de tener treinta y tres, treinta y cuatro años ahora, ¿no?

—He consultado a un psicólogo —dijo Tucha—, y me ha asegurado que la solución ideal para los niños es que vivan solos conmigo, sin discusiones, sin roces, sin las riñas constantes de nosotros dos.

Los biberones, los pañales, principalmente los embarazos, tu enorme barriga bailando sobre las piernas hinchadas, idéntica a un ganso de plástico a cuerda, los ejercicios ridículos del parto sin dolor, veinte mujeres acostadas y panzonas respirando al compás con sus maridos sosteniéndoles la mano (Parece que transportamos animales extraños y repelentes por las correas de los brazos), despertarse en medio de la noche y sentir que tu cara se prolonga en una especie de torso de ballena varada, jadeando dulcemente contra las arrugas de espuma de las fundas, el olor desconocido de tu piel, el pez extraño que se aloja, enrollado, en tus intestinos, tu sonrisa pálida en la clínica estás contento, amor, las manos blancas, la barriga achatada. Piensa ¿Cómo es posible que hayan cambiado tantas cosas, cómo se comprende esta frialdad, esta distancia, este repentino hueco entre nosotros dos? Tal vez éramos demasiado jóvenes, demasiado ingenuos, tal vez el tiempo y las mentiras y los errores no se compadecen de nosotros, no nos perdonan el mínimo fallo, el mínimo desvío de cálculo, la mínima desatención: ¿en qué punto de nuestra vida en común me distraje?

—Siempre podemos hacer un intento —insistió él—, nada es irreparable.

Acabaron de beber el café, volvieron a la habitación. Los barcos anclados se descolorían como los cabellos antiguos, los pájaros flotaban levemente en la laguna, en la margen opuesta algunas chimeneas asomaban verticalmente, dibujadas a carbón, del gris esfumado de la bruma, que formaba como una espiral sobre el edificio solitario del hostal. Se sentó en la cama para quitarse los zapatos (había un dibujo de un barco verde en la cabecera con un marco de rafia), y se tumbó sobre la colcha, panza arriba, mientras Marília se lavaba los dientes en la sala contigua (se lavaba continuamente los dientes, qué exageración, con aquel ruido desagradable del cepillo contra el esmalte, al levantarse, después de las comidas, al acostarse): con ella había sido diferente, una cosa lenta, pausada, sin entusiasmos excesivos, pero en contrapartida podía hablar de lo que le interesaba, de lo que le entusiasmaba, del Partido, con la sensación de que lo comprendían, lo aceptaban, dialogar, escuchar a cambio las opiniones del otro, películas, libros, la facultad, sus aspiraciones grandiosas y confusas, sus sueños vehementes de reformular la enseñanza de la historia, una noche se quedaron conversando hasta más tarde, le escocían los ojos de los cigarrillos que había fumado, una especie de claridad azul se difundía en el cielo, Por qué mañana no traes tu ropa acá, sugirió él en medio de una discusión acerca de Michelet o de Toynbee, Aquellas son cacatúas, dijo el padre, aquellos milanos, aquellas águilas, aquellos de pico largo los ibis, iban los dos al Jardín Zoológico para observar los pájaros de cerca, las retinas feroces de cristal, las garritas de las patas, el modo en que las plumas se organizaban en las alas, las mayores, las más pequeñas, los pelitos claros del pecho, los cuervos andaban como nosotros en el suelo de cemento repleto de desperdicios y de cáscaras, las cigüeñas se parecían a un amigo de su padre que alzaba mucho las rodillas al andar, los pies de los avestruces, torcidos por zapatos ajustados, lo conmovían, el padre dijo Cada sonido de ellos significa una frase diferente, nosotros aún no hemos crecido lo suficiente para comprender ciertos lenguajes, ciertos gestos de la cabeza, el dibujo, por ejemplo, de los vuelos, Marília sacó un libro con una tapa chillona de la bolsa y se sentó a leer en su cama con el aire resignado con que las esposas hacen ganchillo en los automóviles estacionados alrededor de los estadios de fútbol, los muelles protestaban dando chillidos cuando uno de ellos se acomodaba mejor entre los cojines, la hermana menor, con los párpados hinchados, vestida de negro, abrió la puerta del coche y dijo:

–Me niego a hacer declaraciones a la prensa, vosotros en los periódicos lo tergiversáis todo.

–No quiero no quiero no quiero –dijo Tucha con rabia–, y creo que deberías aprender a aceptar las cosas como son. Las relaciones también mueren.

Piensa Esa no es una frase tuya, la aprendiste en cualquier sitio, con el psicólogo, con una amiga, un amante, en el transcurso de uno de esos telefonazos interminables, cuando te encierras en la habitación para arrullar tonterías al micrófono. Piensa Te odio, pondré a nuestros hijos contra ti, los envenenaré sutilmente, gota a gota, domingo tras domingo, Vuestra madre no quiere vivir conmigo, Vuestra madre no quiere que tengáis un padre, Vuestra madre quiere sustituirme por otro, me desvío hacia la sombra de tu casa, por la noche, con una tranca, y le rompo la cabeza a quien se le ocurra entrar, a las once un cabrón estaciona el coche, se acerca, toca el timbre, y yo golpeando con calma mi propio muslo con el palo Si es para hablar con la mujer hable antes con su marido, payaso, el tipo retrocede, afligido, vacilante, Me he equivocado de puerta déjeme que vea, con una pobre sonrisa de derrota disimulada, Pues claro yo iba al cincuenta y seis este es el cincuenta y cuatro disculpe, avanzo dos pasos, alegre por dentro, ceñudo por fuera, Es posible pero en todo caso su cara no me resulta extraña, acérquese aquí a la luz de la farola para que lo observe mejor, Me he equivocado de número eso es todo, tengo que irme que ando con mucha prisa, gime el tío, Embustero de mierda, pienso yo, te voy a cortar los huevos con el chuzo, esos huevitos del tamaño de guisantes cocidos, la frente de él es un montón de arrugas de pánico, corre en diagonal, disimuladamente, hacia el automóvil estacionado, intenta meter la llave sin que yo lo vea, largarse, desaparecer, huir, lo agarro por la corbata y después viene la expresión estrangulada, Qué quiere qué quiere qué quiere, gimotea él con miedo, Qué pretende usted corrijo yo acorralándolo contra el capó, empujándole las costillas con la rodilla, Marília deja el libro en la mesilla de noche, se acuesta de lado en la cama separada de la de él por una alfombra horrible, cierra los ojos pero sé que esperas que yo hable, que imaginas que pergeño algo, que bajo los párpados cerrados tus ojos me espían inquietos, que me hallas extraño, agitado, infeliz, levanto el teléfono, pido el número de la clínica, qué horror agonizar en las Amoreiras, Dios santo, La habitación diecisiete por favor, Un momento responde la voz de la lechuza enamorada, algunos ruidos, chirridos, chasquidos, Diga, dice la prima, Soy yo, dice él, cómo se encuentra madre, Razonablemente bien, responde la prima después de una vacilación, ¿quieres hablar con ella? No, responde él, solo quería saber cómo iba todo, No te inquietes, dice la prima con una jovialidad forzada, ocúpate de don Dinis que aquí nos las arreglamos, Apareció padre, pregunta él, nuevo silencio esta vez más breve, Ha telefoneado desde el aeropuerto, dice la prima, está a punto de salir para Escocia pero han venido tus hermanas y si quieres dejar algún recado, cuelgo de repente, me quedo mirando la escayola del techo, la lámpara de mimbre, la ría que se oscurece lentamente, qué van a hacer las gaviotas ahora, me sienta en su regazo y me explica cómo duermen las aves, la noche va a devorar los barcos y los pájaros, las chimeneas de Aveiro, las luces que se estremecen, indecisas, muy a lo lejos, Y bien, dice Marília, buscando a tientas los cigarrillos en la mesilla, enciende uno por el filtro, lo tira, recomienza, Qué te importa a ti mi madre, en el fondo qué me importa a mí mi madre, dibuja una voluta de humo con los labios, Y bien qué, dice él.

–Desapareció el domingo y pagó la mujer, se llevó el coche de la pareja y abandonó el hostal al día siguiente –aclaró un hombre delgado, en camisa, instalado en un despacho repleto de ficheros metálicos–. Hubo probablemente una riña entre ambos, las parejas son imprevisibles, nunca sabemos lo que puede pasar. Yo fui al registro civil una vez y juré que no volvería nunca más.

Tucha lo ayudó a cargar las maletas hasta el ascensor y le dio un beso en la mejilla:

–Adiós –dijo ella sin asomo de emoción. Y no obstante tu boca, tu olor, la excesiva proximidad de tu cuerpo, me escocieron los párpados con un extraño ácido. ¿Lágrimas?, piensa él, indignado, ¿voy a echarme a llorar de pie en el felpudo como un corderito? Empujó la puerta del ascensor, pulsó el botón, algo indefinido cambió en mi vida. Se quedó mirando el edificio y después se alejó a pasos lentos, agobiado por el peso del equipaje.

–¿No me quieres contar qué ocurre? –dijo Marília.

–Uno, dos, tres profesores, los que hagan falta, pero que ese gandul no me pierda el curso –le gritó el padre en la sala, de pie, a la madre que lo escuchaba sentada, con los ojos bajos, agitando al compás las agujas de punto (No me podía ver porque yo estaba en el marco de la puerta y él de espaldas a mí, junto a los sofás sin tapizar.)–. Solo un idiota como él no aprende matemáticas, lo que le enseñan en el instituto lo memoriza hasta un retrasado mental.

–Prefiere las letras –reveló la madre–, me confesó la semana pasada que quería estudiar historia. Me quedé pasmada.

El padre dio un puñetazo en el bar Arte Nova y saltaron las botellas y los vasos:

—¿Letras? ¿Historia? —(Hablaba despacito con una sorpresa inmensa.)—. ¿Estás realmente segura de que ese tonto es mi hijo?

En la esquina de la calle, con una maleta a cada lado, no conseguía taxi. Las lágrimas le corrían sin esfuerzo por la nariz, se reunían en el hoyuelo del mentón en un lago pequeñito, alguna que otra, desviada, le mojaba la camisa. Y no obstante, pensaba él ahora, no la quería, era imposible que la quisiese de verdad, no tenían nada en común que los uniese, salvo el mismo origen decadente y la misma incurable adolescencia a la deriva: dos chiquillos en una habitación con juguetes, sin saber qué hacer de sí mismos y de sus proyectos sin sentido. ¿Se habría vuelto adulto desde entonces? ¿Adulto por dentro, responsable, capaz, con fuerza para el estúpido absurdo del día a día?

—Las personas que, por más que lo busquen, no le encuentran sentido a la vida —peroró el psicólogo dibujando cuidadosos círculos a lápiz en una hoja de papel— se vuelven siempre suicidas en potencia. Tarde o temprano el vacío de su vida cotidiana acaba lanzándolos a una angustia de ratas de laboratorio claustrofóbicas, y entonces tenemos los barbitúricos, el gas, la horca, la pistola, el ácido sulfúrico, los octavos pisos, el cuchillo, la electricidad, el viaducto, el pesticida de las viñas, el petróleo, el mar: su imaginación, señoras y señores, no posee, literalmente, límites.

—La historia una grandísima gilipollez —aullaba el padre alzando el vaso de whisky a la altura de las pupilas para servirse de una botella tallada de cristal, apoyada con unas cuantas más en una mesa antigua de chaquete—, le voy a dar historia, bonita. Un inútil que no entiende nada de nada, un holgazán, un mandria, un niño, ese tipo no tiene voluntad. Económicas, ingeniería o derecho y no se hable más. Historia, vamos, historia, un infeliz sin noción de los logaritmos.

La luz entraba por los balcones de la sala, atravesando, plateada e irreal, las buganvillas y las mosquetas del jardín, y los cuerpos de ellos, los muebles, los cuadros en las paredes, los objetos menudos que invadían la casa, parecían imponderables y suspendidos en la claridad centelleante, como si un vapor de helio les hinchase las venas. Los cabellos de la madre poseían la misteriosa textura angélica de las hadas, el vestido ondulaba despacio, insuflado por una brisa inexplicable. Comencé a subir las escaleras hacia mi habitación sin tocar la alfombra, y algo elástico y esponjoso me hacía, por así decir, volar.

—A partir del día en que nos separamos —declaró la mujer de las gafas oscuras que paseaba al perro por el jardín de una ciudad extranjera—, prácticamente nunca más lo vi. Se divorció por poderes, estaba en Estrasburgo con una beca de estudios.

La ría había desaparecido por completo, transformada en un profundo lago sin márgenes, puntuada de raras luces asimétricas, desprovistas de brillo. No se veía ave alguna, barco alguno, y sus propios gestos eran invisibles en la sombra.

—Seguro que ya no nos darán de cenar a esta hora —susurró la voz sin carne de Marília, reducida a los arabescos color anaranjado de la brasa del cigarrillo y a la mancha sin aristas de su silueta—. Han cerrado el comedor y se han ido todos a ver el programa de televisión en aquella salita pavorosa estilo hogar de ancianos y convalecientes, con sillones de inválido frente a la pantalla. Encontramos allí al equipo completo, ya verás: la indiferente de la recepción, los dos infelices con chaleco, la criada de las habitaciones que mañana nos hará la cama, sin ninguna mancha en la sábana de la que hablar con los demás.

Hablaba despacio, sin indignación ni enfado, pero yo había dejado por completo de escucharla: me encontraba sentado en el regazo de mi padre, bajo el castaño del pozo, en una tarde antigua que no había desaparecido nunca dentro de él (la madre los esperaba en casa, con un libro sobre las rodillas, sonriendo), oyendo la explicación acerca de los pájaros. Tan absorto que hasta el rumor del agua frente al hostal, debajo de la ventana, el sonido de los anuncios de la televisión y la tos de los ingleses en el pasillo habían dejado de existir para dar lugar a un enorme, ilimitado espacio claro únicamente poblado por los gritos roncos de las gaviotas.

VIERNES

Testifica Alice F., encargada del hostal de Aveiro y residente en el mismo, en Aveiro. Prestó juramento y a las preguntas de rigor respondió sin añadir nada nuevo. Inquirida dijo: Que el martes diez de febrero, entre las dieciséis y las diecisiete horas, se encontraba en su lugar de trabajo aclarándole la factura a una pareja de ingleses entrados en años y vigilando el transporte del equipaje hacia el automóvil alquilado en el que ellos habían venido, cuando entró repentinamente en el vestíbulo una criatura del sexo masculino, de cerca de doce años de edad, hijo de la cocinera de la posada, la cual, en un estado de extrema agitación, empujó a la inglesa con el codo sucio y gritó a la deponente «Doña Alice venga a ver lo que hay ahí». Como la deponente amonestase al niño con severidad por su ausencia de educación y su total y completa falta de respeto por la industria turística, consustanciada, en tal caso, con la persona de la británica anciana, cuya conducta se regía siempre, por añadidura, como es habitual en esas islas, dentro de los parámetros de la educación más perfecta, el niño lanzó violentamente al suelo un armazón de alambre pintado de blanco, repleto de bonitas postales ilustradas con curiosos rincones de nuestra hermosa tierra tales como Monsaraz y otros, y gritó, con una exaltación incontrolable, «Déjese de sermones cabrona que hay un hombre muerto ahí en medio de la arena». A pesar de mostrarse incrédula, por conocer bien la extraña fertilidad de la imaginación infantil, que explotan morbosamente los modernos medios de comunicación, la deponente

apresuró la partida de la pareja extranjera yendo a despedirse de ellos, risueña, al patio del hostal, y en cuanto el vehícu-
lo desapareció a trompicones por la carretera, rodeada de pinos y arbustos que la sequía marchitaba, se dirigió al niño y
con tono de reprimenda, después de comentar «Eso es lo que
te enseñan en la escuela, atrevido», le preguntó: «¿Qué im-
pertinencia es esta en un establecimiento privado?», a lo que
se le respondió, junto con palabrotas que no se atreve a repro-
ducir aquí y que atribuye a la progresiva disolución de las costumbres puesta en marcha por el lamentable período revolucionario que en mala hora atravesamos, que había un cadáver
de hombre a unos doscientos metros al oeste del edificio del
hostal, devorado a medias por la incontrolable gula de las gaviotas, y que parecía corresponder, por su ropa, gafas y dimensiones, al de un huésped llegado el jueves anterior, junto
con su esposa, con la que solía dar un paseo, por la margen de
la ría, sosteniendo largas conversaciones cuyo contenido y te-
mas la deponente ignora. A pesar de sus legítimas vacilaciones
y dudas acerca de la veracidad de la información recibida, la
deponente se dirigió, por descargo de conciencia, al lugar indicado, que los pájaros del Vouga sobrevolaban en enjambre
de un modo que la intrigó, por no ser habitual tantas aves y
tantos graznidos en la arena una mañana sin lluvia ni amenaza
de ella, más bien gris, pegajosa y húmeda de niebla, ahogando
la ciudad con su brin de lágrimas quietas, y descubrió entre
los juncos, panza arriba, los brazos abiertos y el rostro irreco-
nocible, manifiestamente desfigurado por los picotazos de los
pájaros, al huésped Rui S., identificado en la página dos del
presente auto. La deponente tuvo enseguida la certidumbre
de encontrarse ante el mencionado Rui S., no solo por los
hechos ya indicados en el presente testimonio sino también
por uno de los ojos del cadáver, intacto, redondo, gigantesco,
mirando con la expresión de afligida inquietud o de resignación sumisa con que incluso ordinariamente la miraba para
pedirle la llave de la habitación. Ocurre que las gaviotas no parecieron muy satisfechas con la intrusión, poniéndose a chillar

de furia en torno a la deponente, en un remolino de alas que la asustó de tal forma que se dio prisa en regresar a la posada para telefonear a la policía a fin de comunicar lo sucedido, después de darle al niño un paquete de caramelos de anís y dos postales ilustradas de Viana do Castelo, *partial view*. Inquirida acerca de lo que sabía del difunto dijo haberlo visto por primera vez el jueves mencionado, cerca de las catorce horas, cuando, junto con su presunta esposa, entró en el hostal solicitando una habitación para el fin de semana, lo que hizo dicho sea de paso con innecesaria rudeza, conducta que llevó a la deponente a entregarle la ficha y la llave en silencio, privándolos del usual discurso de bienvenida que dedica a sus clientes sin distinción de nacionalidad, color de piel o categoría social. Añadió que lo encontraba habitualmente, tres o cuatro veces al día, en el mostrador de recepción, y que le parecía preocupado y nervioso. En una ocasión le pidió incluso una llamada a una clínica de la capital, pero no conversó más de siete u ocho pasos. Inquirida en cuanto a la mujer que lo acompañaba, la deponente respondió que era más o menos de la edad del difunto, de aspecto a la vez descuidado y hostil, que se había ido sola, en la víspera del descubrimiento del cadáver, después de pagar la cuenta con un cheque del que aún no se ha comprobado si tenía fondos. Vestía por norma una especie de poncho en el que predominaba el color rojo, vaqueros y zuecos negros, y se caracterizaba, en su opinión, por las miradas irónicas de soslayo que lanzaba a los cuadros y las litografías, de bonitos motivos regionales, colgados en las paredes y elegidos por la deponente con el doble propósito de embellecer el ambiente y dar un toque alegre a los momentos de ocio de la clientela. En lo que concierne a los motivos del suicidio, si tal hipótesis se comprobare conforme a los elementos hasta ahora reunidos y el informe del médico forense así lo deja entrever, la deponente dijo que los desconocía por completo, aun teniendo en cuenta la obvia ansiedad de la víctima y la extraña conducta de las personas en el momento de su estancia. Deseó otrosí subrayar la agitación desesperada de las gaviotas y demás pájaros de la ría, tales como patos criollos y aves menores o cuyo nombre, científico o común, la deponente no conoce, los cuales manifestaban un comportamiento en absoluto insólito para quien los ve desde hace mucho tiempo, que se traducía en el hecho de dar la impresión, al mismo tiempo, de proteger el cadáver por un lado y despedazarlo por otro, reduciéndolo a jirones confusos de sangre y de ropa, lo que vendría a dificultar en extremo los trabajos de retirada del cuerpo, como consecuencia de la encarnizada furia de las aves contra cualquiera que se acercase al muerto, y obligando a la utilización de armas de fuego y de la manguera de los bomberos para dispersarlas. La deponente se quedó hasta tal punto impresionada con lo sucedido que sufrió un acceso de fiebre esa noche, y la rondaban turbadores sueños en que hombres-pájaro, con cara de personas y garras negras que sangraban, invocándola con llamadas más tristes que los cánticos de la iglesia, intentando tocarle con el pico los muslos y el pecho. Aun después del traslado en ambulancia del difunto hacia Oporto (Cómo olvidar la camilla cubierta con una manta, la cámara de los fotógrafos de los periódicos, la multitud de curiosos, los policías que empuñaban una cinta métrica, el tipo gordo y pachorrudo que parecía dirigir todo aquello, con las manos en los bolsillos y una cerilla en la boca como los capataces de las obras), las aves siguieron varios días sin abandonar el lugar donde había yacido el difunto, trazando extrañas elipses inquietas a ras de hierba, hasta que poco a poco, con la llegada de las primeras lluvias, todo regresó a la normalidad de costumbre, las gaviotas volvieron al agua, los patos emigraron hacia el sur, la serenidad del invierno tranquilizó los eucaliptos y los pinos, los barcos retomaron su curso habitual, los sueños insólitos desaparecieron, la deponente suspendió la consulta con el psiquiatra de Aveiro que confiaba en que la aliviaría de sus noches febriles, cargadas de miedo, de sudor y de pesadillas con hombres voladores, las grandes y oscuras nubes de marzo se mezclaban y se alejaban, y el pesar de una paz de pantano, hecha de la sucesión llana y sin fricciones de los meses, adquirió hondas raíces en su sangre, insinuó dentro de ella, como una especie de muerte, la certidumbre de la vejez detrás de un mostrador de posada, entregando llaves y recibiendo llaves, ¿me comprende?, hasta el día en que, es decir, entregar llaves y recibir llaves, entregar llaves y recibir llaves, entregar llaves y recibir llaves, entregar llaves y recibir llaves, hacer cuentas, hacer cuentas, hacer cuentas, cotejar facturas, pagarle al personal, a los proveedores, al propietario, llevar la foto del marido, en esmalte, al pecho, ver la televisión, de pie, detrás de los clientes, acostarse sola, ducharse sola, comer sola, ¿me entiende?, hasta el día, qué alivio, en que. Y no dijo más. Leído, ratifica y firma.

Se despertó muy temprano porque se acostó, sin acordarse de bajar la persiana y correr las cortinas, en la cama del lado de la ventana, con la sensación de que las sábanas navegaban en la bruma de la ría, con nubes bajas y gruesas nacidas de la espesura turbia del agua. Se levantó, fue a orinar, sin encender la luz, al cuarto de baño, volvió a taparse con la manta: Me duele la cabeza, me duelen los riñones, me duelen las piernas, la calefacción debe de haber estado puesta toda la noche. Una claridad sucia modelaba poco a poco los contornos de los objetos como un alfarero paciente, y empecé a distinguir tu rostro achatado contra la almohada, un ojo, la boca abierta, los surcos que formaban arrugas de paréntesis en las mejillas, la forma, aún poco reconocible, del cuerpo. La ropa colgada de las sillas parecía oscilar al ritmo de una respiración misteriosa, las paredes se dilataban y se encogían despacio: El latido de mis sienes en la almohada hace palpitar el mundo. Pensó en fumarse un cigarrillo, leer un libro, pero prefirió sentarse en el colchón para ver la mañana avanzar palmo a palmo por la tarima, revelar los defectos de la madera, los flecos de la alfombra, las patas en arco, descantilladas, de los muebles: El día comienza siempre por este malestar físico, este extraño nacimiento de las cosas conocidas, tu cara deformada que duerme. En la Rua Azedo Gneco bultos indecisos revolvían los cubos de basura, una camioneta del ayuntamiento pasaba lentamente lanzando chisguetes de agua por encima de las ruedas, y se adivinaba el Tajo jadeando, a lo lejos, más allá de los edificios.

—¿Es aquí donde vives? —preguntó la hermana menor desde el felpudo de la entrada, estirando el mentón curioso en dirección al vestíbulo: el paragüero que era un maniquí antiguo, una rueda de carreta apoyada en la pared, el grabado pseudo-oriental con un pájaro de cola larga flotando en una rama, se me antojaron de súbito vulgares y feos, estúpidos—. ¿No me invitas a entrar?

La mujer volvió la cabeza hacia el otro lado, desaparecieron las facciones torcidas, y surgió en su lugar un ovillo de cabellos oscuros que el sueño había enmarañado, idéntico a una bola de lana con muchos cabos sueltos. Piensa ¿Cuántas semanas hace que no tengo ganas de hacer el amor contigo? Piensa Todo está tan previsto entre nosotros, los gestos, el sabor de la saliva, la forma insatisfecha de acabar, los cuerpos que se separan, lentos, sin afecto, del mismo modo que se dividen las células. El de ella adquiría ahora consistencia bajo la sábana, el espejo de la cómoda surgió de la sombra y reflejó un ángulo de armario, cuadros, una faja del techo.

—Tantos libros —dijo la hermana mirando a su alrededor la sala exigua, las fotos pegadas en pedazos de cartón y apoyadas en los lomos, el banco de jardín público mordiendo la estera con las patas de hierro, carteles del Partido, postales antiguas, juguetes de hojalata en una mesa. Si Tucha viese esto seguro que se moriría: impídanle llenar la casa de porcelanas y comienza a faltarle el aire.

Piensa Estás midiendo el mal gusto de todo esto, guardando todo esto en la cabeza para contarlo, entre risas de burla, a las amigas: Solo quería que vieseis cómo vive mi hermano, si los comunistas ganan las elecciones nos obligan a todos a poner una rueda de carreta en la entrada y a llenar la casa con el tufo insoportable de los libros. Y Carlos, desde el sillón, solem-

ne, serio, atrincherado detrás de la seda natural de la corbata:
Tengo en la fábrica a uno que es un empleado estupendo.
Piensa Exactamente lo que dice mi madre cuando habla de
los perritos educados que no hacen pis en la alfombra.

—Socialdemocracia, socialismo, comunismo —dijo el padre
con una conmiseración irritada—, ¿no ves que es siempre la
misma trampa para destruirnos a nosotros? No quiero ni pensar que conspiras contra el gobierno, sería lo mismo que si
quisieras matarme a mí. Y en cuanto a aquel policía imperti-
nente, hablo con el director general y le hago la cama en un
santiamén.

Sentado, con las manos debajo de la ropa y los ojos parpa-
deantes, veía la mañana hincharse sobre la ría como un enorme pan blancuzco que fermenta, con las primeras gaviotas
posadas en la superficie lisa, del color de los párpados por
dentro, del agua: ¿dormirán así, flotando, a merced de las co-
rrientes, o se esconderán en la arena, en los juncos de la margen que poco a poco surgen de la neblina, ralos y encrespados
como mechones de pelo? Pensó en bajar la persiana a fin de
evitar la claridad, regresar al sosiego de huevo de la noche,
transformar la habitación en una isla cómplice de tinieblas,
dormir: el cuerpo que flota, los ojos muertos a la deriva, el
corazón finalmente en calma, idéntico a un barco anclado. Se
acercaron pasos rápidos por el pasillo, le retumbaron en los
oídos, se alejaron camino de nada: ¿la mujer de las pupilas
enormes de la recepción? ¿El empleado delgaducho? ¿El campesino? La hermana escudriñaba el apartamento de Campo
de Ourique, inclinada hacia delante como los visitantes de los
museos, con los labios apretados en una reprobación educada:
Una leonera indescriptible, ropa desparramada, cosas por el
suelo, papeles en desorden, yo no sería capaz. Al acompa-
ñarla, se daba cuenta dolorosamente del desaliño de la casa,
de los pelos en el desagüe de la bañera, de las manchas del
sofá, de la piel de seda del polvo, de la persiana rota, oblicua,
contra el cristal.

—¿Cómo descubriste dónde vivo? —preguntó él—. El teléfono ni siquiera está a mi nombre, no le he dado la dirección a nadie en la facultad.

Por la mañana, la voz femenina del servicio despertador se confundía con los ruidos sordos del barrio tres pisos más abajo, sacándolo fuera del acuario limoso, sin peces, de sus sueños: una mujer neutra, inmaterial, precisa, anunciaba la hora sin emoción alguna, y lo empujaba a trompicones hacia el cuarto de baño, donde la cuchilla de afeitar relucía, junto a las mejillas, como la luna en el mar. El fontanero, que había ido la víspera a reparar el lavabo, había dejado polvo de cal, huellas de barro y trozos de ladrillo en las baldosas, y él fue a la cocina, llena de platos sin lavar, en busca de un recogedor y una escoba para echar la basura en el cubo de plástico color anaranjado, con tapa negra, que nunca te acordabas, a pesar de mis protestas, de dejar en el rellano. Jamás comprendí tu descuido, tu desinterés por la casa, tu indiferencia ante los ceniceros desbordantes de colillas, la ceniza en tus manteles, las pilas de periódicos que se amontonaban bajo la cama. Los viernes, una asistenta de tu especie pasaba un paño distraído e inocuo por la inmundicia amontonada, robaba el azúcar, rompía vasos, se marchaba después de comerse impúdicamente mi atún. Del otro lado de la pared se oían ruidos de cubiertos, voces, la música amortiguada de un aparato de radio, mientras que la mañana sin esperanza de Lisboa se arrimaba, desanimada, a los cristales.

—Te olvidas de que esto es una aldea —respondió la hermana observando, con el ceño fruncido, un cartel con la cara achinada y perentoria de Lenin. La nariz se le torció en una mueca de sarcasmo—: ¿Alguien de la familia de tu mujer?

Aumentaba el número de gaviotas, una bandada de patos, en triángulo, llegó del lado de la ciudad describiendo un vasto semicírculo en la niebla, el viento de la aurora agitaba las hojas. Una camioneta pasó ruidosamente por la carretera con un sonido exhausto de muelles: Si yo fuese pequeño, pensó él, empañaría los cristales con el aliento y escribiría mi nombre con el índice estirado, o imaginaría un barco de piratas subiendo la ría, con la bandera negra en el mástil más alto y hombres feísimos acechando desde la amurada. Si yo fuese pequeño pediría ponerme, después de la ducha, la brillantina de mi padre, cenaría en pijama y me iría de castigo a comer a la cocina por coger mal los cubiertos, colocar los codos sobre la mesa o derramar la sopa. Si yo fuese pequeño sería el hijo del señor ingeniero y el profesor me preguntaría los ríos de Mozambique más acongojado por mi ignorancia que yo. Piensa Las notas que me ponían eran para él, no para mí, el colegio no podía desprestigiar al régimen tachando abusivamente al hijo del subsecretario de Estado de mandria o de estúpido, el propio director me saludaba con una extraña ceremonia, los bedeles impedían que los otros chicos me pegasen, si se me ocurría gritar soplapollas en el recreo los tutores me aplaudirían con entusiasmo, la mujer del jefe de la secretaría, que enseñaba dibujo, se derretía de respetuoso júbilo: Tan pequeñito y ya tan precoz.

—Lisboa es una aldea —afirmó la hermana—, y tú vives en una auténtica pocilga. —Sus ojos se amusgaban de desprecio, pasó el dedo por un anaquel, se lo limpió en la chaqueta—: Ojalá no tengas el mal gusto de invitar a venir aquí a nuestros padres.

Tal vez yo nunca debería haberme invitado a mí mismo a ir allí, piensa él mientras el ovillo de lana oscura rueda, farfullando palabras inciertas, en la almohada, un brazo asoma por las sábanas, oscila a lo largo del borde del colchón, cae, muelle, hasta que los dedos, de uñas muy cortas, tocan, suavemente doblados, la alfombra. ¿Habría, se pregunta él, uñas largas y rojas en el congreso de Tomar, mujeres cuidadosamente perfumadas, cuidadosamente bien vestidas, con miradas sabias de soslayo, exhibiendo el latifundio de los muslos entre la rodilla y la falda? Tal vez debería haber vuelto a casa cuando me separé, seducir a la hija de una amiga cualquiera de mi madre, proponerle matrimonio, recomenzar, en lugar de elegir a la heredera del guardia republicano solo porque había leído más sobre Godard que yo. Mucho se estará riendo Tucha con el novio a esta hora, pensó, en uno de esos bares donde las personas se asemejan a muñecos mecánicos movidos por el motor de la propia indecisión, antes de unirse, al final de la noche, en coitos distraídos y sombríos: Si vieses qué ha conseguido para sustituirme, si vieses con quién anda ahora. Tal vez, por qué no, estaría trabajando en la empresa, ignoraría a Godard, sería feliz, me contentaría con el bridge, los buenos trajes, las nalgas de la secretaria, las soperas de la Compañía de las Indias, la cuenta bancaria en el extranjero. Había ahora más gaviotas en la ría y también otra especie de pájaros, igualmente blancos, cuyo nombre ignoraba. Una mancha color mandarina, semejante a una mancha de sangre, se extendía por la mañana, las nubes se deslizaban sin ruido hacia el sur. Miró sin ternura el cuerpo dormido y pensó Habías leído más libros que yo, eso fue lo que me conquistó, me hablabas de escritores, de cineastas, de pintores que yo ni imaginaba que existiesen, discurrías sobre ellos y tus manos, de dedos cuadrados, se abrían y se cerraban como las plantas del mar. Piensa Qué diferentes eran tus preocupaciones de las de Tucha, de las de mis padres, de las de mis amigos, Mayo del 68, Vietnam, el Poder Negro, Marshall McLuham, asuntos distantes y vehementes.

—No conocía siquiera las películas de Dreyer —dijo una mujer descuidada y ansiosa, de cuarenta y tantos años, rascándose la cabeza con un lápiz rojo. Sus zapatos, sin betún, se frotaban el uno contra el otro como atraídos por un imán inquieto—. Soporté cuatro años a un tipo que se dormía en los ciclos de la Gulbenkian.

—Una pocilga —insistió la hermana—, una auténtica pocilga llena de carteles contra la religión y la familia. —Encendió el cigarrillo con el mechero encajado en una cajita de porcelana y sonrió—: Hacían colección de baratijas de hojalata, muñecos, carretas, arados, cosas así de inservibles.

El padre apareció detrás de ella, enorme, con los brazos levantados, disfrazado de gorila y asustando a las personas del Castillo Fantasma de la Feria Popular: su voz, al mismo tiempo retumbante y ahogada, parecía salir de un cubo lleno de restos de algodón:

–Una boda como esa es una estupidez que no tiene nombre.

–Que Rui trabajase con nosotros –dijo Carlos– era una de las utopías de mi suegro: no tenía la menor aptitud para los negocios. Pensándolo bien, la verdad es que no tenía la menor aptitud para nada.

–Quien habla de Dreyer –continuó la mujer descuidada y ansiosa, quitándose con el dedo mojado en saliva un resto de barro en la media– habla de Marguerite Duras, de Andy Warhol, del cine experimental, de los clásicos de los años veinte, del arte de vanguardia. El expresionismo abstracto, por ejemplo, representaba para él una noción confusa. Creo que lo que me atrajo en aquel hombre fue un equívoco de mi parte, la ilusión de cierta inocencia, de cierta ingenuidad que él, de hecho, no poseía: el mildiú de la burguesía le había corrompido la cabeza, no llegaba a ser más que un decadente sin fuerza. Si usted lee el borrador de la tesis sobre el sidonismo (mostró un mazo de hojas mecanografiadas, ya viejas, llenas de tachaduras), comprenderá sin duda lo que pretendo expresar.

La mancha color mandarina ocupó por entero la ventana, y el paisaje de fuera se hizo claro y distinto, casi sin sombras (sombras de árboles, sombras de nubes, la sombra móvil, color clara de huevo crudo, del agua), los objetos de la habitación adquirieron la profundidad sin misterio del día, fijos en el lugar de la víspera, y tu cuerpo inició, activado por un mecanismo interior, el penoso, largo trabajo de despertarse: gemidos, ronquidos, suspiros, las piernas encogiéndose y estirándose, el desasosiego de la cabeza, la marea alta de las sábanas. Del otro lado de la puerta, los ingleses entrados en años hicieron girar la llave de su cerradura, desgarradoramente, dentro de mi cabeza, como si me hurgasen en los nervios con un cuchillo, la vieja farfulló una frase en su lengua sin espinas de pescado, el marido tosió. El viernes se instala, pensó él abriendo la ducha en el cuarto de baño minúsculo, y observando el chorro que bajaba del techo a la manera de un racimo de filamentos de cristal que se abrían, se estrellaban en el esmalte de la bañera, se dirigían hacia el desagüe con una lentitud perezosa, y empañaban poco a poco el espejo, la lámpara encendida, la loza del bidé en que se había sentado, con los pies descalzos en la alfombrilla de goma, pensando Seguro que extiendes ahora la mano, a ciegas, hacia la mesilla de noche, en busca de los chicles de fresa, que recorres la habitación con las órbitas hinchadas, estupefactas, del despertar, que sales a la superficie, a duras penas, de tus sueños turbadores de luchas de clases, de los que me llegan a veces palabras sueltas, incomprensibles, filtradas por la placa de los dientes. En los primeros tiempos, pensó, me traías el desayuno a la cama, ¿Quieres café con leche o té?, con bata, peinada, risueña, me besabas el cuello, comías las migajas de las tostadas en mi pecho, bajabas la palma, sobre las mantas, hasta mis caderas, me sopesabas el pene con una mueca divertida, olvidada de Marx, de Visconti, de la poesía concreta, del terrible e histórico combate por la liberación de la mujer: ¿Cuántos meses hace que la ventosa tibia y muelle de tu lengua no me recorre las costillas, cuántos meses hace que tu cabeza no se confunde con mi pubis, cuántos meses hace que no entro en ti, de un solo golpe, en un impulso rabioso, apasionado, de la ingle? Probó el agua de la ducha con el dorso de la mano, vaciló, se dejó mojar con un estremecimiento y comenzó a enjabonarse la cara, las orejas, las axilas, el ombligo. En la Rua Azedo Gneco la ducha, averiada, chorreaba por un agujero del soporte, mojaba las toallas, inundaba el suelo: siempre había cosas que no funcionaban, picaportes que no abrían, grifos estropeados, tubos rotos, el calefactor en cortocircuito, apagado, en un rincón, idéntico a una viola sin cuerdas, había siempre una inquietud de algo provisional en el aire, una atmósfera de vía férrea, de sala de pasajeros de aeropuerto pobre, a la que solo le faltaban las escupideras de esmalte en los rincones, sustituidas por libros, por rollos de carteles, por una radio heroica que no funcionó nunca.

—Francamente me parece estar viendo la cutrez del lugar en que vive —les dijo Tucha a los amigos, sorbiendo la caipiriña, con las mejillas cóncavas, por una pajita—. Me crucé el otro día con su novia, un monstruo oscuro, pequeñito, raquítico, imitando a un hombre. —Se rió—. Y tal vez lo sea.

—Nada de esto tiene pies ni cabeza —dijo la hermana pulsando el botón del ascensor—. Pídeles a nuestros padres que te dejen una habitación en su casa, sé sensato. Tarde o temprano habrás de volver en ti y te darás cuenta del absurdo en que te has metido. —El mentón de ella desapareció, diciendo silenciosamente que no, mientras bajaba los rellanos en pos de la doble puerta oxidada, que se abría y cerraba como un acordeón.

El agua de la ducha se enfrió de golpe y yo salí de la bañera y me envolví tiritando en una toalla. Una cucaracha corrió entre los azulejos y las baldosas, tanteando con miedo el espacio que tenía delante con la delicadeza de las antenas. Mis contornos fosforescentes y vagos de aparición centelleaban en las gotitas de vapor del espejo: una Virgen de piernas peludas, pensó, una Virgen travesti rodeada por las carcajadas de las coristas. Y no obstante, hermana, aunque no lo creas he pasado buenos momentos en la Azedo Gneco, domingos de invierno, domingos lluviosos, leyendo *Le Monde*, sintiéndome la mar de bien con Marília, bebiendo aguardiente de guindas, bebiendo té, buenos momentos casi sin aristas, solo la leve sombra de una melancolía difusa, inexplicable, la úlcera sin cura de la tristeza de siempre al fondo. Después la angustia fue aumentando y con ella el malestar, el miedo, el cuerpo a las vueltas en las sábanas de la vida, sin lugar. ¿Cuál es la razón?, se preguntó secándose las orejas, el cuello, la nuca, ¿por qué motivo arrastro detrás de mí esta especie penosa de cola? Limpió una parte del espejo con el codo, se peinó rápidamente (Ahora, más delgado, me parezco a Schubert), regresó a la habitación, se puso la ropa de la víspera bajo tu mirada opaca, soñolienta: ¿Por qué país sigues viajando, de qué extrañas fronteras regresas a mi encuentro?

—Voy a salir —dijo él—, a dar una vuelta por ahí, correr un poco, regreso a las nueve con el desayuno, empujando las cafeteras y las tazas.

El reloj de pulsera japonés puesto en la mesilla de noche, junto al libro, marcaba las siete y media, y su mecanismo afligido y blando se le antojó el de un corazón presa del pánico (¿el mío?) galopando, incansable, rumbo a la muerte.

—Un buen chico y un asistente razonable —calificó el profesor de pelo blanco debajo del grabado de batalla, jugando con un cortapapeles con las palabras «MADE IN HONG KONG» inscritas a lo largo de la hoja—. Además preparaba una tesis curiosa, un poco lunática y discutible, pero nunca pude dejar de hallar gracia en su originalidad adolescente.

—No puedo adelantar mucho, no me acuerdo, o era demasiado pequeño para entender ciertos asuntos —informó la voz lejana de hombre al teléfono—. Y además ya llevo ocho años aquí, en Canadá, nunca más volví a poner los pies en Portugal, y así lejos, ¿me entiende?, los recuerdos se han esfumado. Me acuerdo de la mirada, de la sonrisa, de ir con él al Jardín Zoológico, al circo, poco más. Es eso: me acuerdo de la sonrisa y de nuestra excitación cuando, los domingos, él tocaba el timbre de la calle: podíamos bajar solos por el ascensor.

La señora del perro volvió a ponerse las gafas oscuras:

—Pobre —dijo ella—, un final como ese siempre da pena, ¿no?

Bajó las escaleras (allá estaba la cascada hedionda, hirsuta de flores, el mostrador de las llaves, las postales ilustradas en la peana de alambre), empujó la puerta de vidrio del hostal, y salió hacia la grava del patio, por cuyas piedras minúsculas protestaban y gemían las suelas de los zapatos. El frío de la mañana le dolía en la cara, y sintió endurecérsele la nariz y la boca, doblársele la lengua, sin saliva, en las encías. Piensa Agua plana, cielo plano, centenares de pájaros, los pinos tiritando en la neblina, envainados en el azúcar de las nubes. No se veía a nadie, los ingleses entrados en años habían desaparecido, el edificio del hostal se le antojó deplorable, insignificante, sin belleza. Comenzó a andar al azar en dirección a la ciudad: los pies imprimían surcos arrastrados en la arena, un perro ladró a lo lejos y los ladridos rasgaban sin piedad el frágil papel de seda del silencio. Piensa A pesar de todo he pasado momentos aceptables en la Azedo Gneco, hermana, hasta sentirme, como siempre, sin lugar en parte alguna, despreciado dentro y fuera de mí mismo, desprovisto de patria y de amarras, desesperadamente libre. Piensa Tengo que volver a una habitación alquilada (los muebles estereotipados, el armario con cortinita corredera, la maleta bajo la cama, la dueña antipática, intransigente, minuciosa) y recomenzar hasta que vea claro dónde fue que se rompió algo, porque algo, estoy seguro, ¿entiendes?, se ha roto. Una bandada de gorriones saltaba entre los juncos de la margen, el olor espeso de la ría se asemejaba, mohoso, al de una axila sin lavar: algo se ha roto en algún lugar, la vida ha girado noventa grados sin previo aviso, y heme aquí más sin brújula que nunca. Piensa Menos mal que no tengo hijos de Marília, menos mal que no queda nada atrás. Las chimeneas de Aveiro humeaban muy lentamente, disolviendo las espiras negras y opacas en la marta cebellina de las nubes, y se distinguían a duras penas los contornos derramados de las casas. La hermana, desenfocada y avergonzadísima, decía adiós en la película delante de esta misma agua azul, color ladrillo ahora, vestida de verano, con los brazos desnudos, el tronco rechoncho apoyado en el balcón. Tucha le insistió varios años seguidos para que se comprase una cámara fotográfica (Al menos por los niños), pero la idea de los rostros inmóviles en un tiempo congelado, progresivamente más antiguo, le estremecía desde la infancia, mirar por una pequeña lente y ver a una persona sonriendo del otro lado, y desistió: Me gusta la familia en el presente, Tucha, llenándose de arrugas, encorvándose, envejeciendo, caminando hacia la muerte. Pero en realidad tenías miedo a que los nietos te notasen las entradas, la barriga, te hallasen ridículo o te ignorasen, sepultado en el ataúd del marco, en un baúl de mimbre, en el fondo de un cajón, en el rincón a oscuras del desván, hasta que toda esa basura inútil fuese arrojada, en cajas de cartón, hacia el vientre con detritos de la camioneta del ayuntamiento. Piensa Mi madre debe de estar despertándose a esta hora, a menos que. Piensa Que se pudra. Piensa Me voy al hostal, a telefonear a Lisboa, a saber, pero no sentía ninguna emoción al acordarse de ella, ni la sombra de una añoranza siquiera en el interior de la cabeza, si imaginaba, por ejemplo, a la familia reunida en la clínica, las llamadas desesperadas al padre (Luanda, Toronto, Nueva York), los parientes que llegaban, en pequeños grupos, ceremoniosos y solemnes.

–Quiero que me entierren en el piano de cola –gritó de súbito la abuela, con un trapo atado a la cabeza, tumbada en su cama de inválida, en un borbotón de palabrotas vehementes. Yo era niño y la miraba desde la puerta de la habitación, asustado: ¿eso es morirse? Los balones de suero, las visitas circunspectas del médico, la abuela callada, quieta, durmiendo, y de repente, inesperada, sin aviso, la boca desdentada se abría como una caverna enorme, tres o cuatro dientes esponjosos asomaban en las encías oscuras, y ahí venía, inevitable, alarmante, tremenda, la gritería de costumbre:

–Quiero irme en el piano de cola, so putas.

–Una pocilga –aseguró la hermana chupando una pastilla para la garganta que animaba sus frases con un soplo vegetal–, una pocilga increíble.

–No habrá sido un gran entierro pero fue un entierro decente –recalcó el padre con la barba postiza del último número, contando el dinero de la receta, en la cartera, con un dedo rápido mojado en saliva (Las olas avanzaban y retrocedían en la playa ilocalizable en las tinieblas, con un rumor despacioso, pesado, persistente. Hileras de bombillas se balanceaban.)–. En cuanto al piano de cola es obvio que no había ninguno en casa de ella, les regaló el vertical a los pobres cuando se puso a venderlo todo.

Y él se acordó de un mueble negro, con patas de cristal, apoyado en la pared, con un par de candelabros vacíos sobre las teclas y un chal con flecos en la tapa, en una sala sombría repleta de escribanías, de relojes y de fotos de individuos barbudos, y de la tarde en que la abuela, autoritaria, decidida, seca, arrastrándose por las alfombras con el bastón enorme, comenzó, sin consultar a nadie, a negociar sobre armarios y vajillas con los tipos, estupefactos, de las subastas, se acordó de los hombres vestidos con monos empujando las cómodas escaleras abajo, y del piano que descendía, rellano a rellano, camino de la calle, tintineando *si* bemoles desatinados como gemidos de gota, vigilado por la vieja que asistía impasible desde el felpudo a la partida de aquel extraño almacén de notas, finalmente subido a una camioneta muy antigua, que arrancó balanceándose hacia un sótano cualquiera. Las hijas vinieron al día siguiente a protestar, enfadarse con ella, exponer exigencias, llamar a psiquiatras (Ha de comprender, doctor, mi madre no está bien), telefonear a los abogados (Está vendiendo todos los muebles, ¿qué se puede hacer?). Se desencajaban en la sala, moradas o pálidas, llenas de tics, vibrantes de indignación, multiplicando recriminaciones y reproches, furiosas, escuchadas por la abuela, con la barbilla sobre el bastón, la sonrisa irónica atravesándole oblicuamente las arrugas incontables, victoriosa en su casa desierta donde el latir de los relojes se había vuelto opresivo y retumbante, hasta la cena en que se cayó hacia delante, en medio de la sopa, y la acostamos en la cama con hojas de espinaca aún pegadas a la nariz y al mentón, el cuello reluciente de grasa, una herida en la ceja izquierda en la que, lentamente, empezaba a coagularse la sangre. De modo que gritaba, en los intermedios del coma, deformada por el delirio y por el enfado:

—Quiero irme en el piano de cola, so putas
en busca de las hijas, con el brazo, por la habitación vacía.

Hay un piano en la arena, pensó él observando un matojo negro y casi geométrico por detrás de un haz de juncos, un piano en la arena rodeado de gaviotas y de pájaros del mar, y la abuela, con pelos de estopa sueltos, envuelta en el vestido de novia que mantenía guardado en un baúl, percutía con unos dedos deformados por el reuma la caries de las teclas, atropellándose en un arrullo infantil. La brisa a ras de las hierbas ondulaba el tul trenzado del velo. Había el cadáver de un gato muerto en la arena, casi cubierto por el rastrojo bajo de la margen. Una nube de moscas enormes, de alas azules y cuerpo rojizo, zumbaba alrededor. Los barcos anclados sacudían con molicie las caderas. Se quedó un momento, con los ojos vacíos, mirando la forma putrefacta del animal, y después dio media vuelta y regresó a la posada.

Testifica Vítor P., soltero, veintinueve años de edad, empleado del hostal de Aveiro y residente en el mismo, en Aveiro. Prestó juramento y a las preguntas de rigor respondió sin añadir nada nuevo. Inquirido dijo: Que el martes diez de febrero, poco después de las dieciocho horas, tanto cuanto pudo precisar, supo por la encargada Alice F., identificada en la página treinta de estos autos, que había descubierto, en las cercanías del establecimiento, el cuerpo del ex huésped de la habitación número dos, Rui S., en gran parte devorado, carne y ropa, por las aves de las cercanías, lo que, como es natural, le provocó gran repulsa e impacto, tratándose para colmo el referido Rui S. de persona particularmente educada y afable, que nunca se impacientaba con las tardanzas o deficiencias del servicio. El deponente apreciaba su inalterable amabilidad, en contraste con la clara antipatía y mala voluntad de la mujer que lo acompañaba, y que supone sea su esposa, la cual, en su opinión, unía una notoria ausencia de gusto en el vestir a un hablar desabrido para con los trabajadores de la posada, empeñados en atender lo mejor posible a la clientela en un país tan preocupado con las reglas de la hospitalidad y la educación cívica como el nuestro. En cuanto obtuvo información del hallazgo del cadáver, se desplazó al dormitorio del personal para ingerir un calmante (Lorenin, un miligramo) porque sintió los latidos del corazón acelerados y sin ritmo, se lavó la cara con agua fría para recobrar ánimo y fuerzas, y se dirigió al lugar que le había indicado la citada Alice F., y donde ya se encontraban, además de esta, la pareja de ingleses del número seis, el cocinero, su compañero de trabajo, la criada de las habitaciones, y dos lugareños provenientes de una camioneta cargada de leña estacionada en el arcén, aguardándose en todo momento la llegada de las autoridades, representadas en la circunstancia por una pareja de guardias republicanos de la localidad vecina, que se desplazaban en bicicleta y pedaleaban en las subidas con manifiesta falta de aliento, entorpecidos por las culatas de las escopetas prehistóricas y restantes aderezos inútiles del uniforme. El deponente notó que las personas se mantenían a respetuosa distancia del cadáver, agrupadas en un montículo de caras diferentes, de brazos, de piernas, de manos, de cuerpos singularmente inmóviles, idénticos a los de un mural mexicano o de una de esas pinturas de pared con mucha gente para las elecciones presidenciales, no atreviéndose a acercarse debido a la nube de gaviotas que se cernía, chillando horriblemente, encima del difunto, con las órbitas transformadas en esquirlas circulares de cristal, redondeadas por una extraña mezcla de ternura y de odio. Naturalmente amedrentado por la actitud de las aves, hasta entonces tímidas y simpáticas, tan pacíficas en la ría, tan apagadas y modestas entre la ciudad y la posada, regresó al hostal (seguía sin llover y las plantas de los arriates se marchitaban lentamente como la piel quebradiza de los viejos), se instaló frente a la centralita desierta, situada en un cubículo minúsculo detrás del mostrador, con un calendario con una muchacha en bañador colgado de un clavo, la gorra y la chaqueta galoneadas de un portero que no había, y varias guías telefónicas antiguas apiladas en el suelo, buscó el domicilio habitual en la ficha del difunto, introdujo la clavija verde en el huequito de las llamadas interurbanas, marcó el número y esperó. Una voz femenina, agria, desagradable, ósea, lo atendió, y el deponente reconoció de inmediato a la presunta esposa del cadáver, pensó en colgar deprisa, sin palabras, acabó diciendo «Oiga» con un hilo de voz menudo, vacilante, arrepentido ya de su recuerdo idiota, Qué demonios me ha pasado por la cabeza. La voz del otro lado preguntó dos o tres veces «¿Quién habla?» a consecuencia de su silencio obstinado, y él respondió, con un tono reticente que se afirmaba sílaba a sílaba, «Es del hostal de Aveiro para comunicarle que su marido ha muerto». Siguió una pausa de varios segundos que el deponente no logra en este momento precisar, después de lo cual la interlocutora exclamó «¿Ah, sí?» con timbre distraído y neutro que lo sorprendió, por transmitirle la sensación, ¿me comprende?, de que estaba pensando en otra cosa. «Ha muerto, lo encontraron tumbado fuera en medio de los juncos y de las gaviotas», aclaró el deponente, y de nuevo una pausa, y de nuevo la voz respondiendo «¿Ah, sí?», con la misma indiferencia de hacía poco, hueca y distante, llegada, frigidísima, de los antípodas del desinterés. Le apeteció colgar (¿Dónde se ha visto, ante el fallecimiento del marido, una dureza de alma de este calibre?), llegó a tocar la horquilla con el dedo, pero acabó escuchándose a sí mismo, automático, diciendo «¿No quiere al menos saber cómo ha sido?», a lo que siguió un borbotón de silbidos, de toses y de borborigmos de la línea: Algún gorrión que se cagó en el cable, pensó él, algún cabronazo listo burlándose de mí, al mismo tiempo que la mujer agria y ósea le respondía algo que no entendió, pero que le dio ánimo para insistir: «¿No quiere de verdad saber cómo ha sido?», y entonces la oyó claramente «Seguramente la policía vendrá a casa, voy a tener tiempo de sobra para conocer todos los detalles», y por eso me di cuenta enseguida, ¿sabe?, de que ella no lo quería, quizá se habían herido demasiado, uno al otro, varios años seguidos, para soportarse, se odiaban en el fuego lento y amargo de las parejas, en el resentimiento de las esperanzas deshechas, en la desilusión de lo que podría haber sido y no fue, «Seguramente la policía vendrá a casa, me van a hacer un relato completo de la historia, pero de cualquier manera no me sorprende nada porque ya hace mucho tiempo que nada me sorprende de él», y yo volví a ver al tipo gordo, con gafas, un poco ridículo con su mono azul, sentado a la mesa del comedor del hostal, tan educado pidiendo la carta, eligiendo los vinos, el pescado, la carne, el postre, sonriendo con una risa triste de retrato, haciendo bolitas de pan con las manos gruesas y cortas, u hojeando revistas en el vestíbulo, con las piernas cruzadas, conversando en un inglés penoso con los huéspedes extranjeros. «¿Tienen hijos?», pregunté yo, y la voz estalló en una carcajada fea, ácida, sin gracia, como si una dentadura postiza se pusiera a hacer piruetas en la escala de un xilofón, ¿me entiende, señor?, «No, quédese tranquilo», aseguró ella, «no hay pobres huérfanos para los reporteros, niños de ojos tristones abrazados a su madre, y el titular en los periódicos "PROFESOR UNIVERSITARIO SE SUICIDA SIN PENSAR EN SUS TRES HIJOS PEQUEÑOS", nada especial, una tragedia vulgar, sin escándalo, no se preocupe». Y allí estaba la carcajada corta e irónica, espinosa, sin afecto, y yo «¿No viene hasta aquí, no viene a acompañar a su marido?», y ella luego «Decidimos separarnos el domingo y además nunca hemos estado casados en serio», Quién lo diría, pensé yo, un profesor y para colmo tan serio, escribió en la ficha casado con, qué falta de pudor, qué descaro, qué indiscreción, «No sé por qué estoy aquí contándole todo esto, en el fondo debo de haberme quedado un poco conmovida con la noticia», dijo ella, Y una mierda, zorra, las mujeres nunca se conmueven por nada, «Usted no se imagina», dije yo, «la cantidad de gaviotas que hay alrededor de él, se lo han comido casi hasta los huesos, incluso el pelo, se ven siempre cosas blancas y duras en las rodillas», y de nuevo una pausa ahora absolutamente muda, un hondo espacio sin palabras en el que cabíamos los dos, un abismo como aquel que los caballos saltan en las películas, la voz de ella llegó casi agradable desde una especie de túnel a oscuras, «Los pájaros», me preguntó, «¿los pájaros de cuando era pequeño?», Debía de estar delirando o algo por el estilo, pensé yo, al final la muerte del marido siempre le había envenenado la mente, se intenta no demostrarlo pero de repente se percibe, un gesto, el tono, una mueca, acerqué la garganta al micrófono de baquelita «¿Qué es eso de los pájaros, señora?», pero no oía nada a no ser su respiración al teléfono, un viento extraño que se alejaba y se acercaba, y en esto entraron de repente, afanosos, la encargada y un guardia uniformado, «Deje el teléfono inmediatamente que necesitamos llamar a los enfermeros», ordenó el guardia, «Ojalá el infausto acontecimiento no le traiga mala reputación al hostal», suspiró la encargada, «Tranquila, señora, que dentro de una semana ya nadie se acordará de nada», le respondió el guardia, «Pero ¿usted ya se ha fijado en el comportamiento de las gaviotas?», dijo la encargada, «¿Los pájaros qué?», pregunté yo a gritos por el micrófono, «Hasta esas se calman», explicó tranquilamente el guardia, era gordo, bajito, pardusco, y se me antojó vestido de policía para un baile de disfraz, la respiración en mi oído se volvió más débil, más distante, «Desconecta ya esa mierda», se creció el gordo, «que yo no estoy jugando a los vaqueros», la figura del calendario aumentó de tamaño hasta ocupar todo el cubículo con su presencia rosada, un seno enorme y como insuflado de aire me comprimía el pecho, centenares de alas rápidas rozaban el cristal, el hostal se sumergía bajo las palomas, «Hasta esas se calman», aseguraba el guardia, «que entiendo de la memoria de los bicharracos, yo que estuve veinte años trabajando con codornices», por la ventana se avistaba la ría, la cretona de las nubes, la amenaza de lluvia que no venía, «Coja deprisa el coche», pedí yo, «que dentro de un rato aparecen los enfermeros», «¿Con quién estás hablando?», gritó luego la encargada, con desconfianza, «te descontaré el tiempo sin trabajar del sueldo», y antes de que ella desconectase la clavija tirando del cable escuché «Las aves de la quinta, los mirlos, los petirrojos, los gorriones», y después nada más a no ser el silbido del telefonazo interrumpido, la mujer del calendario abrazándome, el guardia inclinado hacia delante marcando Aveiro, y los pinos engullidos por el papel translúcido de la bruma, y que se deslizaban, poco a poco, yéndose muy lejos de mí. Y no dijo más. Leído, ratifica y firma.

Entró en la habitación con la bandeja del desayuno (pan en una cesta de mimbre, paquetitos de mantequilla, tazas, teteras cromadas, cosas que se entrechocaban y tintineaban), y sintió

en la nariz el olor tibio, pastoso, desagradable del sueño, las sábanas mojadas de transpiración, el desorden de la ropa, los cristales empañados. Un rectángulo de cartulina, colgado del lado
de dentro de la puerta, con un agujero para encajarlo en el picaporte, amenazaba «DO NOT DISTURB» en grandes letras im-
periosas.

—Buenos días —dijo él con la bandeja en las manos mirando
las paredes a su alrededor y los objetos iluminados por la im-
piedad del sol, los muebles feos, los sobres timbrados en una
especie de escritorio, ceniceros de plástico, un cesto de papeles en un rincón, la ría desde el balcón con los patos posados a
flor de agua balanceándose levemente, y, con las pupilas ciegas, en busca de las gafas, la nariz y los labios hinchados, tú. El
tirante del camisón se asemejaba a una guirnalda de margaritas de encaje: allí estaba el pecho chato, los hombros anchos,
el mentón farfullando el último y confuso mensaje de la noche, envuelta en una sombra incomprensible de sílabas. Buscó
dónde dejar la bandeja, no encontró espacio, arrastró una silla,
con el anzuelo del pie, hasta el borde de la cama: el verde del
asiento le dolió como un insulto injusto, y reparó entonces en
que había dejado encendida, al salir, la luz del cuarto de baño,
arrastrándose vencida por la energía opaca de la mañana. Un
barco navegaba en un marco de tela, entre las dos cabeceras de
madera color crema. Tu mano tropezó finalmente con las gafas, te las colocaste como quien se viste, las pestañas disminu-
yeron de tamaño, y la cara adquirió, al mirar la hora en el reloj
de pulsera, una expresión viva y atenta: Debes de estar pregun-
tándote qué hacemos aquí, pensó él.

—Aveiro, qué sitio extraño —dijo ceñuda la prima, asombrada,
mientras las agujas tejían con ferocidad el suéter interminable—.
Pasé por allí hace siglos camino de Oporto, querían a la fuerza
que visitase el Vouga: una ciudad vulgar, horrorosa, que huele a pescado y a podrido. Me quitan Lapa y me lo quitan todo.

—El Montijo del norte —dijo Carlos con desprecio—. Barro,
basura y humedad. Que a alguien le guste el fango del Montijo, como a él, es cosa de enfermos.

—Cruzaba el Tajo, por la tarde, cuando no tenía clase —informó la hermana de la música haciendo girar el taburete del piano—, y se sentaba en el pontón, solo, a ver el agua. Era capaz de quedarse así varias horas seguidas, sin hablar, acariciando a los perros vagabundos que pasaban por allí. Fui con él una vez, pero vomité en el barco todo el tiempo.

Apagó la luz pálida del cuarto de baño, que agonizaba en la alfombra, y la encontró azucarando el té con los gestos aún sin huesos, blandos, de quien se despierta: Tantos pelos en los brazos, Marília, ¿cómo podía hacer el amor contigo?

—¿Pan de leche o mollete? —preguntó ella con su vocecita práctica y acelerada, desagradable, de profesora: la decadencia de Godard, la renovación del cine estadounidense, la terraza del Campo Grande, con los cisnes y el césped, por detrás de tu pelo: ¿Lograré explicar que me quiero ir, pan de leche, que ya no te quiero, que quiero recomenzar en otro sitio, solo mantequilla, la vida interrumpida, con menos libros, menos exposiciones, menos ciclos de películas alemanas, menos amigos presuntuosos con barba, menos cultura? La miró y pensó Qué viejos estamos ya por la mañana, arrugados, amarillentos, gastados, cómo nos nacen arrugas imprevistas en la cara. Pensó ¿Cómo demonios era hace cuatro años?, y el sabor del pan se le antojó diferente del pan de Lisboa, el sabor de la mantequilla, la leche que se escurría de la jarrita de metal. El aroma de tu cuerpo se parecía al de las sábanas del hostal, de una frescura postiza y sin vigor, moviéndose, como una oruga, bajo las mantas. La mujer le tocó la cara con dos dedos indiferentes: Hasta tus dedos han envejecido, Marília.

—Estás helado —dijo ella.

Tu ternura no me conmueve, tus caricias no me excitan: se sentía tan lejos de ti, tan lejos de todo, vagando, solitario, en una especie de desierto interior, como si no hubiese nadie a su alrededor, como si estuviese verdaderamente, para siempre, solo.

—Es febrero —respondió—, he cogido frío fuera.

Los pinos, los demás árboles, la arena, el río, el viento con navajitas del invierno afeitando la bruma, y todo azul, si acaso, en junio, en el mes de mi cumpleaños, calor, la posada llena, familias belgas, la ociosidad de las vacaciones.

—He cogido frío fuera —repitió él pensando, irritado, ¿Cuándo acaban estas fiestas?—. Por el aspecto de las nubes no va a llover nunca más: el mar se convertirá en un desierto de arena, Marília, como la luna, como la cabeza de sota de copas de mi madre. (Tengo que telefonear a la clínica para preguntar por ella.)

—Como la de tu ex mujer, si me permites —completó Marília con una sonrisita sarcástica—. Tucha te parecía un genio y la tipa no distinguía la Gioconda de una pintura de tiovivo.

Pero yo me sentía bien con ella, con los hijos, con la casa de la Rua da Palmeira, no quería salir a ningún precio, hasta los azulejos de la cocina me hacían falta. Fue entonces cuando me jodí, al aceptar largarme de allí, piensa, porque en cierto modo era feliz: oíamos discos por la noche, conversábamos de trivialidades, tú en la mecedora, yo sentado en el suelo con un libro olvidado al lado, si nos callábamos sentíamos la respiración de los chicos durmiendo, pero siempre, incluso a esas alturas, la mala conciencia, la herida del Partido, abierta, latiendo, el remordimiento de mi cobardía, el precio que pagaba por vivir contigo. La mujer de pelo canoso que se rascaba la cabeza con el lápiz afirmó, separando las sílabas, debajo de un cartel que representaba a un tipo con el puño en alto junto a un perfil de fábrica repleto de chimeneas que humeaban:

—Irremediablemente burgués.

Abrió un botecito circular de mermelada idéntico a los que sirven durante los viajes de avión, lo probó, lo dejó a un lado: Demasiado dulce, me causa espasmos en la glotis: la garganta se cierra de repente, no se puede absorber el aire, los muebles giran y ondulan en una danza turbia, el suelo desaparece delante de nosotros como el agua por un desagüe. Marília masticaba en un remanso de vaca de Walt Disney, y él pensó Si sigo así mucho tiempo empezaré seguramente a odiarte. Levantó el auricular para pedir por la clínica de la madre, desistió. La habitación se prolongaba en una especie de balcón pequeño, con dos sillas, una mesa de madera pintada de blanco y una balaustrada de cemento y de hierro, donde tal vez en la primavera, al atardecer, una persona pudiese instalarse con un vaso en la mano, observando las grandes sombras móviles del crepúsculo, la naranja del sol desapareciendo en la desembocadura. Las hermanas jugaban a las cartas en la sala, ajenas a los ponientes, el padre, en un sillón aparte, descifraba interminablemente los significados ocultos del periódico, sacando y poniendo en el bolsillo gafas sucesivas. Tucha, de rodillas en la alfombra, cambiaba los pañales del hijo menor, tumbado, pataleando, en el sofá. Piensa, sorprendido, Los bebés tienen diez dedos como nosotros y uñas y pelo. Piensa Si Marília se quedase embarazada de nuevo, ¿qué ocurriría? Los biberones, los pañales, la exaltación febril de los primeros tiempos, y después el cansancio de las noches mal dormidas, la boca minúscula infinitamente ávida. Los hombres transportaban el piano de la abuela, con la ayuda de cuerdas, escaleras abajo, la vieja, impaciente, golpeaba con el bastón el pasamanos del descansillo, y después le tocó a ella, el ataúd a trompicones en los peldaños, los individuos de negro, la casa súbitamente en silencio, despojada de sus gritos. Días después partieron los últimos muebles, la última vajilla, los últimos cuadros, las últimas y mohosas maletas de ropa, y las salas, mayores, se hicieron retumbantes por el eco de mis pasos, de mi tos, del asma, ¿entiendes?, que silbaba en las paredes. Se llevaron también las cortinas y los edificios de enfrente se acercaron a mí, curiosos, al acecho: Nunca creí que te dejarías vencer, abuela, que fuesen más fuertes que tú a pesar de tu tamaño minúsculo, de tus huesos frágiles, quebradizos, de ardilla, de la cama a la que te amarraron con la esperanza de frenar al viento. Si Marília se quedase embarazada, ¿tendría el valor de dejarla?

—Deprisa deprisa —gritó la voz del padre batiendo las palmas del lado de fuera de las roulottes—. Falta media hora para que empiece el espectáculo.

La mujer se levantó, se quitó el camisón de encaje (los pelos del pubis, pensó él, enterrar la mano, la nariz, el pene relinchando, en ese hondo triángulo encaracolado, negro, sin fin) y caminó, desnuda, hacia el cuarto de baño, con los pies enormes de campesina, de dedos muy separados, casi de color rosa, como los de los niños. Sacudió las crines y los músculos de los ijares (el sudor del lomo relucía) y me dirigí, al trote, hacia la ventana: los testículos se encrespaban, duros, contra los tendones del vientre, la polla se desenvainaba poco a poco, idéntica a una trompa rígida, asquerosa. Una especie de baba le lucía en los belfos y en la nariz, los cascos temblaban en la alfombra: No puedo hacer el amor contigo porque me voy a separar de ti, saldremos de Aveiro como dos extraños. Una nueva bandada de patos bajó por la ría en una elipse prudente, el reflejo de los botes anclados, desvaído, vibraba. Un cilindro humeante se le soltó del ano, cayó blandamente en el suelo. Dio media vuelta en la tarima chocando al azar con los muebles (una botella de agua saltó del susto en el plato) de la habitación demasiado exigua para su largo tronco castaño, una de las herraduras deshizo el calefactor metálico empotrado en la pared, rompiéndole dos o tres barras paralelas, la bandeja se escurrió con estrépito de la silla. Me gustan tus nalgas caídas, me gustan tus muslos, me gustan tus hombros pendientes, tus clavículas en acento circunflejo, el vapor de agua salía del cuarto de baño en volutas blanquecinas y tenues que devolvía el espejo del armario, enfrente, habías corrido la cortina de plástico y te habías puesto un gorro transparente en la cabeza, distinguía tu silueta, encorvada, enjabonándote las piernas, voy a penetrarte por detrás, a rasgarte la vulva, a doblarte los riñones (atónitos) en el esmalte de la bañera, se empinó sobre sus patas traseras en un soplo furioso:

—¿Qué pasa? —dijo la mujer con una esponja en la mano—. ¿Te ha dado algo, estás loco?

Había tanta humedad que apenas te distinguía el pecho, los ojos redondos de asombro bajo el gorro, las tetas poco firmes con pezones oscuros. La cola rascaba en la puerta, los ollares aspiraban ácidamente el aire, el pescuezo se agitaba, frenético, hacia uno y otro lado.

—Quita, apártate —pidió la mujer—, ¿te has vuelto chiflado de repente?

Y apoyaba el jabón, e intentaba protegerse con el escudo irrisorio de la esponja (¿De qué están hechas las esponjas, preguntó un levísimo susurro intrigado dentro de él, animales marinos, productos sintéticos «MADE IN SACAVÉM»?), rompió la cortina con el hocico y con los dientes enormes mientras ella se refugiaba, sorprendida, acongojada, casi complacida, en el rincón de los grifos, los pelos del pubis, mojados, se escurrían, apoyé los cascos en los azulejos, rascando el barro vidriado con la herradura, medias lunas de barro, medias lunas de mierda, Pisé sin duda mis propios cagajones de poco antes, otro mojón, ahora menor, se le desprendió del ano produciendo un ruido sordo en la alfombrilla de goma amarilla con agujeritos, y en el instante de empalarla, de un solo golpe, de abajo arriba, con toda la rabiosa fuerza concentrada de su cuerpo, vio en el espejo una imagen difusa de caballo, con un penacho en el extremo de la cabeza como los animales de circo.

—Hop —gritaba el padre haciendo restallar la fusta—, hop, hop. —Y él saltaba obstáculos con una obediencia aplicada, giraba sobre sí mismo, se empinaba, regresaba.

Se abrochó la bragueta, avergonzado, y volvió a la habitación para cambiarse la camisa empapada. Las zapatillas deportivas producían un ruido extraño, de lengua, en el suelo. Marília, envuelta en la toalla, con el gorro en la nuca y un mechón oblicuo en la frente, fue detrás de él, atontada, goteando:

—¿Qué has tomado? —dijo ella—. ¿Qué te ha dado hoy?

Y había una gratitud repugnante, una esperanza insensata en su voz: Qué estupidez haber copulado contigo, piensa, necesitábamos estar conversando a esta hora, compartiendo civilizadamente los Barthes y los cuadros, preparando una despedida educada, amigándonos: ¿cómo se hace? Se puso una camisa a lunares y se instaló en la silla verde cerca de la ventana, sin mirarla pero sintiendo en la nuca sus mínimos gestos, el cierre del sostén que se prende por la espalda, con los brazos al revés como los de las contorsionistas, el pelo peinado deprisa con el cepillo de alambre, una línea inesperada de rímel en las pestañas. Fuera el día se ampliaba como un vientre preñado, y sus venas se desdoblaban en el cielo opaco, por detrás de las nubes, en arbustos suspendidos de lluvia. La bruma transformaba Aveiro en una especie de mancha confusa de la que distinguía a duras penas las pinceladas verticales de las chimeneas: podíamos almorzar allí, hablar. Tal vez ella misma llegase sola, sin ayuda, a la conclusión de que era mejor para ambos separarse. Tal vez la idea partiese de ella, y me correspondiera solo confirmar, sin comprometedores entusiasmos excesivos, decir que sí, claro, una experiencia de algunos meses, seguirían en contacto de vez en cuando, discutirían el asunto, después se vería. Marília sacó un frasquito del bolso y se perfumó el cuello y las orejas con ademanes súbitamente femeninos que me asombraron: piensa Hela ahí contenta, estaba en ayunas desde hace muchos meses, fantaseando cosas, cavilando, y ahora zas, se le han disipado las dudas. Colgó la ropa en la madera de la cama para que se secase, miró los pinos magros que bordeaban la carretera: Es necesario que venzas el miedo, cobarde, que te expliques.

—¿Quieres venir a almorzar a Aveiro? —preguntó él.

La prima, sentada frente al televisor, deshizo una carrera del punto, recomenzó:

—La madre murió dos días después de él, nunca llegó a enterarse de nada, afortunadamente. Hasta le dieron una inyección en el pecho, hasta la amarraron a un aparato, complicadísimo. Pobre, pesaba unos veinte kilos, un haz de huesos descoyuntados, sin alma.

—El cáncer de la primera mujer y el suicidio del hijo trastornaron mucho a mi marido —dijo la mujer alta y rubia, elegante, agitando una multitud de pulseras que se entrechocaban con un tintineo agudo de metal (Las sucesivas operaciones plásticas le habían transformado la cara en una máscara rígida y lisa, sin expresión, en una juventud de yeso.)—. Tal vez sea ese el motivo de que no pueda tener relaciones conmigo: toma la pastilla para dormir, me da un beso, se vuelve de espaldas, ronca. Yo harta de recomendarle que vaya al médico y él responde que no es nada, disgustos en la empresa, dolores de cabeza, las disculpas de costumbre. En el fondo siente que está viejo, que no es capaz, se pasa la noche cabeceando junto al aparato de vídeo con el periódico abierto en el regazo, acaba la película y ahí sigue él, inmóvil, frente a las rayitas de la pantalla, con el mentón en el pecho y el claro de la calva en lo alto de la cabeza.

–Debe de ser bonito Aveiro –aceptó ella con una risita cómplice, y por un instante el triángulo negro del pubis, las tetas caídas, el cuerpo desnudo empapado de agua y resbaladizo por el jabón, reaparecieron, nítidos, en mi mente–. La verdad es que paseamos tan poco.

Te olvidaste por completo del congreso y se mostraba agradecida, sorprendida, casi alegre porque él hubiese traspasado, vestido, el borde de la bañera, avanzando a ciegas a pesar de la ducha, a pesar del esmalte resbaladizo, a pesar del agua, alegre por mi boca en su pecho, por mi lengua en tu cuello, por el dedo que iba y venía, lento, acariciándote el clítoris. La verdad es que estás completamente loco, y la voz, qué insólito, se había vuelto tierna y consentía, separó más los muslos para facilitar las fricciones repetidas, hacia la izquierda y hacia la derecha, del índice, el vapor de agua me empañó las gafas y dejaste de existir aunque me aflojases la camisa y el cinturón y me empujaras con fuerza los pantalones y los calzoncillos hacia abajo, la ducha se escurría por las rodillas y los tobillos y me empapaba los calcetines, apoyé las palmas en la pared y me arrimé a ti mientras me acariciabas el ojo del culo, los testículos, la ingle, el pene, y metías mi deseo, espera, despacito, en el interior de tu cuerpo, el gorro de plástico me rozaba la cara, producías con la garganta un gemido rítmico mientras yo adelantaba y retrocedía las nalgas al encuentro de ti, tus uñas en mi espalda, tus dientes en mi brazo, el agua seguía cayendo del techo, humeante, sobre nuestra furia de caderas de columpio enganchadas, bajamos poco a poco a lo largo de la pared hasta acuclillarnos junto al desagüe, me sacaste de dentro de la vagina, te enrollaste en un movimiento oleoso junto a mi ombligo, Déjame que te beba, déjame sentir tu leche en la lengua, y de repente toda la sangre se concentró en la polla en una especie de vértigo, creció, se dilató, centelleó, una explosión, dos, tres, un émbolo cualquiera me expulsaba de mí mismo con una energía furiosa, y después empecé despacio a vaciarme, a ablandarme, a perder la textura metálica y elástica de los músculos, me soltaste las rodillas, te extendiste a lo largo, jadeando, de bruces en la bañera, olvidada de mí, ajena, torcida como un vestido que se quita, al mismo tiempo que yo tropezaba hacia la habitación con un andar oscilante y atontado de pingüino, me limpiaba las lentes de las gafas en la colcha, el universo, esfumado, se precisó, y en vez de la amiga alta y rubia de mi madre cruzando las piernas delicadas en el sillón (el olor del perfume, el olor de las medias, el olor de la ropa) apareció la abuela, bastón en ristre, gritando.

—Quiero irme en el piano de cola, so putas

sentada en la cama, despeinada, agresiva, con el balón de suero escurriéndose, gota a gota, por el brazo.

Bajaron las escaleras del vestíbulo, donde las plantas monstruosas crecían, rosadas y verdes, en su estanque limoso (¿A cuántos huéspedes habrían devorado, pensó él, metódicamente masticados por esas mandíbulas enormes?) y dejó la llave en el mostrador detrás del cual la mujer de las pestañas gigantescas se dedicaba a sus sumas sin fin con una parsimonia de tarántula, comprobando cada operación con el vértice pensativo del lápiz. En uno de los extremos de la recepción, al lado de un cartel de Albufeira, «SUNSET IN AUGUST», una puerta entreabierta dejaba ver una centralita prehistórica, un escritorio carcomido, un mazo de papeles sujetos en un clavo, oscilando al son de una campanilla agonizante. De un camión estacionado a la puerta, opaco en la neblina, desembarcaban cajas de bebidas gaseosas, los pinos y el agua susurraban en la

bruma: nada aquí refleja nada, pensó él, salvo este cielo dolo-
roso y extraño, repleto de escaleras de nubes, de la agitación
del viento, de las alas invisibles (¿marrones?) de los pájaros.
El coche se negaba a arrancar, la batería, congelada, rascaba el
fondo del motor como un pedazo de alambre en una lata,
el automóvil olía a tabaco frío y a cuero asurado.

—Tengo la impresión de que el tiempo ya no va a cambiar
—dijo él haciendo girar de nuevo la llave, apretando el acelera-
dor, regulando el aire—, que viviremos para siempre debajo
de esta campánula suspendida, a la espera, cómo decirlo, qué
sé yo de qué. La humedad hace que me duela la nuca, siento
las ideas y las manos cambiadas, no sé dónde comienzo ni
dónde acabo.

Circulaban por la carretera camionetas moribundas, perseguidas por airados perros con la boca abierta, un ave negra y
violenta revoloteó pesadamente entre los pinos, el coche comenzó a deslizarse despacito, a sollozos, por la grava: es obvio
que este tiempo no cambiará nunca, nubes y nubes, y nubes
sobre las nubes, alcanzaron el asfalto, ganaron velocidad en dirección a Aveiro. Te comunico durante el almuerzo que me
quiero separar de ti por unos meses, que necesito pensar, se-
guiremos siendo amigos, nos visitamos, te aconsejo, árboles
que se deslizaban, verticales, hacia atrás, pequeñas aldeas miserables y esporádicas. La hermana de la música alzó los dedos
del piano y advirtió al conjunto.

—Los del triángulo primero. Las panderetas solo empiezan
cuando yo haga una señal con la mano.

Mi profesor de canto coral del instituto, pensó él, tartamu-
deaba, tenía gafas, tics que le agrietaban la cara e inexplica-
bles enfados: nos abofeteaba con el cigarrillo en la boca, sin
que la ceniza cayese, y en el concierto anual, con el gimnasio
lleno de enternecidos padres de alumnos y de la vigilancia feroz del rector en la primera fila, disuelta, junto con los respal-
dos, en un ovillo de penumbra, se apostaba frente a nosotros,
empuñando la batuta, con una expresión suplicante, la frente
lustrosa de nervios y de sudor: mi padre andaba siempre por el

extranjero en el momento del griterío, nunca me oyó entonar, incluido en el panal de cabezas del orfeón, intensamente iluminadas por un reflector oxidado, rapsodias de canciones populares a cuatro voces, en arreglos saltarines y bobos. El director agitaba las mangas, roído de angustia, con un silbatito en la boca para dar el tono, el motor del coche funcionaba ahora con una dulzura obediente, a la derecha distinguió, escrito en una placa, «AVEIRO», el número de casas aumentó, y después edificios, tiendas, transversales, una plaza, el olor del río que se presentía en cada esquina, taciturno y obstinado bajo los desniveles del cielo. Paramos en una plazoleta junto a un surtidor de gasolina y a un cheposo vestido con un mono inmundo, con nariz de rata de alcantarilla, casi en cuclillas en un banquito de lona a la espera de clientes, y la neblina me metió la mano incómoda por los espacios entre los botones. Dos sacerdotes hindúes, con sotana, se cruzaron con ellos sin mirarlos, el profesor de canto coral se limpió la frente con el brazo, giró sobre los zapatos de charol, y se inclinó, conmovido, ante el reflector, agradeciendo los aplausos. Piensa Mi madre detestaba el instituto, para ella enjambre de comunistas y prostitutas desnudas, enseñando francés y quizá por eso no se habrá sorprendido tanto de mi vida disipada. Pero debía santiguarse, Marília, solo de acordarse de ti, el profesor de canto coral nos señaló con un gesto al mismo tiempo indefinido y amplio, la intensidad de los aplausos aumentó, evitabas hablar de mí con tus amigas, fingías desconocerme si te preguntaban algo, se avergonzaba de que el suegro de su hijo fuese cabo de la guardia, Vale, nos separamos, dijo ella, comprendo perfectamente, no vale la pena montar un drama por eso, caminábamos por calles estrechas y sinuosas, desiertas, Ahora durante el almuerzo voy a hablar contigo, la mujer alta y rubia, con pendientes largos, le hacía señas de vez en cuando, llamándolo, desde un balcón del primer piso, Tal vez el padre ya no podía callarse, ya no era capaz, y ella se reía, desnuda en la cama, ceñida al uniforme azul, con botones plateados, del conductor. Me interrogo a mí mismo si madre sospecharía, el brazo de Marília se enlazó en el mío con el pretexto de un desnivel de los escalones, Como una pareja, piensa, una pareja anclada, por qué no tienes el valor de aclarar las cosas, de explicar, te asusta que ella te quiera, sientes el miedo, en el fondo, de quedarte solo, un velo muy tenue de gotitas minúsculas iba y venía en el viento, le rozaba la cara, se alejaba, se acercaba de nuevo, eligieron un restaurante pequeño cerca de la ría y del agua lodosa, inmóvil junto a la bahía acristalada, donde un único comensal esperaba el diente del tenedor en un ojo cocido, blanco, saliente, redondo, ciego, de pez, y lo masticaba con la boca elástica de sapo, el camarero les tendió la carta, Seguro que vas a elegir sepias en su tinta, y de repente, por la mirada de soslayo y por los gestos de ella, entendió Sigue queriéndome y alejó de sí esta mañana el fantasma del divorcio, hela ahí serena, tranquila, segura, enamorada, qué grandísima gaita, pidió sepias en su tinta, magro a la parrilla, vino blanco, el camarero extendió un mantel de papel entre nosotros y me puse a observar el agua turbia, estancada (no había tantas gaviotas de este lado), en la que flotaban pajuelas, pedazos de madera, un cesto, desperdicios varios, objetos inciertos, botes con los remos dentro, el betún difuso de la bruma, el mar, tal vez, muy lejos, la cara embalsamada del camarero se precisó (las órbitas menudas, las cejas) y su boca avanzó hacia mí rodeada de círculos concéntricos de arrugas:

—Se ha acabado el magro. Está marcado con una cruz en el menú, ¿no se ha fijado, señor?

Nunca escribiría (lo sabía) la tesis sobre el sidonismo, las ideas, díscolas, no venían: garabatos, esbozos, papeles rasgados, párrafos desarticulados y muertos: o nunca he tenido talento o lo perdí en la infancia con los dientes de leche, tal vez solo cierta destreza, cierta agilidad formal, los acontecimientos analizados por encima, sin profundidad, como esta agua opaca del Vouga que una indecisión inexplicable paraliza. Piensa No me gusta la sepia, me impresionan las patas, las ventosas, la salsa oscura, la carne pálida y fibrosa.

—Sepia, qué vulgaridad —clasificó desdeñosamente el fantasma de la madre—. Pide al menos un bistec.

—Un bistec bien pasado —gritó el camarero hacia una cocina ilocalizable, donde una mujer gorda se debatía sin duda en medio de un sucio desorden de cacharros, ayudada por una pinche sin pecho, con las órbitas pedigüeñas.

—Comía sepia en los restaurantes —dijo la hermana mayor con una mueca—. Vaya nivel, ¿te has fijado?

—Seguro que la salsa se le escurría por el mentón y que se pasaba un palillo entre los dientes —añadió Carlos—. Además de escupir los huesos de las aceitunas en la hoja del cuchillo.

—No sería estúpida del todo —dijo el obstetra—, pero hay cosas que vienen con los cromosomas, que tardan generaciones y generaciones en perfeccionarse, en pulirse. El buen gusto, por ejemplo. La educación. Los modales. No hay absolutamente nada que hacer.

El salero, el pimentero, los cubiertos de mala calidad, los platos mellados: Nunca escribiré nada, nunca haré nada bien. Una silueta casi en cuclillas pescaba en un pontón de madera: El tío Francisco, pensó él, pero los gestos eran diferentes, la postura del cuerpo desconocida. La mujer del tío Francisco, resignada y sin edad, se pasaba los fines de semana en la cama, con una bolsa de hielo en la cabeza (No te imaginas qué duro es tener jaqueca, hijo), a la espera de que regresase el marido, oliendo a granos de sal gorda y a caldereta, con una cesta de nauseabundos peces minúsculos en el extremo del brazo. Encendió un cigarrillo y el camarero, presuroso, le colocó enfrente un cenicero rajado, de plástico negro. Piensa Voy a empezar a hablar. De forma que adelantó los codos sobre el mantel de papel, empujó delicadamente el tenedor con el índice hasta volverlo completamente paralelo al cuchillo, tosió con discreción como antes de los discursos decisivos, y en esto un par de gaviotas aterrizaron en el pontón, junto al tipo de la caña de pesca y, sin motivo, empezaron a graznar.

Testifica Hilário A., divorciado, de cuarenta y seis años de edad, empleado del hostal de Aveiro y residente en el mismo, en Aveiro. Prestó juramento y a las preguntas de rigor respondió sin añadir nada nuevo. Inquirido dijo: Que juntamente con el citado Vítor P., identificado en la página setenta y dos de este sumario, comparte el servicio de restaurante y desayunos de la posada, durmiendo ambos en un cuarto abuhardillado al lado de los aposentos de la encargada, con derecho a ducha semanal caliente en el cuarto de baño de la misma, la cual vigilaba en persona y tiempo mientras la flor azul del gas se mantenía encendida en la ventanilla de esmalte del calentador, porque tres minutos alcanzan perfectamente para que un hombre se enjabone, situándose dicho cuarto exactamente por encima del ocupado por la víctima Rui S. y su presunta esposa. Añadió que debido a deficiencias de construcción se podía oír perfectamente cualquier ruido, por mínimo que fuese, producido en el piso subyacente, que incluía gemir de muelles de colchón, eructos, borborigmos, chapoteo de bidé y manifestaciones de ternura. Según el deponente, la víctima Rui S. y su presunta esposa se caracterizaban por un intrigante silencio, que atribuye al hecho de ser la mujer poco guapa y apetecible, mi compañero incluso me dijo que para ser macho ni la barba le faltaba, te has fijado en los pelos que le crecen en el mentón, seguro que se los depila todas las mañanas y que tiene más pelos en el pecho que yo, y yo le respondí eso no es difícil porque tú te quitas los tuyos por esa manía que tienes de ir a Lisboa a bailar a una boîte de travestis, y él decía ya he trabajado en dos y son las personas más felices de este mundo, siempre con pestañas postizas, cabellera rubia muy bien pegada y viciosos ricos con coches grandes que los esperan a la salida, los besan en la boca, les meten mano por los músculos de las piernas, les deslizan billetes de mil en los bolsos de charol. Si yo tuviese dinero me iría a esas clínicas de Marruecos a transformarme en mujer, te ponen tetas de plástico y todo de tal manera que ni me conocerías cuando volviera, me mirarías y te empalmarías como una antena de automóvil con ganas de meter enseguida antes que aflojarse, darías tres meses de sueldo por veinte minutos de jodienda, si quieres hazte cuenta de que ya soy una chica y comenzamos ahora, acababa enrollándose a veces con ciertos huéspedes solitarios de gestos retraídos y ademanes de anguila, de esos que recogen las migas del mantel, limpísimos, con la yema húmeda del índice como si tocasen el arpa, caballeros de mediana edad demasiado simpáticos, demasiado cuidados, demasiado alegres, iba a buscarlos en plena noche con una risita feliz y los zapatos en la mano, regresaba al amanecer amarillo de insomnio, se extendía en la cama mirando el techo y pensando, si me quedaba en la siete oía sus conversaciones, sus tembleeqeos, sus cosquillas, y también declaraciones, promesas, juramentos, boberías arrulladas, pero, según el deponente, la víctima Rui S. y su presunta esposa se distinguían por una absoluta e intrigante mudez propia de parejas desavenidas o ya sin sorpresas, cada uno hojeando su revista en la cama respectiva con un odio tranquilo, con un sereno malestar, con un encono paciente. Durante las comidas, hablaban poco: elegían los platos, los vinos, y volvían la cabeza hacia la ría donde el agua parecía girar a contracorriente por no haber empezado aún las lluvias, mi padre me escribió desde el pueblo Hijo el año que viene no tenemos nada para darles a las vacas, el brillo de las gafas de ambos disimulaba el vacío de sus caras, respondí Métale los cuernos de las vacas en el culo al ministro por no haber construido la presa que nos prometieron antes de las elecciones, y después una tarde mi compañero llegó a la despensa excitadísimo ven a ver ricura que está la policía y hay un cadáver aquí cerca, espiamos ambos por el postigo y vi a un grupo de personas con gabardina, el cielo gris, los árboles, y las nubes de febrero creciendo desde la desembocadura, esculpidas en una especie de piedra, cavadas en el basalto, agitadas por el viento, con las huellas digitales de las casas y de los pinos impresas en su densa piel sin color, a la manera de las marcas de los pies en la playa por la mañana, un fotógrafo sacaba fotos, unos tipos con escopeta de plomo espantaban la curiosidad de los pájaros, la encargada daba explicaciones a un hombre que tomaba notas en un bloc, salí fuera con delantal y las mangas remangadas, con el pollo que estaba desplumando en un cubo de cinc colgado de la mano, las patas tensas del pollo se balanceaban, el cuerpo redondo me golpeaba el muslo, mientras corría, a la manera de un testículo herniado, no todos los días se ve a un muerto pero ya lo habían cubierto con un rectángulo de lona y solo se distinguía una vaga prominencia en la arena que tanto podía ser un difunto como cualquier otra cosa siempre que fuese oblonga y grande, el olor del barro ahogaba los hedores y las voces, me acerqué más con mi pollo y el hombre que tomaba notas en el bloc se desinteresó de la encargada que lo miró con un mohín y me preguntó tú el del delantal ¿también trabajas en el hostal?, y después cómo eran los huéspedes de la siete, sus hábitos, sus conversaciones, qué comían y no comían, si salían mucho o poco, Hijo, dijo mi padre, no tenemos nada para darles a las vacas, si recibían visitas, si hacían llamadas por teléfono, si yo había notado algo extraño en su comportamiento, y además se ocupó de la mujer, simpática, antipática, alta, baja, morena, rubia, el aspecto, la vestimenta, los modales, calculo que debía de tener asma porque respiraba como un pez por encima del bolígrafo, con la boca abierta, afligido y morado, deletreando las palabras mientras las escribía, una mancha color vino le cubría parte de la mejilla izquierda y del cuello otorgándole un aspecto híbrido de alentejano lunar, las gaviotas chillaban detrás de él en círculos agitados y febriles, la camilla de los enfermeros llevó el cadáver a la ambulancia con una luz roja que giraba encima y una especie de alarido imperioso que subía y bajaba y se alejaba por la carretera, quedó una mancha en la arena que unos tipos cubrieron con palas insultando a los pájaros de hijos de puta para arriba, el fotógrafo guardó la cámara en un estuche en bandolera y vinieron todos, incluidos los de las escopetas, a beber un orujito al bar del hostal por cuenta de la gerencia, no conviene que esto se difunda mucho en los periódicos, ahuyenta a los huéspedes, amedrenta a los turistas, a las agencias de viaje, ¿no?, cancelan los contratos, esperamos estadounidenses para el verano, dólares, compréndanlo, los tipos bebían un trago tras otro, evasivos, la encargada les servía por encima de la raya azul del vaso, las orejas se les enrojecían poco a poco, aparecían de súbito carcajaditas congestionadas, infantiles, en su serenidad blanquecina, un inspector gordo intentó susurrarle algo a la encargada al mismo tiempo que extendía su mano hacia las nalgas sin jugo, de una sequedad desesperada y triste, cubiertas por la tela inútil del vestido, cenaron ruidosamente en una única mesa larguísima repleta de botellas vacías, de manchas, de trozos de cáscaras, de sobras de bandejas y de colillas apagadas en platos, un tipo que no se quitaba la cazadora roncaba cabeceando sobre la tajada de melón del plato, la cocinera, furiosa, escupió en cada flan antes de servírnoslo, mi compañero daba vueltas alborotado de policía en policía con gestos aéreos de bailarín, el fotógrafo se levantó para soltar un discurso, le fallaron las piernas, se desplomó de nuevo en la silla, desistió, el clima inquieto de su mirada se deslizaba hacia un coma desmadejado, acabó murmurando, distraído, una frase sin nexo acerca de relojes japoneses y bragas de encaje, al menos que estos idiotas salgan de aquí satisfechos me susurró la encargada entre dientes, y a pesar de eso usted se imagina el aluvión de noticias del día siguiente, los titulares de las primeras páginas, las fotos macabras, llevamos horas limpiando la inmundicia que desparramaron por el hostal, uno de ellos se cayó de sopetón en el lago de las plantas, derribó un montón de tiestos, rompió trece ranas de cerámica, se quedó ahí dentro, empantanado en el agua, mirando a los compañeros con un orgullo de morsa, el bigote empapado temblaba como un velo delante de la boca, partieron al amanecer cuando una línea añil subrayaba levemente los contornos difusos de la ciudad, el ruido de los motores me hurgaba en la cabeza como un alambre ardiendo, bajé hasta la arena tiritando de frío que parecía provenir de los pinos desorbitados y tiesos, de la noche que se encogía como la piel bajo los párpados de los rostros del insomnio, dando lugar a una luz color leche vacilante y trémula, comenzaron a percibirse, ¿entiende?, los detalles más próximos, los botes anclados, los arbustos, la mancha nacarada de la playa, la primera bandada de patos, venidos de la desembocadura, aterrizó en la laguna, los faros traseros de los automóviles de ellos oscilaban, inseguros, en la carretera, dentro de poco será de día, pensé yo, y las nubes se acercaban y se alejaban con una indiferencia muelle, oí toser a mis espaldas y allí estaba la cocinera, con el rostro fruncido de cansancio, mirando el sitio donde había estado el cadáver, la arena revuelta, los cañaverales, las hierbas, las marcas de muchos pies y, sobre todo, el absoluto, mineral silencio de la madrugada, y las gaviotas aún dormidas, señor, aún ausentes, en cualquier punto, sin que se supiese muy bien dónde.

Piensa Claro que no dijiste nada de lo que querías durante el almuerzo, claro que te quedaste callado todo el tiempo mirando la tarde por la bahía acristalada, y exprimiendo la pequeña barrica de plástico amarillo de la mostaza encima de un bistec de hierro forjado, con un huevo estrellado de carnaval y patatas grasientas y mal fritas alrededor. De vez en cuando, algún que otro pescador entraba para tomar café en la barra, y (piensa) era como si arrastrasen el olor de los limos y de los peces detrás de ellos, como si los acompañase, en las gorras de hule o en las botas de goma, el hedor de la madera podrida del muelle. Piensa También el júbilo de tus ojos, Marília, se fue disipando poco a poco, los gestos se volvieron lentos, meditativos, las cejas más cerca de la nariz, los hombros más estrechos bajo el eterno poncho de lana, idéntico a un caparazón de insecto. Piensa Por la tarde paseamos en silencio por Aveiro, y de las calles, de las casas, de las plazoletas, se desprendía un aroma húmedo y tibio, un vaho animal de cosa viva que el frío de febrero asesinaba: acabamos sentándonos en un banco, mirando los edificios, sin tocarnos, sin conversar, sin sonreír, nos sentamos en un banco, con las manos en los bolsillos, rumiando ideas contradictorias e ígneas.

—Escucha —preguntó el padre con severidad—, ¿de dónde has sacado a esta muchacha?

—¿Cómo ha dicho que se llamaba la fulanita, Jorge? —preguntó la madre, vuelta hacia su marido, hurgando con las yemas rojas, aguzadas de los dedos, en la pitillera de carey.

Habías ido al cuarto de baño (¿Dónde puedo lavarme las manos?), mi hermana de la música te había acompañado por el pasillo, encorvada, husmeando los interruptores con su narigón miope, y nos habíamos quedado en círculo en la sala, junto a la mesita baja abarrotada de whiskies y de aperitivos de queso en forma de capullo de gusanos de seda o de palillos de bambú, mis padres, mis otras dos hermanas, mis cuñados y yo, las órbitas agrias de ellos reprobándome con un fastidio contenido, con los muebles, los cuadros, los libros en la estantería acristalada, los jarrones de la China y las fotografías a color de los nietos reprobándome con un fastidio contenido, hecho de resentimiento y de desprecio. Por esa época ya vivíamos juntos en la Azedo Gneco hacía meses, rodeados de carteles, polvo y muebles cojos, y mi entusiasmo inicial, mi admiración inicial, se desvanecían. Piensa Por esa época comenzaba a creer que nunca podría querer a nadie en serio, que nunca me interesaría en serio por lo que fuere.

—Marília —repitió la madre masticando las sílabas como si evaluase el peso del nombre con la lengua, mientras el sonido del reloj de pared, con motivos orientales dibujados en la caja, aparecía y desaparecía por detrás de ella, a la manera de un eco distante que fluctúa—. Marília, qué cosa tan ridícula.

Piensa Debían de ser las cuatro o cinco de la tarde cuando nos levantamos del asiento para recalar en un cafecito oscuro en el ángulo de una plaza casi sin árboles, con el tubo fluorescente del techo otorgando a las sillas y a la barra carcomida una irrealidad melancólica. Un ciego joven y grande, con un bastón con rayas entre las rodillas, parecía escrutar un futuro de catástrofes con las órbitas blancas de estatua. De vez en cuando, sus manos se estremecían, y en una ocasión exhumó un pañuelo tabaquero del bolsillo y expectoró estruendosamente en él. El padre buscó la tapa del balde de hielo en forma de cubo (Nunca entendió bien cómo se abría aquel chisme, pensó él) y revolvió en los cubitos turbios, pegados unos con otros, con los dedos autoritarios y gruesos.

—Tu mayor idiotez —anunció— fue haberte separado de Tucha.

—Al menos esa se sabía quién era —añadió la hermana mayor royendo la zanahoria de un palillo de queso como los conejos de los dibujos animados: la cara larga se le animaba con una crueldad insospechada.

Pienso De nuevo la solemnidad tensa de esta casa, las habitaciones en la sombra incluso durante el día, amenazadoras con fantasmas inventados, el peso de arrugas de las cortinas, la atmósfera grave, densa, pesada, pontifical, el entrecejo crítico de los abuelos en la pared, una música lejana de piano. En la cocina enorme las criadas antiguas se colocaban las gafas para verlo mejor, vacilaban entre tratarlo de niño o de señor, la costurera, con las manos juntas y lágrimas en los ojos, lo contemplaba como a las imágenes de la iglesia. Piensa Vieja Deolinda. Piensa ¿Cuánto tiempo hace que no ibas a casa? ¿Uno, dos años? Pero reconocía los olores, la rama de la buganvilla aún rozaba la ventana, los cuñados se instalaban cada vez más a gusto en los sillones de cuero negro, con brazos rechonchos de arzobispo. Tal vez en el cubículo de los armarios estuviese aún el baúl de mimbre con las caretas y los dominós de los carnavales antiguos, encajes que se disipaban al contacto de los dedos, faldas apolilladas de volantes, largas, de otra era. El obstetra consideraba atentamente el fondo vacío del vaso, Carlos, con gestos de barman, quitaba el tapón de una botella intacta.

—Tucha no se volvió a casar —observó acusadoramente la madre—, vive sola con los hijos, se porta como es de esperar que se porte, no sale por la noche, no se le conocen historias. Y tú te metes enseguida de cabeza en otra historia.

Pidió dos cervezas y se quedó viendo las burbujitas subir a lo largo de las paredes del vaso, irisadas por el tubo fluores-

cente que diseminaba alrededor una palidez aséptica de bar-
bería. El ciego escupía estrepitosamente en el pañuelo, y por
la puerta abierta se avizoraba una perra pequeña y blanca, cuyas mamas rozaban el suelo, trotando en la plazoleta, ávida-
mente perseguida por un grupo de mastines exaltados. Un
autobús de línea traqueteó sin detenerse frente a los edificios, y él distinguió el perfil agudo del chófer como pegado
al cristal, silueta oscura, recortada, muy derecha, sin facciones, y otras siluetas igualmente inmóviles, ennegrecidas, abs-
tractas. Piensa No soy capaz de hablar contigo, nunca aguan-
taría tu desilusión, tu rabia, el cigarrillo encendido con una
furia inusual, y la boca abierta, con los dientes estropeados,
insultándome irónicamente Pobre burgués de mierda métete
tus dudas en el culo.

—No, escucha, respóndeme solo a esto —insistió la madre
echando cuidadosamente la ceniza en el cenicero—: ¿crees que
tus hijos son felices? Solo a esto, de verdad: ¿crees que tus hijos son realmente felices? ¿Has consultado ya a un psiquiatra,
por casualidad?

Piensa El menor tiene miedo a ir en barco en Campo Grande, ¿será esto sinónimo de angustia, síntoma de neurosis, señal de algo preocupante, algo grave? Intenta recordar los gus-
tos de los niños en el cafecito de Aveiro pero la imagen se
le escapa en el instante exacto en que poseía la certidumbre
de llegar a captarla, y distingue apenas, fugazmente, un par de
rostros menudos en la orilla del lago, entre los cisnes, el césped,
los automóviles y la terraza con mesas de hierro pintado que
frecuentaba a veces, en verano, para sentir el aroma de julio en
la nariz, atontado por las escamas oleosas del agua. Piensa En el
fondo no me perdonas que no te haya dado un hijo, mientras
la mujer se lleva el vaso a la boca y una gota de espuma de
cerveza pende, como en los mulos de las carretas, ridícula,
del mentón.

—¿No tienes frío? —preguntó Marília con un odio aparentemente estancado, sibilante.

Piensa Es imposible que no conozcas lo que me pasa por la cabeza, fuiste siempre más inteligente que yo, todo era tanto más fácil, menos trabajoso, con Tucha, seguro que adivinas mis dudas, mi recelo, esta desgarradora parálisis interior. Iba a anochecer en Aveiro, ya parpadeaban algunos anuncios de tiendas, dentro de poco las hileras de las farolas de la calle se encenderían barrio por barrio, vacilantes al principio, reducidas a los filamentos de las bombillas, ganando fuerza después, hinchadas con un acné de luz, suspendidas de sus signos de interrogación de metal, y el Vouga desaparecería en las tinieblas como un gigantesco pantano sumergido.

–Bien que podrías habernos ahorrado esta vergüenza –dijo la madre bajito, porque Marília, guiada por la otra, debía de estar volviendo del retrete, y el ruido de los zuecos apenas se distinguía en la alfombra del pasillo.

El padre se levantó del sillón (los muelles emitieron un suspiro aliviado de fraile que eructa), observó sus pelos canosos en un espejo de marco dorado, se ajustó el nudo de la corbata, se acarició la mejilla con el pulgar indignado.

–A mí lo que me hace perder la cabeza es la estupidez de la política –susurró él espiando cautelosamente la puerta (Pensé Cuando yo era pequeño hablaban en francés.)–. Acabar casado con una comunista que para colmo debe de pasar olímpicamente de las leyes.

–Todo el mundo sabe que los comunistas son ateos –añadió Carlos, con la pierna trenzada, sonriendo a sus propios calcetines de seda con satisfacción–. He leído en el libro de un inspector de la Pide que traban amistad y se enemistan por un quítame allá esas pajas.

Piensa Nunca me gustaste cabrón, nunca me gustaron tu suficiencia estúpida, tus frases definitivas, tu virilidad pomposa y sin réplica. Iba dos años por delante de mí en el instituto, y se había hecho famoso el puñetazo que le asestó en una ocasión, no recuerdo ya por qué motivo, al conserje del laboratorio de física, sujeto raquítico que tocaba el clarinete en una banda de aficionados. Piensa Le partiste cinco dientes de un sopapo, tus padres te trasladaron, a final de curso, a un colegio de curas, en la provincia, destinado a campeones de boxeo, la gente te miraba, de lejos, con respetuosa cautela. El conserje del clarinete, incapaz de soplar, se pasó al bombo, le pagaron el arreglo de las mandíbulas, el hombrecillo desapareció y surgió semanas después con refulgentes incisivos nuevos, los cuales amenazaban con desprendérsele de las encías, siempre que hablaba, en medio de una lluvia de saliva. Marília se sentó con las piernas cruzadas en el suelo chupando la rodaja de naranja del vodka: el rostro de mi madre se torció hacia la derecha en una mueca, y yo reparé de pronto, por primera vez, en lo gastados que estaban tus pantalones, tu suéter deshilachado y viejo. La hermana de la música ocupaba una silla aparte, hojeando tranquilamente, indiferente a la familia, un cuaderno. Piensa ¿Una partitura? Piensa ¿Versos? Sé que escribías versos, una vez me topé con tu nombre, en la feria, en la tapa de un libro colectivo en oferta, poemas extraños, palabras sueltas, frases en estrella, si en casa se enterasen se desmayarían. O puede ser que ya se hubiesen habituado a tu fealdad, a tu serena locura, a tu perpetua abstracción de todo. Y tal vez fueses realmente la comunista de la tribu, mi patito feo. Pero vivías con tus viejos, salías poco de noche, no los molestabas con extravagancias ruidosas.

—Una última cerveza para el camino —le dijo él a Marília— y ya salgo de aquí contigo. Me he olvidado la chamarra en el hostal, también empiezo a tener frío.

Fuera se encendían las luces, grupos de hombres con alpargatas, pantalones manchados con gotas de cal, entraban para el aperitivo de vino tinto antes de la cena, y se instalaban en la sala, en las orgullosas sillas pesadas y rígidas de la sala, bajo grabados de caza y óleos de paisajes ingleses. El ciego alzó la mano para pedir un orujo y los dedos parecían evaluar, vacilantes, la nada, como antenas de insectos. Un rumor lento de conversación serpenteaba en el café, confundido con el digno balanceo digestivo del reloj de tapa china. La mujer sin edad que servía en la barra llenó los vasos de los cuñados y él reparó en las piernas gruesas y cilíndricas, desprovistas de tobillos, en las zapatillas, en el perro obediente y minúsculo que le olisqueaba las varices.

–Mi tónico, doña Almerinda –pidió el ciego con una voz sin eco ni inflexiones, buscando con las órbitas vacías la botella larga y transparente que debía de ser (piensa) una especie de luz de luna en sus tinieblas.

–Solo una cerveza –dije yo–. Y altramuces, por favor.

Mi padre se inclinó hacia ti con una sonrisa urbana en la cara postiza, de plástico, de actor de cine envejecido:

–Entonces, ¿qué enseña en la facultad?

Doña Almerinda pasó entre ellos empuñando una copa y yo pensé No es por el afán de iniciar conversación, es para ridiculizarla frente a los demás. Pienso Qué telescopios sórdidos, venenosos, sus sonrisas. La boca de la hermana mayor, entreabierta, se asemejaba a un molusco carnívoro, repugnante. Carlos le dio lumbre a la madre y a un obrero viejo que se inclinó ante él con la mano ahuecada delante de los labios, encendió un cigarrillo para sí mismo y guardó el encendedor de oro en el bolsillo exterior de la chaqueta. Piensa Las lámparas de cerámica, las cajas de plata, la ausencia de polvo. Piensa en las mesas de juego armadas en la sala, en los cuchicheos, en los gritos, en las carcajadas agudas de las amigas de la madre, en los ceniceros rebosantes, en el humo que flotaba, inmóvil, junto al techo. Tumbada en el sofá, la mujer rubia se estiraba las medias negras y le sonreía despacio: el pecho subía y bajaba dulcemente, esparciendo alrededor el sabio incienso de su cuerpo.

–¿La Revolución francesa? –se sorprendió el padre, arreglándose el pelo con las palmas–. ¿Y por qué no, si me permite, la Revolución portuguesa? ¿Acaso no es verdad que hubo una revolución en Portugal, una revolución comunista?

–Es la última –aseguré yo con un gesto de disculpa–, me está sabiendo bien la cerveza.

Los hombres de alpargatas comían empanadillas de bacalao, pipas de calabaza, mariscos pequeños y ordinarios cuyas cáscaras escupían en el suelo, después de chuparlas, con una indiferencia silenciosa. El frío de la calle y el calor de los alientos formaban una extraña mezcla en la que flotaban fragmentos dispersos de voces, la claridad del televisor en un anaquel, eructos idénticos a los suspiros de los neumáticos que se desinflan. No debía de haber ningún pescador en el pontón, y él presentía la muda y enorme noche de fuera, escrutando por los cristales de la ventana. La cerveza me endurecía los huesos con su sabor amargo, los volvía pesados, densos, incapaces de volar, y él pensó He dejado definitivamente de ser pájaro, he anclado en el cenagal de Aveiro como los botes inútiles, reducidos al esqueleto de las tablas, comidos por los mejillones y los calamares. Pensó Ya no me apetece irme de aquí, ni mover el meñique siquiera, sentir la prisa de vaivén de la sangre en mis miembros, el galope acongojado de las venas. El obstetra se rascaba, meditabundo, un grano de la frente, mi hermana mayor enarbolaba una expresión escarnecedora e idiota, seguida por la mirada opaca de los obreros.

—¿Por qué no estudiar la revolución comunista de abril del setenta y cuatro? —proseguía obstinadamente el padre, aplastando el pelo contra las sienes con una rabia creciente—. ¿Por qué no enseñarles a sus alumnos cómo se destruye un país a costa de infantilidades y desmanes, cómo se da un puntapié en ultramar, cómo se permite a los lacayos de Rusia chillar en São Bento?

Piensa Harto de fastidio, harto de indignación sincera. Piensa Furioso por haber sindicatos, por haber huelgas, por haberle dificultado durante un tiempo los negocios. ¿Y la madre que se quejaba tanto de la dificultad de conseguir criadas? ¿Y de que no apareciera un jardinero que se ocupase a conciencia del césped?

—Doña Almerinda —pidió el ciego con el mentón levantado, dirigiéndose a nadie—. Póngame un huevo cocido y dos de blanco.

La hermana de la música dijo desde el fondo

—Eh, padre

pero el viejo se había lanzado a un discurso vehemente acerca de nuestra labor civilizadora en África, de siglos de trabajo, de ingenio y de sangre entregados a cambio de nada a una cáfila de negros inmundos, del deslizarse inevitable de una tierra próspera por el plano inclinado de la ruina, apoyado por la madre, que subrayaba los pasajes más significativos murmurando con consternación:

—Es una auténtica vergüenza.

Las bombillas de las farolas que avistaba desde la puerta flotaban ahora sin peso, fijas en la noche, algunas ventanas se encendían aquí y allá, suspendidas también de la oscuridad, ligeramente veladas por la neblina del río. Los obreros daban poco a poco lugar a los primeros borrachos, frenéticamente despaciosos, que el tubo fluorescente del techo atraía como grandes mariposas desharrapadas. Uno de ellos se apoyó en el brazo del sillón de Carlos y sus cabezas, la sucia y la limpia, la ruda y la pulida, se contemplaban desde el polo opuesto de la mesa de las bebidas, irónicamente, sin afecto. Marília sacó un Portugués Suave de un bolso con lentejuelas colgado del cuello con una cuerda, y lo encendió sin que nadie en la sala le tendiese el encendedor. La puerta de cristal del comedor se iluminó de súbito, y él distinguió a la camarera poniendo la mesa (cubiertos de plata, copas de cristal, el brillo opalino de la vajilla), una muchacha joven y rubita que se movía con dificultad sobre los tacones altos. Allí estaban las copias pesadas de pintores antiguos, ojos líquidos de santos semidesnudos que en la adolescencia le envenenaban el suflé, la campanilla que imitaba a una campesina con falda globo y a la que su madre recurría para dar sus órdenes sin réplica. Piensa Veintitantos años de comidas disecadas, de discursos autoritarios, de secas lecciones de buenos modales adecuados para amaestrar perros.

—¿Le han nacionalizado alguna de sus empresas? —le preguntó serenamente Marília a mi padre—. ¿Los monstruos comunistas lo han obligado a trabajar como conserje? Es un trabajo fácil, ¿sabe?, mi tío lo hacía en un banco.

Di otro traguito de cerveza, te observé de reojo: callada, fija, tensa, mirando la puerta con pupilas animosas y vencidas:

Vas a aguantar esto hasta el final, vas a mantenerte tranquila en este infierno. Piensa Qué mierda que yo no sea capaz, qué mierda que yo no consiga elevarme a tu altura. Buscaste un altramuz en el platito de plástico, abriste la cáscara amarilla y blanca con los dientes, la tiraste con una pulgarada de desprecio a la alfombra, seguida por la indignación pasmada de mis hermanas. Piensa Lo quiera o no sigo ligado a estas cortinas, a estos muebles, a esta gente que no entiende que algo ha cambiado sin remedio, irreversiblemente, y que acabarán naufragando en los lagos de sus alfombras de Arraiolos, agarrados a la pompa de cartón de la superioridad que han perdido.

—Si usted me pide, señorita, un trabajo de mecanógrafa en mi oficina, puede ser que se lo consiga si es presentable y competente —respondió el padre con un fulgor de asco entre los ojos y la boca—. Y hasta puede convertirse en delegada sindical si le sale de las narices: ya tenemos otra vez la situación bajo control, ¿comprende?, y los comunistas a raya: durante cincuenta años no hemos permitido que nos estorbase la mala hierba, hemos conseguido saber cómo se hace.

Dio tres o cuatro pasos decididos por la alfombra, volvió a contemplar su peinado ante el espejo, avanzó hacia la mujer rubia que le hacía señas lánguidamente desde el sofá con un centelleo de anillos enormes (los pendientes largos como caireles de araña se balanceaban contra el cuello alto) y la abrazó pedaleando en el vacío con sus zapatos de charol. Los pantalones, con pliegues de acordeón, dejaban ver los calcetines grises y una parte sin pelos, color pulpo, de las piernas. El bulto de la camarera rondaba en el comedor, distribuyendo las servilletas (Piensa No llegaste a tener derecho a servilletero, Marília), mientras los gemidos del viejo se hacían ansiosos y rápidos. Piensa ¿Lo ayudo a aflojarse el cinturón, a bajarse los calzoncillos anticuados, con botón? Y se acordó de Caxias, de la salida de los presos políticos que viera por la televisión, de los saludos desde encima de las camionetas militares, de la envidia por no ser un héroe, no poseer un uniforme de camuflaje, un arma, no liberar a nadie. Se acordó del Primero de Mayo, de las canciones, de los gritos, de la alegría de las personas por las calles: Éramos puros entonces, piensa, hasta yo era puro, antes y después fui una mierda pero ese día no. Los padres embarcaron hacia Brasil a la semana siguiente, regresaron con una risita vengativa dos años después, Carlos mandó cerrar una de las fábricas, las revueltas acabaron, el padre envió a una cuadrilla de gorilas para boicotear a palos las reuniones de los trabajadores, el cuñado obstetra se postuló como diputado de un partido muy pero que muy cristiano, Tucha iba a las manifestaciones bandera en ristre vociferando contra el socialismo en medio de sus amigas.

—Si yo fuese delegada sindical —preguntó Marília jugando con la horrorosa pulsera de pelo de elefante—, ¿usted mandaría a sus perros guardianes a darme de hostias?

Piensa La cena insoportable, la carne asada que no pasaba por la garganta, la madre buscando pastillas de Lorenin en la cajita pequeña de las medicinas, la irritante carcajada de superioridad del padre:

—Por el amor de Dios, querida amiga, tenemos métodos civilizados para resolver los problemas laborales: un despido justificado se consigue en un instante.

Piensa ¿Cuánto tiempo duró aquella vergüenza, aquel suplicio? La sopa no se acababa nunca, crecía bajo la cuchara, los granos de arroz se multiplicaban en el plato, el vino sabía a ácido sulfhídrico, la menestra de verduras se adhería, imposible de masticar, a las mejillas. Tenemos que ir andando: el último autobús pasa a las once y media, y los automóviles de ellos fuera, estacionados al borde de la acera, exhibiendo los grandes dientes cromados de las rejillas. Piensa El portón, las luces encendidas, los bojes recortados, la cara afectuosa y de pánico de la hermana de la música despidiéndose de ellos en el vestíbulo:

—Las cosas no han ido muy bien, ¿no?

Doña Almerinda volvió a servirle al ciego y se atrincheró en la barra para parlamentar con las exigencias de los borrachos, a los que la presencia del vino volvía ásperos y decididos.

—Yo he visto la miseria en que viven los desgraciados de los rusos —afirmó el padre—. La única diversión que les permiten es visitar la momia de Lenin: hacen cola, fíjese, para ese espectáculo macabro.

—Pobres —dijo la madre con un suspiro mientras se servía el postre.

Piensa La tarta que me gustaba, la *bavaroise* de la infancia, los restos guardados, duros, en el frigorífico, comidos con los dedos furtivos, a escondidas de la cocinera. Piensa Lo ha hecho por mí, seguro que lo ha hecho por mí, tal vez aún conserva la esperanza de que yo no me haya descarriado totalmente porque a pesar de todo soy su hijo, ¿no?, siempre hay algo que queda que se puede rescatar. La hermana de la música se quedó en el portón diciendo adiós, mezclada con las bunganvillas y las mosquetas, mientras nos alejábamos calle abajo camino de la parada del autobús: aún no teníamos el Dyane en aquel entonces, el dinero no alcanzaba para la entrada, juntábamos una cantidad ridícula todos los meses, puede ser que en abril, Marília, puede ser que en julio, el empleado del concesionario sonreía, giraba, se inclinaba en reverencias de modelo en modelo, excesivamente exuberante, excesivamente obsequioso, reflejado, multiplicado, deformado, en los espejos, en los cristales, en las superficies metálicas, en el brillo convexo de la pintura nueva, levantaba capós, daba explicaciones sobre los motores, exhibía orgullosamente la amplitud del maletero, fruncía el ceño frente a tu poncho, desconfiado y efusivo, firmé el cheque de pie, inclinado ante un escritorio lleno de papeles, ¿Podemos llevárnoslo ya?, preguntó Marília, el otro se puso súbitamente serio, le daba mucha pena pero no, mañana o pasado mañana, una pequeña formalidad para completar los documentos, hacerle una revisión final al automóvil, me dio una palmada familiar en la espalda No queremos que después nos hagan mala propaganda ¿entiende?, cogió el cheque con dos dedos, lo entregó con una mirada de soslayo significativa a una muchacha de aspecto afanoso que hojeaba con el pulgar diestro una pila de letras, les prometió forrar el suelo con alfombras gratis para compensarlos por su desconfianza mientras la compañera telefoneaba al banco confirmando el cheque, oían claramente la voz de ella preguntando, se habían sentado en un rincón frente a una mesita cubierta de revistas, la muchacha asintió con la cabeza, Vamos al taller, dijo el vendedor, puede ser que nuestro personal haya hecho un milagro, parpadeaba, viraba poco a poco hacia una familiaridad desagradable, bajamos a una especie de garaje estrecho donde hombres con monos sin manchas deslizaban paños perezosos por las superficies pulidas, relucientes, un fulano calvo, vestido como los demás, que leía el periódico en una jaula de cristal, parlamentó con el vendedor que nos apuntaba con el mentón, dio una orden breve a uno de los hombres, nos precedió tosiendo hasta un automóvil crema, estacionado en medio de un grupo de furgonetas, y al cual el vendedor dio dos o tres palmadas admirativas, Pues aquí está el bólido a sus órdenes afortunados pilotos, firmaron algunos papeles más mientras los empleados con mono apartaban las furgonetas, el constipado les entregó las llaves con una indiferencia enojosa, nos instalamos dentro, lado a lado, como en un trono, probé la palanca de cambios, los pedales, el intermitente, ¿Todo bien? preguntó el vendedor con una prisa hastiada, se veía un trozo de calle allí arriba, en el extremo de una rampa, personas que pasaban rápidas al sol, la mitad superior de un autobús, el ruido habitual de la ciudad, acomodó el cuadradito del retrovisor pensando Eres mío, miró triunfalmente a Marília, hizo arrancar el motor, puso la primera, destrabó el freno de mano, soltó demasiado deprisa el pie del embrague, y el automóvil tartamudeó, dio cuatro saltos, y se estrelló, con un horroroso ruido de latas que se abollan, se tuercen, se deshacen, contra una esquina de la pared. Cuando abrió la puerta, aturdido, el vendedor, de culo en el suelo (¿Le habré dado también a este tipo?), con la corbata en la espalda y la chaqueta escurriéndosele de los hombros, lo miraba perdido de furia, con el barniz de la amabilidad enteramente deshecho, refunfuñando Grandísimo cabrón por la comisura de los labios, mientras los tipos con mono, paralizados por el asombro, se acercaban despacio al Dyane abollado como por una bomba que no hubiera detonado.

El televisor inundó de repente el cafecito con acordes de marcha, un rostro fluorescente anunció el programa del día siguiente, exhibiendo de vez en cuando hacia la cámara los dientes desiguales, y de él parecía surgir un cono de claridad azul que proyectaba en la tarima rombos pálidos que se movían.

—Tu padre es una bestia —dijo ella de pronto, con una violencia que le sorprendió, apoyada en el poste de la parada del autobús, en la noche tibia, conocida, familiar, de Lapa. Piensa Hace ya cuatro años de eso, caramba, años que parecieron siglos. Si hubieses intuido qué avergonzado, afligido, dividido, me encontraba, me habrías mandado al cuerno y habrías hecho tu autocrítica en la próxima reunión del Partido: Confieso que me interesé por un burgués, confieso que durante meses descuidé a la clase obrera.

—No solo tu padre —añadió ella en un torbellino de enfado—, también tu madre, tus hermanas, tus cuñados, toda esa mierda. Unas bestias. —Usaba un anillo de plata con relieves en el dedo medio de la mano izquierda, el labio inferior se estremecía de humillación, de perplejidad, de furia. ¿Habrás ido a Marruecos sin dinero, a acampar en un sitio cualquiera con un grupo de amigos sucios y barbudos, con mochila a cuestas, ofreciéndose baratijas con una solemnidad de pacto de sangre? Sabemos tan poco el uno del otro, Marília: nunca te pregunté con quién saliste antes de mí y no obstante los intuyo por detrás de tus ojos si estás seria y ausente, chicos delgados, pálidos, fanáticos del cine arte, más importantes para ti que yo, veranos en la Fonte da Telha discutiendo sobre Stendhal, tipos que trabajaban en la radio o en los periódicos secreteándose confesiones prolijas por encima de cenas de taberna, el Bairro Alto, claro, la Trindade, claro, los bares donde la Izquierda se emborracha con cerveza, claro, grandiosos proyectos irrealizables, una revista de cultura, un libro colectivo, un movimiento unitario de resistencia y de lucha. El plato de plástico lleno de cáscaras le repugna, las voces desanimadas y pertinaces le repugnan, la noche fuera, que parece palpitar al ritmo del Vouga, le repugna, tu cuerpo tenso, de hombros estrechos, a la espera, le repugna y lo alarma. Piensa Salir, subir al coche, volver al hostal por la carretera ahora oscura, amenazadora, entre pinos. La familia seguro que se quedó conversando después de la partida de ellos, mezquina, indignada, furibunda, con la madre suspirando cigarrillo tras cigarrillo resignaciones de mártir.

—Tu padre tuvo que tomar un comprimido para la tensión de tan molesto que se quedó.

Piensa La tensión arterial del padre constituía el centro de las preocupaciones, de las atenciones de la tribu, el punto hacia el cual convergíamos alborotadamente asustados por la perspectiva del infarto, Hoy tuvo 17, Hoy tuvo 14, el enfermero del policlínico venía por la tarde a controlar en persona la subida o la bajada de la columnita de mercurio del aparato, oprimiendo, con el estetoscopio en los oídos, un limón de goma, el padre, en camisa, con la manga derecha remangada, cerraba angustiadamente los párpados, fueron los únicos momentos en que vi algo más de su piel aparte de la cara o las manos, el antebrazo peludo, color barriga de rana, apretado en el codo por las muchas vueltas de la faja de mozo de *forcado* del tensiómetro, la singular vulnerabilidad de tu carne. El enfermero recogía los instrumentos en una especie de estuche, recibía en el vestíbulo el sobre de mi madre. Gracias señor Valdemar hasta mañana, desaparecía entre saludos respetuosos por el jardín, y tú te quedabas, viejo, solo en el despacho, en medio de los estantes de los libros, con los mechones grises de las sienes levemente despeinados, abriendo y cerrando la mano en un gesto necio. Para tu cumpleaños mis cuñados te regalaron un milagro japonés que medía la tensión sin ayuda, se ponía una especie de moneda en el puño, se pulsaba un botón que producía un clic agudo y surgían números luminosos en una ventanita de reloj, se podía meter en el bolsillo, llevar a la oficina, guardar en la guantera del coche y comprobar en las señales rojas si disminuía o aumentaba, y él dibujaba gráficos, calculaba promedios, discutía con los médicos, conocía íntimamente todas las medicinas, todas las dietas, todos los peligros, conversaba horas y horas, radiante de entusiasmo, acerca de trombosis y embolias, se ofrecía para medir la tensión a todo el mundo, llamaba a los empleados al despacho, les mandaba quitarse la chaqueta y desabrocharse el puño, les aplicaba la maravilla de la técnica oriental, les escribía la tensión en un papel y los obligaba a aceptarlo, Tome guárdelo la próxima vez que vaya a la consulta no se olvide de mostrar puede decir que fui yo quien se la tomó, telefoneaba a veces a casa, a media tarde, para anunciar victoriosamente Me ha bajado de 18 a 17, interrumpía reuniones, audiencias y cenas a fin de comprobar el ímpetu de la sangre, en una ocasión obligó a dos ministros y a tres diputados, cohibidos e incrédulos, a mostrarle el brazo mientras la sopa se enfriaba en la mesa, No nos esperen es un instante Fernanda ya vamos, hasta en los intermedios del cine, contaba la madre, iba al cuarto de baño para pulsar el botón ante el asombro de las braguetas, volvía alegre o ceñudo según el resultado, se plantaba delante del mingitorio, con las piernas abiertas y, en lugar de mear, zas. No, no estaba loco, explicaba la familia, era realmente así, se entusiasmaba con las cosas, hubo por ejemplo la época de los trenecitos eléctricos, inundó una sala con carriles, señales, miniaturas de estaciones, quemó los fusibles unas cuantas veces, invitaba a los yernos a conducir rápidos y expresos, se impacientaba con las torpezas, reprendía a las personas, hasta que un buen día, ¿sabe?, se desinteresaba de repente, regresaba aburrido a la televisión y al periódico, regaló aquel montón de baratijas con chispazos de cortocircuitos tenebrosos (nos quedábamos a oscuras, quietos, a la espera) a los pobrecitos de la parroquia, un vagón de pasajeros para este, un vagón de mercancías para aquel, un apeadero para esa familia tan desdichada pobre, así que que lo disfruten y Próspero Año Nuevo, hubo el verano de los patines, se iba en patines a la empresa, por el bordillo de la acera, seguido, tres reverentes metros atrás, por el chófer con el Jaguar al ralentí, mandó cimentar el patio de la entrada de la fábrica, con el pavoroso busto del abuelo sobre un pedestal de granito, y por la mañana los obreros tenían una hora libre con la condición de que se deslizasen en el sentido de las agujas del reloj alrededor del edificio principal, él mismo daba lecciones a los principiantes o hacía piruetas, alisándose el pelo de las sienes, frente al consejo de administración a trompicones, promovía a los empleados de acuerdo con su habilidad en arranques y frenos, un tipo ascendió de conserje a jefe de sección porque saltaba tres bancos de cocina sin estrellarse al otro lado, otro pasó de oficinista a director de ventas por batir el récord de velocidad entre el aparcamiento de automóviles y el comedor, en la convocatoria de admisión en la firma empezó a constar una prueba de eslalon a través de un bosque de botellas de cerveza vacías, que él mismo supervisaba cronómetro en ristre, después del abandono de los patines atravesamos la terrible fase de los cactus, llevábamos constantemente un frasquito de mercurocromo y una pinza de depilar cejas en el bolsillo para quitar las espinas que se nos clavaban a traición en el cuerpo, todas las habitaciones de la casa parecían invadidas por erizos pérfidos, cuyas agujas atravesaban los cojines de los sofás, y se nos enterraban, desgarradoras, en las nalgas, sin hablar del célebre período de las crías de cocodrilos en el cuarto de baño, arrastrándose, minerales, por las baldosas, abriendo como tijeras las escamas de las mandíbulas repletas de dientes de leche de un metro, uno de ellos bajó las escaleras a trompicones y se agarró a la pierna de la criada que servía a la mesa, comenzamos a oír Ay ay ay ay ay ay ay ay mientras las empanadillas y el arroz y la salsa bechamel se volcaban en el traje nuevo, con rayitas azules, del obstetra, empecé por prudencia a mear en el jardín hasta el punto de que los geranios de los floreros olían a amoníaco, Qué tendrán las flores, se preguntaba intrigada mi madre, no os parece extraño este perfume, las personas se alejaban de las cómodas, asqueadas, las amigas de la canasta le pedían que abriese las ventanas, incluso en invierno, Es por mis calores, ¿entiendes?,

eso por no mencionar la increíble colección de cabezas reducidas de jíbaros que se abrían sin que nadie las tocase, en medio de la noche, con un hedor blando de huevos hueros, la
pasión por las dentaduras postizas que parecían golpear solas
las mandíbulas de plástico en las madrugadas de insomnio, llegaba a preguntar en la calle, al primero que se le cruzaba, Le
importaría dejarme ver su placa dentaria, las personas lo miraban estupefactas y se iban a toda prisa, tal vez la manía de los
pájaros duró solo una nonada durante mi infancia y soy yo
quien sigo mi vida pensando en eso, me acuerdo de libros y
de álbumes con estampas, cubiertos de polvo dentro de un
baúl con tachas olvidado en el desván, petirrojos, periquitos,
gorriones, cacatúas, gaviotas, una lechuza disecada en un tronco de árbol mirándonos con los alucinados párpados del insomnio, Tu padre es una bestia, tu madre es una bestia, tus
hermanas y tus cuñados son unas bestias totales, el ciego se
durmió con el mentón en el pecho, roncando por las varillas
gruesas de los labios, Tal vez no tiene adónde ir, dijo Marília
señalándolo, tal vez no sabe qué hacer con la puta vida que
lleva, y yo pensé Debes de imaginar que quiero la casa para
mí, que te voy a arrastrar a volver con tus viejos, uno de los
borrachos, a gatas en el suelo cochambroso, provocaba ladran-
do a la perra de doña Almerinda, sus encías moradas aumentaban y disminuían, Guau guau guau ladraba el borracho deslizándose entre el serrín y las cáscaras, doña Almerinda lo empujó con la zapatilla, el tipo perdió el equilibrio, se agarró a
las piernas de un compañero uniformado de cartero y se de-
rrumbaron los dos con el estrépito exagerado de los payasos,
Piensas que quiero la casa para mí pero quien se va a ir de la
Azedo Gneco soy yo, acabo de descubrir con esta última cerveza una vocación de saltimbanqui, me compro un acordeón
para tocar de pueblo en pueblo, me llevo conmigo al ciego y
seremos felices, el padre, joven, lo sentó en el borde del pozo,
la cara desprovista de arrugas sonreía con afecto, Tuvo que tomar un comprimido para la tensión de tan indignado que se
puso, la sombra de la higuera le cubría la frente con una es-

pecie de velo luminoso mientras unos señores con chaleco se deslizaban patinando a sus espaldas, las aves alzaron vuelo, oblicuamente, en dirección al bosque, en un tropel de volteretas confusas, ¿Sigues con ganas de que te hable acerca de los pájaros?, preguntó riéndose el señor de edad que se alisaba los mechones blanquecinos contra las sienes, Voy a comprar el periódico, pensó, y marcaré con cruces rojas las habitaciones de alquiler, Luciano Cordeiro, Campo de Santana, Martim Moniz, Benfica, uno con cuarto de baño privado en Pedrouços, derecho a cocina en Alcântara, pequeño apartamento a precio módico en Alfama, nos repartimos los grabados y los libros, alquilo una furgoneta para venirlos a buscar, y después, quizá, cuando me sienta más solitario, cada lomo me traerá, al mirarlo, vaharadas de nostalgia, el pasado en blanco y negro empieza a adquirir colores, tu cuerpo en la cama, tus tics, tu agua de colonia, tus pequeños hábitos diarios, el autobús a la facultad, el pollo con patatas fritas Pala Pala de las cenas de domingo, tal vez empiezo a quererte después de haberte perdido, acabaron comiendo unos filetes detestables de bacalao en el cafecito desierto, doña Almerinda hacía caja detrás de la barra, mojando en la lengua el pico costoso del lápiz, Todos vosotros sois unas bestias, dijo ella, y se echó a llorar, el autobús asomó al fondo a saltitos sobre sus ruedas enormes, le apretó los hombros con el brazo y ella se sacudió con rabia Suéltame vete a la mierda suéltame, Dos a Campo de Ourique le pidió él al conductor, Marília, con la nariz en el cristal, observaba con excesiva atención los edificios y las calles que desfilaban hacia atrás, minúscula y frágil y desesperada bajo el poncho rojo, Padre, usted ya no se interesa por los pájaros, lo acusé, solo se preocupa por números, y firmas, y letras, y acciones, y notarios, y cosas de esas, vaya arriba, vaya al desván a ver pudrirse los álbumes, a ver cómo nos pudrimos todos, comemos un trozo de los filetes, bebemos un café espantoso, salimos en busca del automóvil por las tinieblas de la plaza, dos borrachos tumbados en un banco uno frente al otro, indiferentes como amantes entrados en años, Ven aquí a que te tome la tensión, ordenó el padre, y él se acercó a regañadientes al aparato imponente, la calva del viejo, lustrosa, centelleaba bajo la lámpara, el dorso de las manos se poblaba de las pecas marrones de los sesenta años, los dedos temblaban, Ya no sería capaz de coger en brazos a nadie, piensa, ya no se interesa por la quinta, ya no se interesa por nada a no ser fábricas e infartos, Marília llegó a casa, se quitó el poncho y los zuecos, se echó encima de la cama de espaldas a mí, se me rompió el cordón de uno de los zapatos, tiré el trozo que me quedaba en la mano a un rincón, Tranquilízate, carajo, que no volveremos a ir, yo no elegí a la familia que tengo pero se acabó, te lo prometo, el frío y la humedad se cristalizaban en los árboles de la plaza en miríadas de agujitas quebradizas, no llovería nunca más y Aveiro bogaría eternamente en la neblina a la manera de un barco desgobernado, con sus tablas desencajadas, sus sucursales de banco, sus cafeterías remotas y sus plazas vacías, en el interior de una farmacia iluminada un chico con bata envolvía medicinas y el olor de los jarabes se confundía con el del malestar y del reflujo, allí está el coche inmóvil contra un plátano y como sujeto al tronco por una correa invisible, del reloj de una iglesia brotó una increíble infinidad de badajazos acompasados y lentos, el sonido se expandía, medieval, en círculos concéntricos en la atmósfera saturada, 14-8 informó el padre, acuérdese de que los treinta años son una edad peligrosa, es el momento justo para una dieta sin sal, sus ojos oscuros lo observaban con una objetividad clínica sin ternura, el cordón del otro zapato se mantuvo entero a duras penas, me lavé los dientes malhumorado, Tranquilízate, grité yo desde los azulejos, que no te volveré a endilgar a esas bestias, Aún me intereso por los pájaros, viejo, aún quiero saber cómo son, No os imagináis el disgusto que nos dio, suspiró la madre, se nos apareció en casa con una mujer guarrísima, puso el motor en marcha, encendió los faros y arrancó en dirección a la posada, pinos y pinos, la neblina desharrapada de la noche que se formaba y deshacía frente a él en volúmenes sólidos que se diluían, Se puso a vociferar frente a nosotros aquella propaganda comunista contra Dios, los filetes de bacalao se me retorcían, molestos, en la barriga, llenos de agujas, de aristas, de chisguetes de ácido, abrí los labios para observarme las muelas en el espejo y me encontré con mi cara del otro lado, atontolinada y lunar, este soy yo ahora, este envoltorio insólito, estas arrugas, Ellos me la sudan y nunca más volveré a poner allí los pies, te lo juro, su voz vibraba en los azulejos, en los sanitarios, en la serpiente de la ducha, espié desde la puerta y seguías tumbada en la misma posición de antes, Los pájaros, respondió el padre en un murmullo con una expresión intrigada, qué es eso de los pájaros, tal vez te habías dormido sin desvestirte y era preciso despertarte a sacudidas, ayudarte a quitarte el suéter y los pantalones, tirar de las bragas a lo largo de las piernas muertas mientras tú gemías y protestabas en tu sueño, Espera estate quieto solo un ratito ya voy, la ría se asemejaba a un gran charco diáfano, sin vida, resplandeciendo en la oscuridad, Espero que no se atreva a volver otra vez a casa de mis suegros, le dijo el obstetra en el Gremio a un amigo consternado, Teresa vino de allí muy molesta, se tragó dos Vesparax al acostarse, ¿Estás durmiendo?, preguntó él con miedo a la silueta inmóvil avanzando unos pasos tímidos por el linóleo, uno de tus hombros se dibujaba, nítido y anguloso, contra la ventana sin persianas, árboles y árboles en la calle del hostal, gigantescos en las tinieblas, enmarañadas de ramas y de niebla, estamos dando la vuelta a la ría, Marília, dentro de poco el puente, dentro de poco el volumen de paquidermo de la posada, el vértigo de la cerveza, desapareciendo al rato, dejaba en su lugar un inclemente vacío, un gato cruzó al galope el asfalto frente a ellos, Los pájaros, dijo el padre en un murmullo, con una expresión perpleja, qué es eso de los pájaros, y no obstante desde el castaño, desde la higuera, desde los troncos más próximos, las aves volaban en una única y enorme ola en dirección al bosque, estacioné el automóvil, en la grava, junto a los coches de las parejas extranjeras, y el agua no dejaba oír el menor ruido, ni una ola, ni una corriente, ni una cascada, un silencio completo, absoluto, horizontal, color de crespón, y muy lejos las farolas de Aveiro refractadas en la neblina, ¿Estás durmiendo?, repitió él mientras se acercaba despacio, inclinado hacia delante con la esperanza de verle los ojos, no te enfades ya te he prometido que no volveremos a ir más allí, tuvieron que tocar el timbre para que el camarero, con los párpados morados de sueño, les abriese, las plantas crecían y abultaban en el vestíbulo la respiración ansiosa de las flores, tus zuecos retumbaban en las escaleras delante de mis suelas avergonzadas, Pájaros, preguntó la madre, consternada, ¿qué historia es esa de los pájaros?, entraron en la habitación, buscamos a tientas el interruptor del vestíbulo minúsculo y la oscuridad se disolvió en camas, mesillas de noche, un sillón, nuestras maletas en una rejilla de madera, Que le falte sentido común de acuerdo no me importa que se joda, dijo el obstetra acabando el oporto seco, pero coño siempre tiene que haber un mínimo de decencia ¿no es verdad?, siguió caminando, de puntillas, hacia el cuerpo tumbado, la boca sabía a la frescura colegial de la pasta de dientes, tenía el pelo mojado a la altura de las orejas por haberse lavado la cara, colgaron las chaquetas en las perchas, empezamos a desnudarnos, me sentía asqueado de los filetes, de la salsa, de las cervezas, la garganta me ardía con un reflujo ácido, me acosté sin quitarme los calzoncillos, estiré las mantas sobre la cabeza porque la luz me hacía daño, oía tus pies descalzos yendo y viniendo por la habitación, un vaso que se llenaba de agua, una especie de eructo, y además los muelles de la cama de al lado que gemían, el roce de tus piernas en busca de espacio para doblarse y dormirte, Los pájaros, dijo el padre alzando el rostro incrédulo de ahora por encima del periódico, no me acuerdo de los pájaros, un pedazo de luna creció, transparente y fluido, entre dos nubes, y desapareció de nuevo, comido por la garganta de las tinieblas, Cuando nosotros estábamos en la quinta hace muchos años, explicó él, debajo de las sábanas, al viejo que lo miraba sin entender, junto al pozo, ¿se acuerda?, y la madre abajo en la sala a la espera de la gente para cenar, el olor del verano al atardecer, el aroma de la tierra, de las manzanas maduras, de las hierbas inquietas del crepúsculo, la lechuza atravesaba horizontalmente la pared del granero, doña Almerinda completó la suma, guardó los papeles en un cajón, anunció Vamos a cerrar, la camioneta de la basura trepidaba allá abajo mientras hombres con tirantes anaranjados arrojaban dentro la mierda de la Rua Azedo Gneco, la triste mierda de Campo de Ourique, los restos de comida, los pedazos de papeles, los huesos de gallina, las latas vacías, la piltrafa inerte de mi cadáver, ¿En la quinta?, preguntó el padre sin entender, abriendo y cerrando las patillas de carey de las gafas, ¿qué ocurrió en la quinta?, Voy a vomitar, pensó él, quién me manda comer bazofia de taberna, la hermana de la música degollaba a Debussy muy lejos, un sopor extraño le vaciaba el cuerpo, Me estoy durmiendo, pensó él, distinguía aún, mientras se sumergía en un lago de lodo, lleno de siluetas conocidas, la frente fruncida, afligida, del padre, me acerqué a ti, te sacudí el hombro, Palabra de honor que la familia se ha terminado, palabra de honor que Lapa se ha terminado, nunca más volveremos a traspasar siquiera el portón de esa casa, y en la claridad imprecisa de Lisboa, en la claridad neblinosa de Aveiro, tus ojos se me antojaron tan trágicamente huecos de expresión como las órbitas de yeso de los difuntos.

SÁBADO

Se levantó dos veces por la noche, con náuseas y convulso, para vomitar entre arcadas, inclinado hacia delante, trozos a medias deshechos de filetes en el váter, tan mareado, tan pálido, tan indispuesto que pensó, aterrorizado, Me voy a morir, mientras la mujer se volvía hacia un lado y hacia el otro porque la luz, los pasos, los ruidos de aflicción de mi garganta debían de invadir desagradablemente su sueño, como la campanilla del despertador, en la mesilla de noche casi pegada a la mejilla, se entierra por la mañana en el oído a la manera de un estilete. Debían de ser las cinco o las seis, el alma le salía en pedazos gelatinosos por la boca mustia, y acabé sentándome en calzoncillos en la silla verde junto a la ventana, mirando por los intersticios de la persiana metálica la noche moribunda de la ría, atravesada al sesgo por jirones de claridad turbia que parecían nacer de los ovillos de sombra de los pinos o del basalto confuso, superpuesto, de las nubes. El estómago se asemejaba a un pulpo blanquecino de acidez, retrayéndose e hinchándose en mi vientre, cuyos tentáculos de ácido se deslizaban, a lo largo de las venas, hacia las manos. Debía de tener fiebre porque sentía como un frío de gripe en el cuerpo a pesar de haberme puesto el suéter sobre la piel: los pelos de las piernas, de punta, nacían de pequeños conos ateridos, los testículos desaparecían en el bosque morado del pubis. El grifo abierto del lavabo o del bidé chorreaba su enfado allá al fondo, en el cubo reverberante de azulejos en el que me vaciaba de mí mismo, como la tarde en que te acompañé a la partera, cohibido por la timidez, para ahogar al pez que se ensanchaba, curvo, en tu útero. Ahora que duermes, incólume a la cerveza y a los filetes, y distingo, bajo la colcha, la forma aproximada de tu cuerpo en la aurora sucia de Aveiro, ahora que voy a morir de indigestión, de colitis, de un estruendo de tripas definitivo y postrero, ahora que las encías me saben a salsa descompuesta y a altramuces estropeados, y quizá, al despertar, me encuentres de bruces al borde de la bañera, mirando con una mueca vítrea mi propio reflejo retorcido, me acuerdo de la tarde en que bajé contigo del autobús, cerca de Príncipe Real, camino de la partera, casi no conversamos siquiera, me avisaste desde que empezamos a vivir juntos No quiero hijos, y nunca me atreví a preguntar por qué, por miedo a que cambiases de idea: los dos de Tucha y uno o dos más tuyos serían una camada imposible para mí, una mensualidad imposible para mí, una preocupación imposible para mí, cuatro niños gimiendo a mi alrededor, transformándose, creciendo, había un cubículo repleto de cajas y periódicos en la Azedo Gneco, polvoriento, húmedo, recóndito, oscuro, y yo pensaba a veces Ponemos la cuna de la pequeña allí. Decía siempre La pequeña (nunca me pasó la idea de un chico por la cabeza) y ya le había inventado el sonido de la voz, la risa, la manera de llorar, el color del pelo, el nombre, la forma opulenta de las caderas, pensaba Ponemos la cuna de la pequeña allí y nunca hablaba de eso contigo, oía sus carcajadas inaudibles al cenar y sonreía en el interior de mí mismo o por detrás del caldo Knorr. Anunciaste No quiero hijos y tú sabías que yo sabía que lo decías por mí, por mi estúpido pavor del nieto de un guardia republicano con un palillo en la boca, porque no lograba desprenderme de mi padre, de mi madre, de la sopera de la Compañía de Indias en que me mecieron. De manera que cuando me dijiste

—Hace dos meses que no me baja la menstruación, conozco una casa de confianza en la Praça das Flores

seguí leyendo, en la silla de lona, la misma revista indiferente, bajo la lámpara cromada, horrible, aparatosa, que descubriste una tarde en una tienda de ropavejero e instalaste triunfalmente en la sala, en medio de la basura confusa en que vivíamos. Y si yo hubiese dicho en ese momento, Marília, No, si yo hubiese dicho, Marília, quiero el niño, ¿se habría alterado algo entre nosotros? Un borbotón repentino de vómito le subió de la barriga, y se precipitó al cuarto de baño iluminado, con las manos afanosas delante de la boca: Me voy a morir. Pasaron frente a una tienda de antigüedades repleta de sillones cojos, platos mellados con gatos, y muebles estilo Imperio ahogados en la sombra, una taberna, casas viejas, ulcerosas, con el sol de octubre revelando despiadadamente las grietas y los defectos de las fachadas, y la herrumbre, color de sangre seca, de los portones. Nadie miraba al otro, piensa sentado en el bidé, jadeando, mientras unas manos invisibles y crueles le retorcían despiadadamente los intestinos y una fugaz ventosidad se escapaba del ano. Buscábamos los números de los edificios, parábamos frente a los escaparates de las quincallerías, nos inclinábamos ante los titulares de los periódicos, en pilas en el suelo, guardados por mujeres lustrosas, con delantal, revolviendo calderilla por debajo de las faldas. Piensa ¿La partera sería así, una mujer con moño y uñas dudosas, conversando con las personas con voz áspera de lija? Piensa Claro que me sentía culpable, claro que me sentía acongojado, que me apetecía haber seguido solo, en habitaciones de alquiler, sin complicaciones, sin recelos, sin dramas. Los cólicos iban y venían, Marília tosió en la habitación, y yo oí su cuerpo que cambiaba de posición entre las sábanas, se agitaba en la cama, suspiraba, gemía.

—No, afortunadamente no dejó más hijos —dijo Carlos con una risita de alivio, cortando la punta del puro con una especie complicada de tijeras—. Ya tuvimos bastantes disgustos por lo que hubo que repartir con Tucha.

Un edificio igual a los restantes, pegado a un taller de automóviles donde un hombre martillaba un guardabarros en una encimera inmunda. La puerta estaba abierta: Es en el segundo piso, dijo Marília: subieron una escalera destartalada de madera con escalones excesivamente altos, y de la claraboya del extremo surgía una luz indecisa, de agua de barreño, que las lenguas de los felpudos parecían lamer con un apetito perezoso de bueyes. Marília tocó el timbre de latón: un sonido hueco resonó en lo que parecía una caverna infinita, pasillos y pasillos al fondo de los cuales, en una sala repleta con cubos de esparadrapos y de instrumentos quirúrgicos, una vieja con un delantal manchado de sangre sumergía los brazos, hasta los codos, en tus piernas abiertas.

—¿Estás segura de que es aquí? —murmuré yo fijándome desconfiado en el silencio de los pisos, la madera descantillada y carcomida, una tela de araña enorme colgada de los cristales de la claraboya. Como si me hubiesen oído desde el interior, se abrió una rendija y asomó un ojo, a la altura del mío, observándome con una desconfianza rencorosa.

—Claro que acabamos acallándola con unas cuantas acciones, pero se fue a vivir a Suiza a costa nuestra —añadió Carlos rodeado por una nube oleosa de humo—. Ahora imagínese lo que sería otra tipeja exigiendo una parte de la herencia, agobiándonos con abogados, con procuradores, con tribunales.

—¿Qué desean? —preguntó el ojo sin cortesía alguna. Había una punta de zapatilla allí abajo, junto a la alfombra, un tobillo delgado de gallina. Piensa ¿Por qué no nos vamos ahora? Piensa No quiero niños. Piensa, sentado en el bidé del hostal de Aveiro, apretándose el estómago con las manos Me sentía tan desamparado, tan vil, con tanta vergüenza de mí mismo.

—Tengo una cita para la consulta —explicó Marília con una voz sorda—, hablé con usted el lunes, me dijo que viniese aquí a las once, en ayunas.

El ojo se desplazó de mí hacia ti, se deslizó a lo largo de tu cuerpo en busca del vientre, giró de súbito, feroz, en mi dirección:

—Ella entra y usted espera abajo: no faltan cafeterías en esta plaza.

Piensa Esta tipa te va a matar por mi culpa, y aprieta el forro de los bolsillos con fuerza para secarse las manos mojadas. Se abre la puerta, Marília entra, distingue una cómoda con espejo en el vestíbulo, una percha con una gabardina de hombre, una chica descalza, con el culo al aire, blandiendo una cuchara, y después el cerrojo se corre con un suspiro de orgasmo y se queda solo en el rellano, de pie, estúpidamente inmóvil, la cabeza resonando con los angustiosos badajazos de su sangre. Apago la luz del cuarto de baño después de secarme la boca con la toalla, me siento en el borde de tu cama, paso la palma suavemente, por encima de las sábanas, sobre el tronco dormido, las nubes de la noche se disuelven despacio en un fragoroso silencio, el agua de la ría se acerca a través de las persianas, tu cara cambia de posición, amanece. Carlos tiró la punta del puro en el cenicero enorme, se palpó el doble mentón con las yemas satisfechas de los dedos:

—Ahora que ha pasado el peligro comunista, podemos proseguir en paz, con la mano de obra barata que tenemos, la idea de mi suegro. Los japoneses y los estadounidenses están entusiasmadísimos con nuestros productos.

En la plaza las hojas de los árboles se dirían barnizadas por la luz, los automóviles y las personas se desplazaban como juguetes de cuerda, los escaparates de las tiendas poseían una irrealidad de acuarelas. Se instaló en un banco frente al edificio, con las pupilas clavadas en la cortina del segundo piso. Si ocurre algo, llamo a la policía, denuncio a la partera, me quejo a mi cuñado obstetra, tal vez logre despertar la poderosa indignación de mi padre.

—¿Se hizo un aborto de un hijo de él? —preguntó la mujer descuidada, con el pelo canoso, sin dejar de rascarse la cabeza con el lápiz—. Es posible que sí, no lo sé, no lo recuerdo, han pasado tantos años desde entonces.

—Fue a verme al colegio para pedirme dinero prestado —declaró la hermana de la música limpiando las gafas con el pañuelo—. Yo iba a salir y lo encontré recostado en una farola, muy cohibido, no sabía cómo empezar. Marília está embarazada, necesito cinco mil escudos, no puedo hablar de esto con nadie más salvo contigo. Y yo con la impresión, ¿entiende?, de que todo el mundo en el café, mis compañeras, los camareros, los alumnos, nos escuchaban.

Una vieja con el pelo teñido, con un perro en brazos, se instaló al lado de él, y el animal, un bicho blanco horroroso con una correa azul, empezó de inmediato a gruñir de enfado en su dirección, mostrando los dientecitos aguzados de pez. Se alejó por prudencia hacia el extremo del banco, y la vieja lo examinó con odio.

—Necesito cinco mil escudos —le dijo él a su hermana, mirando el objeto curvo de alpaca de la infusión de limón que flotaba en su meadito humeante—. Marília está preñada y pensé que podrías echarme una mano.

Piensa La cafetería cutre llena de gente del instituto, las compañeras que la saludaban desde lejos con una mirada de soslayo maliciosa: pobre, a pesar de su fealdad y de las gafas ha conseguido novio. Y él imaginó los paliques del día siguiente, los cuchicheos, las alusiones, los chistes. La hermana bebía agua con gas, parpadeaba, se callaba, y por fin hurgó un montón de tiempo en el bolso en busca de la chequera, mientras iba colocando en el tablero de la mesa una multitud de objetos: agendas, estuches, manojos de llaves, fotografías, bolígrafos. Guardó el rectángulo de papel en el bolsillo y se fue dejándola sola en el café con su vaso lleno de burbujas, su aprensión, su bondad. Piensa Nunca te pagué ese dinero, nunca se me ocurrió que te lo debía.

—No, realmente no me acuerdo —dijo la mujer de pelo canoso cogiendo una cartera de colegial hinchada de libros—. ¿Es una cuestión tan importante?

Se levantó de la cama, regresó al cuarto de baño y observó su cara en el espejo: pálida, blanda, deshecha, sin forma, como vista en una placa deformante. Un mechón abúlico se pegaba a la frente sudorosa, los lóbulos casi transparentes de las orejas bajaban como gotas de estearina hasta el cuello. La vieja y el perro parecían gruñir ahora los dos al unísono, unidos por el mismo ímpetu de cólera, y el animal fruncía los labios sobre las encías descoloridas con una mueca acusadora: Estás matándola. Piensa En este momento la partera con zapatillas tira trozos de algodón empapados en un líquido oscuro a un rincón de la sala, el niño de la cuchara se pasea alrededor, distraído, tropieza, en su marcha de cisne, con las patas de hierro de la camilla. Piensa ¿Y tú? ¿Tumbada, con los ojos cerrados, medio dormida por la máscara de gas? ¿Lúcida, ceñuda, con las pupilas en el techo, recriminándome en silencio? Intenta calcular lo que estará pasando, pero las imágenes se le mezclan, no puede, recomienza. La vieja y el perro rezongan cada vez más alto, qué sucederá ahora allí encima por detrás de las cortinitas inocentes del segundo piso, se asemejan el uno al otro, van a ponerse a ladrar al mismo tiempo, la hermana acaba el agua con gas, le hace señas desde lejos al profesor de gimnasia barbudo que le responde con una sonrisa rápida, desinteresada, llega a la Azedo Gneco con el cheque y le anuncia a Marília que, echada en el suelo, pega recortes de periódico en un álbum:

—Aquí traigo la pasta.

Piensa Ni buenas tardes, ni Cómo te sientes, ni Hola, solo Aquí traigo la pasta, con una apresurada voz conspirativa, sin afecto. Piensa Una unión de rateros irrisorios para una pequeña burla, ninguno de nosotros quiere niños, yo porque ya tengo dos, tú por motivos oscuros, el Partido, el proletariado, qué sé yo, cuando realmente la verdadera razón era que no creíamos el uno en el otro. Así, en una frase, solo eso: no creíamos el uno en el otro.

—¿Un segundo piso en la Praça das Flores? —preguntó la mujer de pelo gris hurgando en el desorden de la memoria—. De hecho he ido allí dos o tres veces, una casa siniestra, una partera horrenda, pero no me acuerdo de si alguno de los fetos era de él.

—Salió deprisa del café —dijo la hermana sujetando el cheque con las yemas de los dedos como una foto que aún no se ha secado—. Juro que en treinta años nunca he visto a nadie tan aturrullado.

Encendió un cigarrillo sin apartar la vista de la ventana, y el pavoroso perrito blanco que ladraba se ahogó y tosió. La vieja se volvió hacia él con una impaciencia sibilante:

—¿Le importa ir a fumar a otro lado que el animalito es asmático?

—Nunca he hecho abortos —afirmó el ojo al que coronaba una cabellera teñida de rojo—. ¿Usted puede asegurar lo contrario?

Dio la vuelta a la plaza por el lado de fuera de las rejas, limpiándose las palmas en el forro de los bolsillos bajo un sol que subyugaba con colores las cajas de frutas y hortalizas a la entrada de las tiendas, vigilando siempre las cortinas con una ansiedad creciente, con el aroma de los árboles de mayo en la nariz. Debía de haber una oficina pública cerca porque algunas personas salían de un local con rollos de papel sellado, Marília se retorcía de dolor amarrada con tiras de cuero a una mesa de hierro, unas mujeres le limpiaban la vagina con compresas, y yo estoy aquí, a salvo, saltando de ganas de mear como en el momento de los exámenes, inútil y patético. Pasó junto al asiento en que se había sentado, la vieja del perro retrocedió, y él se inclinó ante el lavabo empujado por un géiser incontenible de vómito que se elevaba, a borbotones, de sus tripas, e inundó la concha de loza con una especie de moco verdusco, que se escurrió hacia el desagüe con una pereza de flema. Con la nariz goteando y los ojos llorosos levantó de nuevo la cabeza y en ese instante la vio, te vio: muy pálida, con gafas oscuras, apoyada en el umbral de la puerta, girando el mentón hacia la izquierda y hacia la derecha, buscándome. El bolso le colgaba abierto del brazo, un asomo de blusa, en desorden, sobresalía de la falda. Piensa Qué transparentes están tus uñas, si no te llevo ahora mismo a casa seguro que te desmayas.

—¿Cómo te sientes? —preguntó con un hilo de voz indeciso.

—No, por amor de Dios, haga el favor de visitar la casa —insistió el ojo—. Quiero ver si realmente es capaz de probar lo que afirma.

—Débil, llama un taxi —respondió Marília apoyándosele en el brazo como en una especie incómoda de muleta. Sus facciones, estiradas y grises, se asemejaban a las de la fotografía del carnet de conducir, sacadas en uno de esos cubículos de metal que expulsa una tira de cuatro fotos húmedas por una rendija enrejada, cuatro caras idénticas y turbias, como lluviosas, parecidas a nosotros en lo peor. Allí arriba, en el segundo piso, no se agitaba ninguna cortina. Una muchacha joven, vestida de negro, entró en el edificio, y él pensó automáticamente Otra víctima. La vieja del perro intentaba ahora que el bicho mease junto a un árbol (las raíces levantaban a su alrededor las piedras de la acera), alzándole una de las patas traseras con la mano conyugal en una actitud de ternura repelente, como si le colocase una algalia a su marido. Dos o tres taxis pasaron llenos, respondiendo que no con el dedo a su seña de súplica, hasta que un Mercedes desvencijado, conducido por un hombre gordo picado de viruelas, acabó parando, con temblores de malaria, junto a la acera.

Se sonó con un pedazo de papel higiénico, accionó la cisterna por vigésima o trigésima vez esa noche, y comenzó a respirar más lentamente: la angustia, el malestar, los vómitos se alejaban de él como el mar en el reflujo, y un cansancio enorme trepaba de las piernas hacia el cuerpo, para abrir las alas perezosas en su pecho. El reloj de la mesilla de noche marcaba las siete, fuera el viento de la mañana estremecía el agua, las nubes tocaban la copa de los pinos con su espeso velo de gotas opacas de lejía. Tiré de la cuerda que cerraba la persiana y me metí en la cama para intentar dormir.

—Cuando tengo más nostalgia —dijo la hermana—, lo primero que me viene a la cabeza es esa tarde del cheque y la congoja de él, pobrecito. Puede que no me creáis, pero era la persona menos preparada para la vida que nunca haya conocido.

En el taxi te pasé el brazo por los hombros y te acaricié el lóbulo de la oreja, ese extraño pedazo de carne inerte, con los dedos. Seguías usando los mismos pendientes desde pequeña, una piedrita azul a flor de piel. Me los regaló mi madrina de bautizo, ya no se pueden quitar. Tucha, por el contrario, poseía un enorme arsenal de aros de varios colores y pendientes largos que se balanceaban alrededor del cuello si movía la cabeza, rozándole la nuca con un tintinear levísimo de estaño. Piensa Cómo me excitaban sus vestidos, su pintalabios, sus zapatos, su maquillaje, y cómo Marília me deja indiferente, ajeno, sin interés. Le acarició el lóbulo de la oreja y después la nariz y el mentón mientras el taxi, cambiando de marcha al volante, tropezaba de semáforo rojo en semáforo rojo, moribundo, camino de casa. Un inválido los adelantó por la derecha pilotando un triciclo complicado, y el chófer bajó la ventanilla con lo que quedaba de la manija con el fin de ofrecerle, asomándose fuera del coche, una lluvia de insultos. Piensa No vamos a llegar nunca a la Azedo Gneco, Campo de Ourique está rabiando delante de nosotros, pero los edificios se le iban haciendo familiares, reconocía las calles, las esquinas, la comisaría, ya casi estamos. El chófer, furibundo, se volvió trabajosamente hacia atrás:

—¿Ha visto a ese bruto?

—Nunca he tenido motivos de queja —informó la mujer de pelo gris guardando el lápiz en la cartera—. Ninguna infección, ninguna hemorragia siquiera, ninguna molestia. ¿Quiere la dirección?

—Yo, si me quedase embarazada —aseguró la hermana de la música—, no descansaría hasta que tuviese al bebé. En mi familia casi solamente hay chicas, tal vez aquel era el niño que deseábamos.

Le pagó al gordo que vociferaba contra cojos y mancos, abrió la puerta del edificio (¿Por qué demonios ponen las cerraduras tan abajo?) curvado como una pescadilla con la cola en la boca, la llave en ristre, pulsó el botón del ascensor y, cuando el ascensor llegó, llevaba dentro a un borracho andrajoso, sentado en el suelo, roncando.

—Tal vez es un ángel —opinó Marília, con una sonrisa estoica—, y la última peonza conduce directamente al paraíso. Este ha bajado a la tierra por error y está condenado a pernoctar en los bancos de la Avenida.

—Todo el mundo sabe que no hace falta pasaporte de la Azedo Gneco al cielo —dijo él pensando Tú te vas derecha a la cama y yo voy a telefonear ahora mismo a mi cuñado: quién sabe los peligros que esto puede traer aparejados.

El maniquí, la rueda de la carreta, el pasillo minúsculo, la habitación: el colchón encima de una estera, las sábanas desordenadas como siempre, libros, papeles, periódicos, el acuario sin peces, el escritorio atiborrado de piedras y de conchas, de frascos llenos de canicas, de esos chismes de pacotilla de los que constantemente te rodeas. Te echaste vestida en la cama sin quitarte los zapatos: Has envejecido veinte años esta mañana. Fui a buscar un vaso de agua a la cocina y me dijiste que no con la cabeza, sin hablar. Desde la sala, marcó el número del hospital sentado en el brazo precario del sillón. El doctor aún no ha llegado, el doctor ya se ha ido, tal vez esté atendiendo un parto, haga el favor de esperar un momento, está en una reunión, le importa decirme su nombre, y, después de una espera interminable, la voz del tipo del otro lado del teléfono: ¿Dígame?

—Claro que supuse enseguida lo que pasaba —informó el obstetra, quitándose los guantes de goma—. Le aconsejé un antibiótico y descanso, no se puede hacer mucho más en estos casos.

—Venimos de ver a una partera que le ha hecho un tratamiento —tartamudeó él—, Marília está con una hemorragia bastante grande.

Había otras personas por detrás de mi voz, podía ser que alguien en la línea escuchase la conversación, podía ser que el cuñado se lo contase a la hermana y la hermana al resto de la familia, no iba a perder así porque sí una oportunidad semejante: Madre, no se imagina lo que Jaime me ha contado. Si padre lo supiese, no volvería a mirarla nunca más, caramba.

—¿Un aborto? —interrogó el obstetra con una entonación profesional en la que se presentía un júbilo perverso de triunfo.

—Disculpe —impuso el ojo—, soy yo quien insiste en que visite mi casa. Es muy grave soltar acusaciones así al buen tuntún sobre personas honestas.

—No, cómo se te ocurre —respondió él después de una vacilación angustiosa (Ya la he cagado.)—. Una de esas pruebas que las mujeres se hacen de vez en cuando, ya sabes.

—Me bebería un té si me lo trajeses —pidió Marília con un timbre descolorido.

—¿Por qué no fueron a ver al médico? —preguntó el cuñado con una insistencia satánica, mientras una vaga confusión se le enmarañaba en las palabras.

No encontraba el azúcar, no encontraba las tazas en medio del desorden de la cocina. El grifo del fregadero goteaba sobre los platos sucios, duros de costras, de una cena antediluviana, el fogón se cubría de óxido y de inmundicia antiguos: ¿Cuánto tiempo hace que nadie limpia esto, pensó él irritado, cuánto tiempo hace que la basura se acumula en esta casa, montones de revistas apiladas en la despensa, latas de conserva abiertas que huelen mal? Quiso encender el gas para calentar el agua, pero las cerillas se partían monótonamente una tras otra y tiró la caja, presa de furia, en el suelo.

—Es difícil conseguir consulta —mintió él—, y además hay una partera conocida por aquí cerca.

Debías de escucharme desde la habitación, Marília, captabas seguramente mi enfado: ¿qué pensarías? En la ventana del edificio de enfrente un canario saltaba, burlón, en la jaula. Un tipo en camiseta, con las clavículas salientes, observaba la nula animación de la calle, Campo de Ourique roncando, pastoso, a la hora del almuerzo, pachorrudo de sueño. En la pila del tendedero flotaban prendas de ropa en una espuma incierta. Encontró un sobrecito de té perdido entre los envases de espaguetis, y lo colgó por el hilo en la cafetera de aluminio: se movía incómodo en la cocina, odiaba la profusión de plantas que se multiplicaban en frascos de vidrio en las baldas, el tufo de la comida descompuesta nadando, como un cadáver de anémona, en la piel de los azulejos.

—Si quieres que te dé un consejo, tienes que decirme claramente lo que ha ocurrido —insistió el cuñado, empalagoso y melifluo como los zorros de las fábulas. El teléfono, entre sacudidas, producía chasquidos tras chasquidos: Esta centralita es una auténtica vergüenza.

—Esta es mi habitación, esta la habitación de mi hija, este es el cuarto de baño, esta la sala —aclaraba el ojo exhibiendo irónicamente las salas con gestos espectaculares de cicerone—. Tal vez haga abortos en la cuna del niño, ¿no cree?

Se topó con un desagüe atascado, y rebuscó en el armario, por debajo del fogón, el desatascador de goma: una tarde, muchos años antes, una de las hermanas (¿Cuál?) lo había perseguido corriendo por el jardín, armada con esa porra precaria, porque intenté descubrir bajo las faldas, cuando me encontré con ella encaramada en un banco, el extraño misterio del pubis liso de las mujeres, mientras desde el piso de arriba llegaban los gritos de pánico de la madre:

—No me pisen los parterres.

Piensa, tumbado en el colchón, intentando dormir en la mañana de Aveiro, cuya claridad centelleaba en las persianas, Siempre decías «me», vieja, todo lo que ocurría a tu alrededor tenía que ver contigo: se me enfermó, me llegó a las dos de la madrugada a casa, se me apareció gordísimo en la sala, se me murió cuando yo menos lo esperaba: el universo giraba, obediente, en torno al eje ahora esquelético de tu cuerpo, en la clínica de las Amoreiras donde hasta el tiempo se diría inmóvil en los relojes hexagonales del pasillo. Avanzó con la taza, el plato, la tetera, la azucarera y la cuchara temblando, precarios, en la bandeja de mimbre, y por tus ojos cerrados, la piel estirada y levemente azul bajo los párpados, las manos idénticas a pájaros de cristal en el pañuelo, creí por un instante que habías muerto. Pero el pecho subía y bajaba despacio, y de vez en cuando la boca parecía abrirse en forma de rosquilla como si te preparases para anunciar a los carteles de las paredes una revelación definitiva: «PROLETARIOS DE TODOS LOS PAÍSES UNÍOS; GLORIA ETERNA A LA CLASE OBRERA». Pero allí estaba el sol en el alféizar, los tendederos de la parte trasera pintados de blanco, un malestar doméstico y triste impregnando la habitación con una atmósfera de agonía, la dulzura de una eternidad a nuestra medida en el silencio de los muebles. Del ángulo del espejo de la cómoda pendían collares de varios tonos, un rosario antiguo que por pudor nunca se atrevió a preguntar de quién había sido, cadenas amarillas y marrones de bisutería. Me sentía despreciable, patético y cómico allí de pie, sujetando las asas trenzadas, formando un ángulo recto con tu cuerpo ancho, amortajado en el poncho de lana.

–Ponle una bolsa con hielo –aconsejó el obstetra–, siempre ayuda a estancar la hemorragia. Y si quieres paso por ahí mañana por la mañana, antes de ir a la maternidad. No, no me cuesta nada, me queda de camino.

Acabó dejando la bandeja en el suelo (un poco de té se volcó en el plato) y se acuclilló en un banquito bajo, de pelo de cordero, que descubriste seguramente de paso en una tienda o en el puesto de uno de esos vendedores de la carretera de Sintra o de Guincho, agitando sus maravillas frente a los coches que pasaban. Me volvía hacia uno y otro lado pero no lograba dormirme porque los reflejos del agua, ampliados por el metal cóncavo de las persianas, formaban extraños y luminosos contornos en el interior de mis párpados, porque imágenes, y palabras, y sonidos se me sucedían en la cabeza con una cadencia de mareo, porque las plantas del vestíbulo del hostal me devoraban los pies, me masticaban las piernas con los dientecitos ácidos y blandos. Echó dos cucharaditas de azúcar en la taza, la acercó a la boca de Marília que alzaba a duras penas la nuca de la almohada (una vena latía en el cuello) y en ese instante llamaron: un timbrazo seco y breve, imperioso.

–No merece la pena, gracias –dijo él muy deprisa–, entre hoy y el martes quedará todo resuelto.

Abrió la puerta sin espiar por la mirilla, y en el felpudo se encontró con el borracho del ascensor que le sonreía con la risa desmedida, en acordeón, de las apariciones. La ropa a jirones se agitaba a veces, alrededor del cuerpo, en una revolución de plumas, la nariz larga se asemejaba a un pico curioso. Olía intensamente mal, a mugre, a vino, a basuras indefinidas, y se le antojó dispuesto a vomitarle encima las manchas glaucas del tinto. La voz de Marília llegó sin timbre desde la habitación:

—¿Quién es?

—Por amor de Dios, no me cuesta nada —juró el cuñado—. Hasta es una forma de conocer tu casa. Y además nos visitamos tan poco, ¿no te parece?

Piensa El relato de Teresa dio la vuelta a la tribu y aguzó los apetitos maliciosos de la familia: Venid todos a ver cómo vive un comunista frustrado, un revolucionario burgués: y la burla de ellos frente a los tapetes, las muñecas españolas, las cortinas a lunares, la foto uniformada de tu padre, con grandes ojos redondos de campesino.

—¿Qué quiere usted? —le preguntó al borracho cuyos labios, llenos de costras, se abrían en una mueca elástica y fraterna—. No tengo dinero.

Como respuesta el tipo abrió las mangas para abrazarlo, con ímpetu tan entusiasta que por poco no se cayó de espaldas en el mármol del rellano: El payaso rico y el payaso pobre, pensó él frente a los gigantescos zapatos del otro, en un circo sin público, iluminado por la bombilla precaria del techo. El borracho sacó trabajosamente del bolsillo un seboso libro en rústica, sin tapa:

—Amigo mío —anunció con una voz penosa, agitando victoriosamente las páginas muy sucias—. Le ofrezco la Vida Eterna por diez escudos: ¿quién no tiene diez escudos para salvar su alma?

Una marca de sangre seca le atravesaba la mejilla izquierda, las hombreras de la chaqueta asomaban bajo los rasgones de la tela: no era gitano ni contrabandista ni, visiblemente, testigo de Jehová, sino un francotirador de la Salvación.

—Te lo agradezco mucho —se disculpó él—, pero Marília tiene su médico, vamos a ir a verlo el martes. Era más para tranquilizarla, ¿entiendes?

—¿Una gran hemorragia dice usted? —preguntó la mujer del pelo gris—. No, no puedo entenderlo, todo ha salido siempre muy bien.

—¿Y si yo no quiero la Vida Eterna? —argumenté—. ¿Si estoy más que harto de toda esta mierda?

El borracho, consternado, golpeó con tal fuerza los muslos con las palmas que se levantaron de los pantalones dos nubes de polvo. Un trozo de barro seco se desprendió, como una costra, de la camisa:

—El infierno, querido amigo —prometió él con una mueca trágica—. El primer tren expreso a mano para el rechinar de dientes.

—Rui —dijo Marília desde la habitación.

Piensa ¿Conseguirás beber el té sola?, e imagina dedos delgados, con uñas blancas, tanteando sin fuerzas la taza, la boca abierta como la de los pájaros a la espera. El viento de la noche agitaba alrededor de ellos las hierbas del pozo, el rombo de sombra de la casa devoró el lago de azulejos con sus peces de plástico, las sillas de lona olvidadas, el triciclo de la hermana de la música, tumbado de lado como un animal muerto, con las patas estiradas de las ruedas al aire. De las construcciones del gallinero, oliendo a paja y a excremento, venía un silencio sin aristas de huevo en reposo. Los árboles más próximos murmuraban como arpas, el padre estiró el dedo en dirección al bosque, cuya mancha azulada y densa se movía:

—Se han ido a dormir.

En la sala había un álbum lleno de dibujos de hombres desnudos con alas, de halcones con tronco de personas, de extrañas mezclas, como centauros, de personas y de pájaros: ¿Y si madre se levantase ahora de la mesa, piensa, y comenzase a volar, como un periquito acongojado, sobre los platos de la sopa? Nunca había ido al bosque por ser demasiado lejos, en otra quinta, rodeada de una cerca de alambre en algunos puntos y de un muro con cascos de vidrio en otros, de forma que se apoyaba en un poste telefónico mirándola fascinado, e imaginando extraños seres con plumas que saltaban, entre graznidos, en el secreto denso de los árboles.

—El infierno, amigo, el infierno —afirmó el borracho intentando arrodillarse en el felpudo. El pan duro se amontonaba en los bolsillos hinchados como alforjas, la caspa y la grasa le mantenían pegado el pelo ralo en el cráneo–. Claro que la Vida Eterna, joder –(grandioso gesto en espiral resumiendo las inenarrables delicias del paraíso)–, tiene otro precio. ¿Siete mil quinientos, compañero?

–Se han ido a dormir –repitió el padre–, hasta mañana por la mañana no vemos a nadie más.

–Váyase –le pedí al borracho–, mi parienta está enferma.

–Cinco mil reales –propuso el otro–, la miseria de cinco mil reales a cambio de una felicidad sin fin. Venga, so pecador, no sea rácano.

Con los ojos cerrados veía a los extraños pájaros del álbum alzarse del Vouga, dirigirse hacia la ventana, alejarse, acercarse de nuevo. Una neblina de polvo se desprendía de las rémiges enormes, mendrugos de pan se le caían de vez en cuando de los bolsillos, los párpados legañosos me buscaban. Los gases me recorrían los intestinos como ratones en el techo de un desván, un frasco de ácido se me volcaba gota a gota en el estómago, un diente cualquiera, al fondo, empezó a dolerme. Buscó una moneda en los bolsillos y el borracho se aproximó, interesadísimo, atizado por la codicia. La voz del cuñado adquirió una entonación resentida:

–Creo que me estás prohibiendo ir a tu casa. Espero que tengas la sensatez de no poner los pies en la mía.

–Telefoneó pidiéndole un favor y para colmo fue muy maleducado con Jaime –se quejó la hermana mayor, con una revista de modas sobre las rodillas–. Claro que a partir de entonces cortamos completamente.

–Como ve –declararon las zapatillas–, sus sospechas son infundadas. Yo solo trabajo en la maternidad, querido señor, mis hijos ya me dan bastante que hacer aquí.

–Veinticinco tostones –pidió el borracho intentando agarrarlo por las solapas de la chaqueta con los dedos blandos–. Veinticinco tostones y no se hable más.

–En mi familia hay una visión un poco conservadora de las cosas –susurró la hermana de la música como si los padres la pudiesen oír–. Si yo les contase lo del cheque, les daría seguramente un patatús.

El tipo del piso de abajo, un monitor enérgico de yudo que subía siempre las escaleras a saltos, con el bolso de gimnasia a cuestas, despreciando el ascensor, salió fuera a conversar con la hija, y la compañía de aquel atleta impositivamente simpático, que saludaba a los vecinos con una amabilidad musculosa, insufló en él el valor necesario para enfrentarse a la tibia y lenta tenacidad del borracho.

–No tengo un céntimo –declaró hacia las escaleras con la esperanza de que el superhombre lo oyese, y su mirada de rayos X de soslayo perforase salvadoramente los peldaños–. Lárguese de una vez, ya le he dicho que mi mujer está enferma.

El mendigo, que seguía de rodillas en el felpudo, mirándolo con las tristonas órbitas legañosas, intentó levantarse sobre sus tobillos precarios, pero uno de los zapatos resbaló en el suelo de marmolina, perdió el equilibrio, las páginas deshechas del libro se desparramaron en el suelo, y para no caerse se le aferró, se me aferró, desesperadamente (¿Qué hace? ¿Qué hace?, gemí yo despavorido) los pantalones.

–No es nada –dijo, muy distante, la voz aguda de Marília–. Pero si no te tomas el desayuno se te va a enfriar.

De pie, en camisón, junto a mi cama, me sacudía los muslos, y el rostro de ella se precisaba poco a poco bajo la lana despeinada del cabello. En el marco de la ventana, envuelta en un halo de claridad grisácea, las gaviotas se posaban en el agua en grandes bandadas geométricas. Los muebles retomaban la humildad marrón y verde de su condición. Un barco pequeño navegaba en dirección a la desembocadura.

–Me he pasado la noche vomitando –protestó él–, me sentaron mal los filetes de la taberna.

Los miembros se le antojaban desprovistos de huesos, un sudor pegajoso, desagradable, idéntico a papel de caramelo, le pegaba la espalda a las sábanas. Se sentó en la almohada y observó, asqueado, la cestita del pan, cruasanes, panes de leche, unos bollos redondos con azúcar, panecillos vulgares, con pezones como los de las bailarinas de striptease. Y dentro de él, obsesivo, despiadado, amargo, inexorable, el titubeante discurso de separación que se reconocía incapaz de hacer. Bebió un sorbo de café, apartó la taza con el dorso de la mano, y volvió la cabeza hacia la ría (Cómo me pesa la mollera, pensó él, cómo se atropella la sangre en las venas de las orejas): el velo suspendido de las nubes, leve y opaco, se acercaba: dentro de unos días comenzaría a llover.

HA FALLECIDO RUI S., INVESTIGADOR Y ASISTENTE DE LA FACULTAD DE LETRAS DE LISBOA. Rui S., que desde el primer número tuvimos el honor de incluir entre los colaboradores de la *Revista de História* de los alumnos de la Facultad de Letras, falleció súbitamente en Aveiro el pasado día 10. Contaba treinta y tres años de edad. Oriundo de una familia muy conocida no solo en el medio financiero nacional, acabó siempre con razonables calificaciones los cursos del instituto, donde desde muy pronto se distinguió por la llaneza del trato, la profundidad de su inteligencia y una cultura poco común. Datan de esa época, por otra parte, sus primeros escritos (piadosamente conservados por manos amigas), que, bajo la forma de cuentos y poemas, incluidos en el periódico mural de estudiantes del que fue subdirector, denotaban ya la acentuada inquietud de espíritu que, a través de su malograda existencia (de acuerdo con el testimonio de los que con él se relacionaron más íntimamente), lo acompañó sin cesar. Concluido el séptimo curso, prontamente ingresó en la carrera de Historia de la Facultad de Letras, rompiendo de ese modo, quizá abruptamente, con una tradición familiar de brillantes economistas y administradores, en su propósito de dedicarse al estudio y la investigación de determinados aspectos menos conocidos de la multisecular gesta de nuestro Pueblo, para la prosecución de los cuales se propuso aliar las vertientes psicológica y social, en el intento de explicar la causa de los fenómenos históricos a través del examen atento del íntimo y recóndito perfil de sus

intérpretes. Relevante paradigma de ello es su tesis de licencia-
tura «Don Antonio I, relato de un suicidio colectivo» (edición
multicopiada de veinte ejemplares, s/f), o los breves ensayos
anteriormente publicados en esta revista: «La homosexuali-
dad latente en don Miguel» (1968), «Maria da Fonte y la lucha
de clases» (1969) y «La resistencia popular en el transcurso de las
invasiones francesas» (1971), que le valieron, al parecer, algunos sinsabores por parte de la represiva y despiadada censura
estatal. Por esa época ejerció paralelamente una valerosa actividad política (distribuyendo panfletos y haciendo copias en
multicopista de comunicados) como vocal de la Sección Recreativa de la Asociación de Estudiantes de nuestra facultad,
cargo al que renunciaría posteriormente por divergencias de
fondo en lo que concierne a la orientación adecuada en cuanto a la resistencia estudiantil en el transcurso de la larga noche
fascista que dolorosamente atravesamos. Ya con el diploma de
licenciado, ingresó como asistente en el cuerpo docente de la
Escuela, en la que, por cierto, ya había ejercido las funciones
de adjunto en la cátedra de Historia Moderna II, maduran-
do entonces, por medio del análisis atento de los factores eco-
nómicos (dominaba con rara agudeza las teorías marxistas,
en relación con las cuales mantuvo siempre, por lo demás, una
honesta distancia crítica), sus concepciones personales acerca,
sobre todo, de la Primera República, de la que fue apasionado
exegeta. De este modo, publicó sucesivamente «Perfil psico-
lógico de Manuel de Arriaga» (en *História*, n.º 3, 1974), «Teó-
filo Braga y la doctrina socialista» (en *Jornal de Ideias*, n.º 12,
1.ª serie, 1976), «De las conferencias del Casino al Cinco de
Octubre» (separata de *Momenta Histórica*, 1976), «La evolu-
ción del concepto de monarquía en Ramalho Ortigão» (en
História, n.º 10, 1978), *Introducción al estudio del movimiento
carbonario* (edición del autor, 96 páginas, 1978), «António
José de Almeida, itinerario de una vida» (en *Revista de História*,
n.º 17, 1979), *Las raíces político-sociales del regicidio* (edición del
autor, 57 páginas, 1980), «De la dictadura franquista a la República Constitucional» (en *Jornal de Ideias*, n.º 1, 2.ª serie, 1980),

dejando incompleta su tesis de doctorado, aún sin título, dedicada al sidonismo, y de la que esperamos editar en breve fragmentos significativos, si para ello obtenemos el consentimiento de su Ilma. Viuda o su(s) representante(s). Paralelamente dio a luz, bajo el seudónimo de Alberto Júdice y en ediciones costeadas por él mismo, dos cortas y densas compilaciones de poesía, cuya innegable aceptación crítica no estuvo acompañada, lamentablemente, por la simpatía siempre caprichosa del público: *Regreso de Prometeo* (1976) e *Interregno para el amor* (1979), así como el volumen de cuentos *Recorrido interrumpido* (1977), en edición restringida que, por voluntad expresa del autor, no circuló en las librerías, pero que sabemos que recibió el más vivo aplauso de escritores tan ilustres como Fernando Namora, Vergílio Ferreira, José Cardoso Pires y Agustina Bessa Luís. En su labor como docente, Rui S. compensaba cierta dificultad de expresión verbal (común a espíritus de alta estirpe) a través de raras dotes de simpatía, calor humano y vasta erudición y dominio de los asuntos que exponía, dotes que en breve le granjearon la simpatía cordial de los estudiantes, patente, por ejemplo, en el tierno epíteto de «Neumático Michelin» que pronto le atribuyeron, como consecuencia de su aspecto físico bonachonamente rollizo. Aunque de temperamento retraído y tímido, el difunto profesor no eludía nunca recibir a los alumnos en los pasillos de la facultad, en la biblioteca de la misma o, incluso, en su acogedora casa, para discutir con ellos los puntos más controvertidos del programa de la cátedra a su cargo, por incumbencia del Consejo de Administración de la Escuela. Desprovisto de ambiciones materiales, vivía de modo sumamente modesto, diríamos incluso austero, lo que encuentra tal vez justificación en su ideario de Izquierda, no afiliado a ningún partido, aunque en determinado período de su breve existencia lo hubiesen caracterizado como fervoroso adepto del materialismo dialéctico, del cual más tarde llegó a desmarcarse en un artículo publicado en nuestra revista bajo el título «Democracia y socialismo: una confusión que ha de evitarse», que el señor arzobispo de Braga nos hizo el honor de citar en la homilía pascual. El autor de las presentes y nada pretenciosas líneas, director de la *Revista de História* y tesorero de la Acción Católica Universitaria de Lisboa, que nutría por el difunto maestro una admiración afectuosa, conversó en varias ocasiones con Rui S. acerca de la doctrina social de la Iglesia y del contenido de las últimas encíclicas papales, encontrando siempre, de parte de este, una lúcida comprensión y, se atreve a afirmarlo, una adhesión tácita (si bien jamás traducida en palabras expresas) al Personalismo cristiano y a sus virtualidades, como único medio de estar en el mundo del Hombre actual, suprimiendo sin excesos las tremendas injusticias económicas y psicológicas de la Civilización Moderna. Yo vivía en la Rua Sampaio Pina, cerca de su casa, y de vez en cuando, si veía luz en el piso, tocaba el timbre de la calle, se abría la puerta con un chasquido de tapadera, subía, y allí arriba encontraba sus gafas vacilantes, sus manos indecisas, la sonrisa que parecía siempre disculparse a sí mismo, los libros al azar por todas partes, los juguetes de hojalata, el desorden constante de los periódicos. Nos sentábamos para hablar en descoloridas tumbonas de playa junto al viejo calefactor apagado y, con una familia rica como la suya, nunca entendí aquel decorado de enfadosa miseria, aquellas tazas rajadas, aquellas esteras rotas, aquellos muebles de chatarrero con tacos de madera o de cartón equilibrándoles las patas: ¿Dónde habría encontrado tantas porquerías malolientes juntas?, pensé yo, la cisterna del cuarto de baño, por ejemplo, oxidada y torcida, no funcionaba, la concha del lavabo estaba constantemente atascada, un aparato de radio muy antiguo, en un rincón del suelo arrojaba toses y silbidos, el tiempo amarilleaba los carteles pegados en las paredes, caricaturas, fotos, metalúrgicos con el puño musculoso alzado: ¿un comunista avergonzado?, ¿un vagabundo que no se asume como tal?, ¿el descarriado que los millonarios necesitan para apuntar como ejemplo inverso a los demás hijos? El tipo limpiaba las lentes con la punta de la camisa mediante fricciones despaciosas, sus órbitas ciegas se me antojaban vuel-

tas hacia dentro como las aves en las jaulas, me ofrecía un orujo horrible en un vasito minúsculo del que soplaba previa-
mente el polvo como a una vela de cumpleaños, No quiere
tomar un trago, no quiere mojar el verbo, su sonrisa infantil se
cernía en la sala idéntica a la presencia reciente de un finado,
articulaba algunas frases raras y se perdía, distraído, olvidado
ya de mí, en un laberinto interior repleto, por cierto, de la basura triste y de los libros apolillados que obstruían la circula-
ción por el piso, Un día de estos le traigo un grillo para alegrar
su palacio, le prometí una vez, un grillo, un camaleón, un canario, un pájaro cualquiera, y al hablar de pájaros él me miró
sorprendido sin responder, hizo chasquear las junturas de los
dedos, clac clac clac, se levantó, No le gustaría tener, qué sé
yo, un papagayo, insistí, un jilguero, un periquito, uno de esos
bicharracos trró trró, y él mudo, con la nariz pegada a las cortinas de encaje de la ventana. Por la mañana en el barrio ni siquiera había palomas, solo mujeres de edad con las mallas de
plástico de la compra camino de casa, solo edificios desvaídos
y feos, solo una melancolía sin esperanza en el aire. Pensé Si
al menos se viese el río por la ventana, si al menos una franja
de agua entrase en esta sala, y además, ¿sabe?, convivía con él
aquella mujer ordinaria y ufana, despeinada, apagando cigarrillo tras cigarrillo en el cenicero de madera, lidiando allí
dentro con los cacharros, tratándolo, creo yo, con una cortesía sin afecto y el sandio sin entender que ella no lo quería,
que lo despreciaba, que estaba dispuesta a sustituirlo por el primer vehemente comunista barbudo que apareciese, porque en
cuanto a esa, Dios mío, no había ninguna duda de que quería a
los descamisados en el poder, enseñaba también en la facultad
pero solo los ateos y los locos asistían a sus clases, tipos sinies-
tros de ojos amarillos conspirando por los rincones en nombre del proletariado, y a veces, si estábamos conversando y
bebiendo café en las sillas de lona, la tipa llegaba a la puerta,
callada, con una sonrisita burlona, o envolvía mis palabras y
las arrojaba al cesto de los papeles con una argumentación definitiva, Y listo se acabó bonito lo que tú pregonas no vale un

pimiento, y él observándola con aquellos ojos neutros, opacos, vacíos de entusiasmo y sentimientos, las manos apoyadas en las rodillas, el cuerpo gordo como a la espera (¿de qué?), el fósil de la sonrisa como a la espera (¿de qué?), la nariz sorbiendo como a la espera (¿de qué?), y yo pensaba Es imposible que no veas que ella no te quiere, que juega contigo, que le eres indiferente, que te detesta, que le importa poco lo que valgas o no valgas. La mujer salía arrastrando los zuecos irónicos por el pasillo, ¿Qué tal el orujito?, preguntaba él para llenar el silencio, el médico me ha prohibido las bebidas alcohólicas debido a una hepatitis antigua, me ha prohibido las grasas, las emociones, el ejercicio y el cocido a la portuguesa, me ha prohibido todos los placeres de la vida excepto estar aquí contigo disertando de Historia, de Felipe I, de Felipe II, de Felipe III, de 1640, de 1908, de toda esa mierda erudita de la que abomino, Pero ¿qué querría él en realidad, qué deseaba, qué sentía?, me interrogaba yo con el estómago ardiendo y los ojos sulfúricos de lágrimas por el inenarrable mejunje que me endilgaba siempre en aquel eterno vaso microscópico del que soplaba cuidadosamente el polvo, Tengo un palomar en la terraza, le informé mirándole los zapatos sin betún, surcados por las arrugas del uso, ¿por qué no hace lo mismo para distraerse?, y por momentos su cara se me antojó animada y móvil, las mejillas temblaron, las fosas de la nariz se abrieron como prestando atención, Me gustan los pájaros, dijo con una voz de muy lejos, curiosa e infantil, la voz de un niño que busca a oscuras el oído que lo escuche, me gustan los pájaros aunque nunca me hayan hablado acerca de ellos, mi padre se desinteresó de esa cuestión hace siglos, colecciona crías de cocodrilo en la piscina, Fuiste a empinar el codo a escondidas, pensé yo, y ahora vienes a hablarme de cocodrilos y piscinas, Casi le arrancaron una pierna a mi hermana, continuó él contemplando las punteras, se zambulló y llevaba un yacaré colgado del muslo, usted no se imagina la cantidad de dientes que tienen esos bichos, blancos, triangulares, pequeñitos, aguzados como navajas, ¿Quién quiere un té?, aulló la arpía desde la cocina, en un grito ampliado por los cacharros y por los azulejos, todas las palomas desaparecieron de la sala en un revoloteo silencioso, respondí que no con la cabeza, Yo, amor, vociferó él con un grito blando, desalentado, sin huesos, Yo, amor, repetí dentro de mí, en qué gato castrado te has convertido, Si es solo para ti no vale la pena, berreó la voz, mejor esperar a que haya más gente interesada, y un rato después oí los zuecos chancleteando hacia la habitación y el sonido de la puerta cerrándose con fuerza, Se encerró en la jaula para dormir, pensé yo, y hacerme ver que es tarde, debe de acostarse en un haz de paja, sobre la propia caca y los huesos de cordero, o de ternero, o de burro, que le arrojaron de lejos por los espacios entre las rejas, cinco escudos para visitarla los domingos, niños y militares gratis, la Fiera Comunista del Circo Americano, la Amazona Revolucionaria, la Nieta de Engels rascándose los sobacos en la jaula, me levanté, él se levantó, nos levantamos, nos quedamos un momento de pie en medio de los desechos de la sala, era necesario andar como las cigüeñas para no pisar papeles, o cajas de cartón, o montículos de libros, andar como quien salta, desmadejado, de piedra en piedra, hasta el vestíbulo mínimo, Piense en lo de las palomas, le aconsejé al despedirnos, siempre puede ocurrir que encuentre por sí solo la explicación acerca de los pájaros, y mientras bajaba por el ascensor allí se quedó él, quieto, en el rellano apenas iluminado, limpiándose las gafas con la punta de la camisa, y con el pelo en desorden en torno a la frente, tan estupefacto como si acabase de despertar, con la Fiera Comunista aguardándolo en las tinieblas de la habitación, agitando las garras en la paja hedionda de las sábanas. El desdichado historiador deja viuda y dos hijos menores de un primer matrimonio. La *Revista de História* de los alumnos de la Facultad de Letras presenta a la dignísima familia enlutada su más sincero pésame.

Se sentó en la aureola de plástico del retrete y cerró la puerta: el vapor de agua de la ducha de Marília aún cegaba el espejo, y mi cara era una forma difusa y blanquecina, idéntica al óvalo impreciso de la luna en la neblina, o a la mancha de la ciudad a lo lejos, piensa, del otro lado del Vouga, fracturada por sucesivas capas de bruma, patas arriba en el espacio pardusco, sin límites, de la distancia. Piensa Afeitarme, ducharme, lavarme los dientes, salir, mientras me esperas, tumbada en la cama, con un libro policíaco sobre el pecho, un título de letras gordas, una tapa chillona, un hombre y una mujer de grandes tetas que se besan con descaro. Abrió el grifo y un chisguete de cristal transparente irrumpió desde arriba, junto al techo, encubierto por la cortina con florecitas, para deshacerse en la alfombra de goma de la bañera en un charco que se expandía: de pequeño mi madre venía a controlar cómo me aseaba, a frotarme con una esponja redonda, a pasarme la mano rápida y neutra, pesada de anillos, por los erizos con tiritones de los testículos: Límpiate bien las orejas, límpiate bien el cuello, límpiate bien el ombligo. No te olvides de lavarte el culito después de hacer caca. La acidez había desaparecido casi por completo, el dolor de estómago se había reducido a una impresión lejana, insignificante, soportable: de nuevo con salud y sin disculpas, de nuevo con un largo, desmedido, infinito sábado por delante. La cuchilla de afeitar cortaba mal, la espuma no se adhería al mentón, el mentol del dentífrico le escocía en la lengua, y sentado en la aureola de plástico del retrete se secaba los pelos oscuros del cuerpo con la aspereza de lija de la toalla, con movimientos circulares que se ensanchaban, a la manera de los pliegues concéntricos de un pozo cuando una piedra cae en la superficie lisa. Envuelto en la toalla descolorida, te vio, te vi: no tumbada en la cama, no leyendo, sino con la nariz pegada a los cristales y las manos detrás de la espalda como un policía severo, observando sin interés la humedad de la mañana.

—No la conocí muy bien, no lo sé —dijo la hermana de la música en el aula vacía, en cuyos bancos se alineaban panderetas, tambores, triángulos, castañuelas, pífanos de madera, iluminados por la claridad verde de las ventanas—. Era una persona cerrada, prácticamente nunca conversamos, y después de la muerte de mi hermano dejé por completo de verla. De vez en cuando leo su nombre en los periódicos reseñando libros de historia, he oído que por pertenecer al Partido tuvo que pasar, en cierto momento, por tremendas dificultades en la facultad. Lo que no me creo es que tenga la culpa de la muerte de mi hermano.

—Los lacayos de Moscú —proclamó pomposamente Carlos— son los grandes responsables de la miseria a la que hemos llegado: sindicatos, huelgas, curas obreros, manifestaciones, toda esa bazofia. Afortunadamente la Asociación de Industriales se mantiene vigilante: los portugueses no quieren ser satélites de los rusos.

Así mismo, Marília: completamente vestida, de espaldas a mí, plantada en los zuecos (¿alguna vez te habré visto calzada de otra forma?), observando la neblina con ojos huecos de almirante, de mamífero disecado, de gato montés de museo. Te quedabas con frecuencia de ese modo en los últimos tiempos, absorta, distraída, ajena, observando el Campo de Ourique tres pisos abajo, las fachadas sin gracia de los edificios, la infecta serenidad de costumbre, y yo nunca adiviné lo que rumiabas, lo que te pasaba por la cabeza, los proyectos, los recuerdos, los remordimientos, las alegrías, lo que te abandonaba y asaltaba en una ondulación de marea: Como ahora, piensa, desnortada, frente a la ría, enmarcada en la claridad lechosa de los cristales a la manera de una fotografía antigua.

—Vamos a almorzar a algún sitio —dijo ella de repente—, quiero hablar contigo.

Te volviste hacia mí y por primera vez, en todos estos años, te hallé casi bonita, casi sin defectos, casi atrayente: no era Godard, ni el cine estadounidense, ni el *nouveau roman*, ni los meses de prisión antes de 1974, ni tu conocimiento del expresionismo abstracto y tu experiencia de la Pide, frente a mi ignorancia avergonzada: eras tú solamente, tu contorno contra la piel del agua, tus ojos secos, agudos, valerosos, la línea derecha de la cabeza, las gruesas manos de campesina, inmóviles sobre la falda, semejantes a zarcillos arrugados de pájaro.

La mujer de pelo gris acabó de ordenar la cartera, la cerró con llave, se levantó:

—¿Sabe lo que me apetecería en días como hoy? —preguntó ella con una sonrisa desagradable que revelaba el mal estado de sus dientes—. No dedicarme a la militancia, palabra, y escribir versos. Pero no le diga nada a nadie, es una especie de secreto.

Me metí la camisa por debajo de los pantalones, me puse el suéter por la cabeza y cerré la cremallera de la cazadora a cuadros, que en cierta forma representaba el compromiso de un uniforme político, mi dubitativa, reticente adhesión a la clase obrera: «ASISTENTE DE LA FACULTAD DE LETRAS DE LISBOA SE VISTE COMO UN FONTANERO»: ¿me bastaría con eso, me quedaría de ese modo en paz conmigo mismo, lograría apaciguar así al pequeño demonio persistente de la culpa de lo que debería haber sido y no fue?

—Escribir poemas —insistió la mujer de pelo gris con la mano en el picaporte—. No, en serio, pasarme varias tardes en la Boca do Inferno viendo el mar, sentarme en las terrazas, conversar con extranjeros, visitar museos, y dejar que la revolución se haga sola. De cualquier manera, ¿entiende?, ha de llegar.

—Oiga, madre —argumentó él—, en Italia, por ejemplo, hay muchísimos comunistas que van a misa.

—Italia no es Portugal —interrumpió la hermana menor removiendo el café con sus gestos preciosos—. Y el Papa ya ha dicho lo que había que decir acerca de eso, no nos vengas con patrañas marxistas.

Piensa Derecha, obstinada, resuelta, mirándome en la habitación del hostal de Aveiro tal como desafiaste a mi familia en la cena de mis padres, y yo dividido, acongojado, sin valor, con las tripas desgarradas, por mil espadas crueles, entre la vajilla que brillaba y la claridad suave, sin peso, como a la deriva, de las lámparas.

—Vamos a almorzar a algún sitio fuera de aquí, quiero hablar contigo.

¿Cuánto tiempo hace que no conversábamos, Marília, cuántos meses llevábamos viviendo juntos en medio de una mudez estancada que crecía? Piensa Despertarse, levantarse, comer, salir, trabajar, dormir: y si nos cruzábamos en los pasillos de la facultad éramos dos extraños, ni siquiera una mirada de reojo del uno al otro, ningún hilo invisible nos unía. Piensa Cuando me decían Tu mujer yo me quedaba suspendido, inmóvil, paralizado de asombro, de sorpresa: ¿Mi mujer es esta persona mal vestida y fea, cinco años mayor que yo, plantada en sus horribles zapatos masculinos, pegando en las paredes carteles sobre huelgas, seguida por un grupo de estudiantes obstinados y sumisos, adeptos fervorosos de un socialismo esquemático? Piensa Si los padres de Tucha te viesen conmigo, si Tucha te viese conmigo, si mis hijos te viesen conmigo, imaginarían que yo me había casado con la portera, volverían la cara a un lado, acudirían a complicadas acrobacias para no hablarme. Piensa El bichito de la burguesía aún te roe, aún te consume, te domina. Piensa No consigo que la corteza de las cosas deje de ser más importante para mí que el meollo. Piensa ¿Por qué me preocupan tanto, joder, las apariencias?

–¿Has leído, por ejemplo, lo que ha dicho el obispo de Braga sobre ese asunto? –preguntó el obstetra con una risita de victoria en la cara–. ¿Por qué no te informas sobre las cosas antes de lanzar la primera trola que te viene a mano?

No argumentabas nada, Marília, no me defendías, tu nariz, picada de espinillas, iba lentamente de uno a otro con una indiferencia mecánica de radar. Habían mojado la grava aquí fuera, alrededor del hostal, y los zapatos producían un ruido de mandíbulas trituradas en los guijos. El río no parecía conocer crecidas ni reflujos: la misma lengua estrecha de arena, las mismas hierbas anémicas, la misma altura, de caldo, del agua, y además, detrás de la posada, la húmeda, rumorosa, incesante inquietud de los pinos. El automóvil alcanzó la carretera dando un trompicón, empezó a deslizarse rumbo a Aveiro. Una lucecita verde se encendía y se apagaba en el salpicadero: Nos va a faltar gasolina, pensó él. El hombre anciano que presidía la reunión, instalado en la cabecera de la mesa, con una libreta y una estilográfica enfrente, alzó el brazo y cesó el vaivén de las conversaciones:

—La camarada acaba de pedir permiso para que su marido asista como observador a los encuentros de la célula.

Si el motor se para, piensa, nos quedaremos eternamente perdidos en medio del pinar, bajo el cartón translúcido del cielo, envejeciendo dentro del coche como las momias antiguas, que se muerden la propia boca con los grandes dientes sin brillo, sin encías.

—¿Y? —preguntó él dentro del taxi, casi sin mover los labios. Una vena gorda se le estremecía en la frente.

—No me ha dolido nada, no me ha costado nada —dijo Marília—, no te preocupes. Parece que he tenido suerte, que ni siquiera me ha dado una hemorragia muy grave. Llegamos a casa, me acuesto unas horas y listo.

Un muchachito con la cara ardiendo de acné miró al hombre anciano, con el dedo erguido como los alumnos en las clases. Una expresión de postiza gravedad adulta le arrugaba las facciones.

—Tiene la palabra el camarada Tino —anunció otro golpeando la mesa con la estilográfica.

Dos individuos en bicicleta se cruzaron con ellos, pedaleando lentamente en un andar pausado de humanistas, curvados sobre los manillares con posturas de feto. El vecino del yudo, de quimono blanco, atravesó el asfalto en cuatro piruetas veloces, desapareció en el perfil de los eucaliptos, y se oyó a sí mismo, sorprendido, afirmar Te quiero, mientras los dedos buscaban a ciegas la mano de Marília en las rodillas delgadas a su lado. Las casas crecieron rodando, estallaron contra los vidrios laterales del automóvil, se alejaron, insignificantes e inmóviles, en el espejito rectangular.

—El marido de la camarada —profirió el adolescente con energía— es mi profesor en la facultad. Su enseñanza pequeñoburguesa es reformista, sus posiciones personales sin consistencia. Transmite, de manera general, opiniones de historiadores retrógrados. Aceptarlo como observador −(el acné en llamas, el labio tembloroso)− sería introducir en la célula a un infiltrado socialdemócrata, sin ninguna contrapartida útil para la clase obrera.

−Vamos a recomenzar desde el principio −pidió la hermana de la música al grupo alborotado (Un par de jóvenes minúsculos se enzarzaban desesperadamente al fondo.)−. Compás tres por cuatro. Que las panderetas no pierdan tanto el ritmo, por favor.

Otras casas, otros eucaliptos, árboles indefinidos, viviendas de emigrantes con muchos balcones, muchos azulejos vistosos, mucho hierro forjado, muchos sapos de cerámica en los patios.

−Allí −dijo Marília.

Un restaurante al borde de la carretera junto a un surtidor de gasolina, anuncios de bebidas gaseosas pegados a la puerta y a las ventanas, un cartel de una corrida de toros, despegado y antiguo, con grandes letras rojas, agitándose. Barcos carcomidos se deshacían en la arena, un ancla oxidada, en el interior de uno de ellos, apuntaba sus tres picos negros a nadie. Los alumnos empezaron a cantar, acompañados de gaitas y tambores, y las voces adquirían poco a poco espesura y convicción. El camarada Tino se calló de súbito, aparentemente en medio de una frase, como si un mecanismo eléctrico se le hubiese averiado en la garganta, aunque los granos del acné siguieran ardiendo de indignación, o de rabia, o de militancia convencida, o de apasionado amor a la clase obrera, y el individuo anciano hablaba ahora sin que se le distinguiesen las frases. Había una bandera roja en su hombro, algunos tipos tomaban notas rápidas, un mulato en el extremo de la mesa levantó el brazo. Te quiero, quiero tu poncho, los zuecos, el cuerpo desnudo imperfecto tumbado sobre las sábanas, me he habituado al olor de tu sudor, a la sequedad amarga de tus chistes, al sabor de tu lengua blanda en mi boca, me he habituado a la cicatriz de la apendicitis, a la cicatriz de la rodilla, a la cicatriz del talón, quiero volver los domingos a la casa de tus padres y a tu solicitud obsequiosa, vamos a empezar de cero, Marília, a partir pisando con el pie derecho, a comprar entradas para el ciclo de cine belga, veré todas las latosas películas de Delvaux por amor a ti, me convertiré al materialismo dialéctico, empuñaré carteles en las manifestaciones, un tipo que viene de la alta burguesía, peroraba el mulato, un renegado, los proletarios que tenemos ya nos dan bastante que hacer en materia de disciplina partidaria, me someteré, claro, a cualquier decisión de los camaradas pero estoy convencido de que. Salieron del coche y el vaho del agua los envolvió en su halo cadavérico, ¿empezar de cero qué?, ¿partir con el pie derecho hacia dónde?, olía a gasolina, a aceite, a humo de motor, Qué añoranza de la Rua Azedo Gneco, pensó él de súbito, hasta el desorden y el polvo me hacen falta, empujaron la puerta, entraron, y el tintinear de los platos y de las bandejas, el tono de las voces, el ruido de los cubiertos, avanzaron hacia ellos en un alboroto confuso. Se sentaron al lado de un racimo de camioneros silenciosos frente al orujo final, con los codos apoyados en el mantel de papel en el que se amontonaba una confusión de restos.

Me duele una muela de las de atrás, una de las que el doctor aún no ha tenido tiempo de arreglar, cuando cada tres meses consigo una consulta y él se inclina sobre mi boca con un espejito en una de las manos y el torno en la otra, esparciendo a su alrededor un suave perfume asexuado de desinfectante y de lavanda. Normalmente la empleada de la recepción se encarga de mi perro, encaja la correa en una pata de la silla, tal vez lo lleve a pasear por las calles de Lausana de la que percibo, por la ventana, más allá de la lámpara redonda que me ciega, una plaza, casas, el aire aséptico, demasiado limpio y desnudo, de la nieve: los frutos de cristal de hielo de los árboles, la piel color leche de las personas, la textura sin manchas de palabras del silencio, la excesiva blancura de la muerte, el propio dolor. El propio dolor. Estoy sentada en el sillón del dentista, me entran y me salen de la boca instrumentos relucientes y agudos, revuelven, tiran, comprimen, algo (¿un gancho?) me perfora la mandíbula y se me ramifica en la cabeza como un arbusto que vibra, una especie de gemido me sube a la garganta, me inclino ante una pequeña pila y escupo en el desagüe grumos de sangre que un chorro de agua se apresura a empujar camino de los tubos, mientras la enfermera, de espaldas a mí, prepara algo que no veo en un recipiente de cristal. Bajo los párpados, dos cortinas avivadas por la luz pulsan delante de mis pupilas, se acercan formas vagas y se alejan, Lausana se esfuma, he dejado de tener cuarenta y siete años, los músculos apretados se relajan, abro los ojos y heme aquí, en mi primera casa, con mi primer marido, una buhardilla recóndita en la Lapa o en la Estrela que nos regaló el padre de él, los pequeños duermen en la litera de la habitación del fondo, busco un disco brasileño en el armario, lo extraigo con tres dedos del envoltorio de celofán, me vuelvo, de rodillas, hacia la cara circular de Rui, digo No quiero continuar contigo.

—*Crachez* —ordena el dentista.

Un grumo más de sangre, que arrastra consigo un pedacito duro (¿de hueso?) color de porcelana, color de plomo, vuelvo a apoyar la nuca hacia atrás, a abrir la garganta, a bajar las cortinitas moradas de los párpados, No quiero continuar contigo, afirmo yo, ya había conocido a Franco por aquel entonces, iba a regresar a Suiza, Ginebra, Por qué no viene conmigo, los cabellos grises, la sonrisa experta de barman o de monitor de esquí, el anillo de plata africana en el meñique, el modo de coger el vaso, de beber, de hablar, Rui, plantado de pie en medio de la sala, me miraba, cohibido y vacilante, sin entender, Franco nos visitó dos o tres veces, simpatiquísimo, conversador, interesado en la historia, impecable, Rui, hundido en el sofá, lo escuchaba con las gruesas órbitas miopes de alce triste, murmurando de vez en cuando *Je suis bien de votre avis*, nos encontrábamos en el apartamento de una amiga mía que trabajaba en Londres, Franco dejaba el cigarrillo en el cenicero de la mesilla de noche, se inclinaba hacia mí, su pecho ancho subía y bajaba levemente, yo sentía la comezón de sus pelos, me metió la mano en la vagina, la olió, me hizo lamer la humedad marina de la palma mientras me recorría el contorno de los pezones con la punta de la lengua, Me voy a Ginebra en cuanto decida la cuestión del divorcio, resolví yo, quiero tu piel quemada, tus arrugas, los bíceps fibrosos, la lengua se deslizó cuello arriba hasta el vértice del mentón, *Aide-moi* pidió él guiándome el brazo, Voy a Ginebra, al Polo, al Congo, a donde me mandes, te amo, encontré las bolsas de cuero de los testículos, los nísperos blandos escondidos allí dentro, y después, justo después, la raíz gruesa del pene, el tubo hinchado de carne, la punta redondeada y suave que guié, a través de sucesivas membranas, hacia dentro de mí. Doblé las rodillas, abrí más las piernas, y comencé, dulcemente, a suspirar.

—*Crachez à nouveau.*

El dentista debía de tener más o menos mi edad, gafas sin aros, guantes de goma, un rostro permanentemente serio y atento, picado, en las mejillas y en la frente, por una multitud de pecas, y su pequeña nariz de papagayo avanzaba y retrocedía, junto a mi boca muy abierta, con pelos rojizos que le salían, en mechas, de las fosas. Cinco meses después llegué con los niños a Ginebra, telefoneé a Franco, me respondieron de una tienda de comestibles, acabé enterándome de que estaba en Boston como director adjunto de una multinacional: nunca contestó mis cartas. Lo encontré pasados unos años, por casualidad, en un restaurante de aquí, acompañado por toda la familia como los presidentes de Estados Unidos, viejo, gastado, flaco, consultando el menú armado de dos pares de gafas diferentes, con la mujer a la derecha, una tipa ya mayor y escuálida, cuyo escote ridículo descubría la delgadez saliente de las costillas. La enfermera le extendió una pinza al doctor, y él me la enterró de inmediato, en una maniobra diestra, en la encía: el dolor aumentó, extendió prolongaciones inesperadas hacia la oreja y la nuca, y después vaciló, se retrajo, y murió despacio a la manera de la llama de una vela que se apaga. Me quitaron el paño del cuello, las batas, obsequiosas, retrocedieron, me levanté de la silla (¿Dónde me puedo peinar?), el perro ladró en el pasillo al presentir mis pasos, su hocico intentaba esconderse, temblando, en mi pecho, y cuando llegué a la calle la mitad anestesiada de la cara recomenzaba, poco a poco, a pertenecerme, como hace muchos años, después de que Rui me golpease (la palma abierta, el gesto rápido, afligido, desesperado) cuando le anuncié No te quiero quiero separarme, y el disco que sujetaba rodó al azar por la alfombra, hasta dar contra la esquina del sofá, uno de los niños comenzó a llorar allí dentro, creció el llanto, y Nuno apareció con pijama, minúsculo, en el umbral de la puerta, abrazado a la almohada, mirándonos con las órbitas redondas por la sorpresa.

Piensa ¿Sería aún posible navegar en aquellos barcos? Grandes moscas azules se encarnizaban, en la arena, sobre una forma indecisa, un pez muerto, un resto de comida, un cadáver que había devuelto el agua, oscurecido de aceite, cubierto a medias de baba y de limos. Del otro lado de los cristales, las nubes al mismo tiempo fluidas y densas aumentaban de volumen, se desdoblaban, engullían centímetro a centímetro la bóveda de papel de barbas del cielo. Junto al surtidor de gasolina un pavo, sujeto con una cuerda a una estaca, rozaba la falda de globo de las plumas en el polvo, sacudiendo como un gerente el doble mentón de la papada.

—No me apetece almorzar —dijo Marília—, pídeme una empanadilla de bacalao y un café.

Pasaban los platos al camarero por una especie de ventanuco abierto en los azulejos de la pared, y él veía el humo y las ventanas de la cocina, las paredes ennegrecidas, paños dudosos colgados de clavos, brazos gordos de mujer agitando calderos. Tampoco tengo hambre, pensó. Los hombres tomaban sopa de verduras acompañada con pan, bebían vasos desparejados de vino, se limpiaban el mentón y la frente con la manga de la chaqueta.

—Dos cafés y una empanadilla de bacalao —le dijo él al camarero que trotaba entre las mesas, presuroso, cargando una pila de platos y cubiertos. Un calendario de propaganda de las baterías Tudor se suspendía justo encima de su cabeza, se alineaban filas de botellas en los anaqueles pintados de verde. Detrás de una barra de formica, un tipo con labio leporino y aspecto fatigado servía copitas de aguardiente. Alguien colocó frente a ellos los cafés, la empanadilla de bacalao en un platito de plástico, sobres de azúcar. Marília sumergió la cucharilla en el líquido negro con espuma: su cara se asemejaba a la de las personas al borde de las piscinas, vacilando en el salto, probando el agua con el pie.

—Creo que deberíamos volver ya a Lisboa —dijo ella bajito.

El padre, sentado frente al escritorio de la oficina, echaba una gota precavida en la cabeza de las mariposas, y en cuanto los bichos dejaban de agitarse los clavaba, con un alfiler, en una hoja de cartulina. La calva relucía bajo la lámpara con una pantalla roja, una especie de tibieza confortable se desprendía, dorada y castaña, de las enciclopedias encuadernadas.

—Como ya se ha pronunciado la totalidad de los camaradas, vamos a proceder a la votación —anunció el hombre anciano aplacando las discusiones de los otros con las manos abiertas—. Quien esté por el estatuto de observador que levante el brazo —decidió, cruzando ostensiblemente los suyos.

El café, de mala calidad, no disolvía el azúcar, sino que depositaba en la lengua una especie grumosa de polvo. Lo bebió de un sorbo y se apoyó en el respaldo de la silla mientras el padre colocaba la hoja de cartulina en una especie de caja con cajones numerados, y nombres en latín escritos en etiquetas por encima de las asas de metal.

—Oye, nuestra relación no anda bien —dijo Marília muy deprisa—. Probablemente, además, nunca funcionara. He reflexionado bastante sobre ello y creo que deberíamos hacer una pausa hasta que sepamos mejor lo que nos ocurre.

—¿Esto te parece cruel? —preguntó el padre levantando irónicamente la frente hacia él y revelando de ese modo las cerdas blancas, hirsutas, rígidas, de las cejas—. Por el contrario, hijo, es una manera de impedirles que se transformen en larvas.

Había perdido la sonrisa alegre, joven, entusiasta, la exuberancia de la quinta a la que llegaban en julio en un coche enorme, repleto de maletas y criadas. La mujer del guardés había abierto las ventanas, limpiado los muebles, encerado el suelo, puesto flores amarillas en los búcaros. Las habitaciones del primer piso olían agradablemente a madera fresca y a resina, el viento de la tarde traía consigo el aroma tibio del huerto. El padre, con pantalones usados y un suéter viejo, paseaba allá abajo, con las manos en los bolsillos, entre los castaños, aureolado de luz, mis hermanas, con el pelo suelto, giraban en bicicleta en el patio del garaje, y centelleaban los manillares cromados. Una paz enorme y azul, una sensación de eternidad, bajaba del perfil de la sierra, al fondo.

—¿Qué? —respondió él tan alto que varios comensales, asombrados, se volvieron, y la propia Marília echó atrás un poco la silla—. ¿Qué? —repitió en un murmullo.

Pero ahora se había convertido en un hombre viejo, con los huesos del cráneo marcados bajo la piel, las manos llenas de las manchas marrones de la vejez, los salientes y vulnerables tendones del cuello ceñidos, como en un haz, por el alzacuello de seda. Provisto de una especie de pipeta, con unas lentes especiales, pequeñitas, enganchadas en las propias gafas, buscaba la cabeza de los insectos con una gota transparente que oscilaba: Un viejo, piensa, un viejo reducido a pasatiempos de viejo, en medio de sus diccionarios y de sus enciclopedias inútiles. Solo tres individuos, incluyendo a Marília, levantaron el brazo, y uno de ellos, a tu izquierda, acabó bajándolo despacito, a la manera de un tentáculo que se afloja.

—Separarnos hasta entender mejor lo que nos pasa —insistió ella con el tono de voz sin afecto ni odio de poco antes, sujetando la empanadilla de bacalao con una repugnancia infinita—. Hasta puede ocurrir, qué sé yo, que lleguemos a la conclusión de que no podemos estar el uno sin el otro.

—Al contrario de lo que imaginas —informó el padre—, no sufren absolutamente nada. Uno o dos estertores, una leve agitación de las alas (y entonces las sujetamos con la pinza para que no se pierda el colorido) y eso es todo. —Sus pestañas, por detrás de las lentes dobles, se agitaban como patas de ciempiés, se distinguían mejor las estrías sanguinolentas de los párpados—. Y además este líquido —y señaló el frasco de vidrio marrón a su lado— no funciona solo como sustancia mortífera sino también como embalsamador: el cuerpo se conserva de manera casi eterna, un poco como el de las momias egipcias, ¿comprendes? Existen ejemplares perfectos, maravillosos, con más de trescientos años: pertenecían a un duque, los vi en un museo de Londres.

—Las abstenciones —ordenó el que presidía, sin moverse, con un brillo de implacable satisfacción en el rostro.

Pidió otro café y también una empanadilla de bacalao, con el fin de apaciguar el terrible vacío de su estómago. No: mejor un huevo cocido y sal y pimienta. En la arena, un muchacho delgado, con los pantalones remangados hasta las rodillas, seguido por un mastín cabizbajo, empujaba su barquito en dirección al pantano de estaño del agua.

Y un agua con gas por favor: el camarero pasaba y volvía a pasar entre las mesas, atareado, asentía con una señal de la cabeza sin ver a nadie. Las pulsaciones precipitadas en las sienes, las manos sin nada que agarrar: Te quiero, decía sordamente una vocecita estúpida, desajustada, falsa, dentro de él, y una especie de eructo se le escapó de la boca.

—Ninguna abstención —acentuó el que presidía, mirando de frente al tipo que había levantado el brazo y lo había bajado después, que le correspondió con una mirada de soslayo sumisa, intimidada—. Los camaradas que votan en contra hagan el favor de manifestarse.

A veces, padre, te sentabas debajo del parral, conversando con el ciego que había trabajado de administrador para el abuelo y vivía en una casita minúscula al fondo de la quinta, pegada al muro erizado de trozos de botella que delimitaba la propiedad, y una sombra esmeralda, bordada en oro, bajaba sobre tus gestos, semejante a los mantos de las iglesias. El ciego lo oía rascarse la oreja con su monstruoso pulgar de dos uñas, igual al del hijo que conducía una máquina en la fábrica de concentrado de tomate, y aparecía a veces, en motocicleta, en medio de un ruido infernal, con un casco enorme en la cabeza que lo volvía parecido a un escarabajo monstruoso. Sentado debajo del parral conversabas tardes seguidas con el ciego, o fumaban en silencio, ambos quietos, uno al lado del otro en el banco de piedra, mientras la sombra esmeralda cambiaba de dirección, las ramas de los árboles del huerto se volvían más duras, la vivienda, cubierta de enredaderas, se dibujaba contra el cielo pálido con una nitidez de metal. Tal vez el ciego, hombre de andar sin ayuda ni tropiezos en los senderos de la quinta, husmeando cautelosamente el espacio en derredor con el bastón, fuese capaz de darme una explicación acerca de los pájaros, abriendo y cerrando su boca con un único diente, cariado y oblicuo en las encías estrechas, tal vez su voz de gaviota de fieltro me hablase de la agitación del bosque cuando las aves regresan, del frío de la noche a ras de tierra, tocando la flauta en las hierbas, de las plumas finalmente quietas en la espesura de las ramas. El que presidía cotejó los votos sin alterar su expresión:

—Correcto —comprobó—. Dos a favor, ninguna abstención, diecinueve en contra. El marido de la camarada no podrá, por consenso mayoritario, asistir a las reuniones de la célula.

—Nunca te has interesado mucho por esto, pero te voy a mostrar mi colección —propuso el padre dirigiéndose a un armario grande, con cajones muy estrechos, embutido entre dos estanterías de libros, cerca de la mesa de los puros y las bebidas—. Quinientos veintisiete especímenes diferentes es un número razonable, ¿no? ¿Sabías que podría venderla por un buen precio a un museo de historia natural?

Interrogaciones en realidad afirmativas, piensa, la tos autoritaria, celosa de afirmar su poder: mis hermanas heredaron algo de tu arrogancia, de tu certidumbre sin réplica de constituir el centro, el eje, el verdadero motor del mundo. Solo la de la música se asemejaba a mí, retraída, vacilante, sin fuerzas, siempre en busca de algo irremediablemente perdido que no se encuentra. El padre tiró del anzuelo de metal de un cajón y mostró una pequeña vitrina con doce bichos crucificados, por orden de tamaño, en sus rectángulos de cartón.

—¿Qué tal? —preguntó orgulloso.

—Nos separamos al llegar a Lisboa —aclaró Marília, removiendo con la cucharilla la pasta de azúcar del fondo—. Yo me voy de casa, voy a pasar un tiempo en casa de mis viejos: es más fácil que sea yo, tú así de repente no vas a conseguir un hueco donde meterte.

—¿La camarada quiere decir algo en contra del resultado? —inquirió el que presidía, inclinándose hacia delante con una amabilidad de mal agüero—. ¿Qué es lo que no le ha parecido democrático, ha visto algo irregular en el debate y en la votación que hemos hecho?

Yo me encaramaba, ¿sabes?, en la ventana redonda del desván, lleno de camas desarmadas y de sillas cojas, con el propósito de observar mejor la silueta móvil del bosque, los bultos rápidos de las primeras lechuzas de la noche, horizontales en la transparencia lila que separaba los manzanos del huerto, y veía al ciego, allí abajo, podar un rosal con gestos lentos y precisos, ascendentes, idénticos a una sabia caricia interminable: si consiguiese tocarte así, si consiguiese aunque solo fuese acariciarte así, con los dedos convertidos en soplo de besos, perfume de alientos, respiración leve en el pelo, te quedarías conmigo para siempre, nunca te irías, a la mierda la casa de tus padres en el barrio de los Olivais donde vivían, cerca del hidroavión de Cabo Ruivo, anclado en tierra entre humos de petróleo, albatros disecado que desiste.

—¿Quedarme solo en la Azedo Gneco —preguntó él— viendo acumularse la basura? Hace apenas un momento, en el coche, te hice saber que te quiero. Llegué a creer que no te quería, pero te quiero.

El camarero abandonó el huevo cocido en el mantel de papel y desapareció cargado de platos y de bandejas de aluminio goteando una salsa grasienta: Otro pájaro, pensó él, un pobre pájaro con delantal mareado por los pedidos de los clientes, por los gritos, por la multitud de mejillas obscenas, picadas de barba, que mastican, por las órdenes de la cocinera a través del ventanuco abierto en los azulejos. El chico delgado puso el barco en el agua, metió al perro allí dentro como un fardo inerte, saltó a su vez con un salto desengoznado de saltamontes, ordenó las cuerdas en el fondo, y empezó enérgicamente a remar, alejándose poco después, a sacudidas, por la superficie lisa, sin reflejos, del agua. Rompió la cáscara del huevo, aplastándolo en la esquina de la mesa, y la quitó con los dedos como si pelase un níspero, extrayendo también la membrana blanca y translúcida que la forraba por dentro, idéntica a una película de goma, y que se pegaba a las manos con una insistencia de cola. Echó sal y pimienta y mordió sin ganas la sustancia blanda, al mismo tiempo que un segundo barco, fuera, se desprendía de la arena en dirección a Aveiro, esta vez tripulado por dos hombres pequeños, con caras ceñudas, parecidos a una pareja furibunda de gorriones. Los camioneros en el restaurante conversaban soltando píos, graznidos, cacareos breves y roncos, o se movían a lo largo de la barra, de lado, como los papagayos en los trapecios. Marília lo miraba y las minúsculas órbitas redondas de cacatúa se mofaban de él, escarnecedoras, bajo las plumas exageradas de la cabeza.

—¿Por qué habrías de quedarte solo en la Azedo Gneco, por qué siempre lo dramatizas todo? —preguntaste mordiendo el huevo con la ayuda de las uñas curvas y amarillas—. Que yo sepa, no eres ningún lisiado, puedes muy bien conseguir compañía: hay un montón de mujeres disponibles por ahí.

—¿La camarada —interrogó severamente el que presidía— pone en duda la democracia interna de la célula? ¿La camarada se da cuenta de la gravedad de su acusación?

—Nunca estuvo en el Partido, palabra, ni perteneció nunca a ningún partido —aseguró la hermana de la música tomando un sorbito de naranjada (Los cisnes iban y venían, lentos, en el lago del parque.)—. Pobre, no lo veo para nada con banderas ni con estandartes ni militando en nada concreto: era un individualista, ¿entiende?, un solitario, un burgués como todos en casa, en la familia. Vivía en un tiempo imaginario, señor, en un tiempo muerto, fuera del espacio, en un pasado irreal de teteras de alpaca y conversaciones de criadas.

Ahora el restaurante estaba completamente lleno de pájaros, y el propio hombre del surtidor de gasolina, allí fuera, daba saltitos como un gorrión cojo, comprobando los neumáticos de una camioneta cargada de cemento. Los gritos de las aves formaban como un coro agudo que lo ensordecía y asustaba, un mecánico se levantó de pronto, agitando las alas de las mangas, como si alzase vuelo en dirección al techo. El huevo cocido sabía a alpiste, se limpió los dedos en los pantalones, se apoyó mejor en el respaldo de la silla como una gallina vieja que se acomoda sobre el huevo que incuba.

—Necesitas un sitio seguro —dijo Marília con una voz de periquito—. Si empiezas a andar por ahí de habitación en habitación te vas a deprimir muchísimo, ya te conozco de sobra. Como las palomas enfermas, ¿sabes?, quietecitas en las piernas de las estatuas. —El rostro de ella, rojo y azul, inclinado hacia el hombro, lo contemplaba sin delicadeza, con la misma neutralidad objetiva con que juzgaba, desapasionada y seria, las películas de Kubrick—. Estarás mejor en la Azedo Gneco que en una habitación con derecho a cocina en el Bairro Alto, ¿no?

Habitaciones exiguas, armarios con perchas de alambre, ventanas hacia patios interiores, o zaguanes, o transversales miserables cubiertas de basura y de inmundicia, camas con colchas sucias de percal, lavabos oxidados, propietarios sordos y desagradables, la ropa en las lavanderías, al azar. Piensa Cuando viví en el Campo de Santana había un tipo paralítico en la sala contigua que gemía toda la noche y me impedía estudiar, se calmaba en el momento en que la primera luz de la mañana traspasaba a duras penas los cristales polvorientos y sucios. Cierto día murió y el ataúd salió a trompicones por las escaleras, cubierto de paños negros, como el de la abuela, transportado por dos o tres hombres indiferentes. Piensa Vivíamos separados por un tabique forrado con papel con flores y no llegué nunca a verlo, no llegué nunca a conocer su cara. También estaba allí un antiguo cantante de ópera, siempre con un clavel blanco en la solapa ajada, quien a finales de mes se escondía de todo el mundo con la intención de que olvidasen que aún no había pagado el alquiler, que probablemente nunca tendría dinero para pagar. Una noche lo encontré pidiendo limosna en el café adonde iba a leer el periódico, muy digno, de mesa en mesa, dirigiéndose a las personas con la altivez avergonzada de quien les hace un favor. Vivía en el desván y había inundado las paredes con carteles con su propio retrato, de joven, con los ojos lustrosos de fijador y brillantina.

—Canté en São Carlos —me informó pomposamente mostrando un fajo de programas—. Barítono. No, no, haga el favor de leer esto —(el dedo, nudoso de gota, señalaba)—: Amílcar Esperança, ¿ve mi nombre? Se distingue perfectamente, ¿eh?: Amílcar Esperança.

Aflojó los elásticos de una carpeta mohosa, mostró recortes antiguos de periódico:

—¿Quiere examinar las críticas? —preguntó con un destello en los ojos—. ¿Lo que la prensa opinaba sobre mí? Espere, en serio, mire solo esta: «CON AMÍLCAR ESPERANÇA EXISTE FINALMENTE UN BARÍTONO EN PORTUGAL». No está mal, ¿no?

—¿La camarada —preguntó el que presidía con un encono gélido— quiere acaso insinuar que yo he influido en la votación? ¿La camarada está segura de ser plenamente consciente de lo que afirma?

—Los viejos me necesitan, no tienen a nadie más —dijo Marília encendiendo y apagando el encendedor de plástico, aparentemente muy interesada en la llama—. Con la tensión arterial de mi madre, un día de estos le da un patatús, hace falta que haya alguien allí que se mantenga alerta. Apenas saben leer, apenas saben escribir, ¿cómo se las van a arreglar?

—Estuve a punto de ir a cantar a Badajoz, en un concierto —reveló el señor Esperança, echándose el abundante pelo hacia atrás en una sacudida definitiva—. Como estrella del programa, señor.

Piensa Me gustaría tanto que te fueses, que desaparecieses, que te apartases de mi vista, y ahora esta angustia, esta congoja, este pánico, este súbito, creciente amor por ti, esta bola hinchada de ternura en la garganta.

—Quédate conmigo —pedí en voz muy baja, y me vino enseguida a la cabeza la conversación con Tucha, muchos años antes, los bibelots partidos, la rabia, la acritud, la resignación final: bajar las escaleras tropezando con la maleta, llamar a un taxi, apearse en un sótano de la Rua Luciano Cordeiro, con un armario hecho de cajones y una cortinita corredera de percal, un diván desmontable, una lámpara sin pantalla en el suelo, y el dueño de la casa, muy formal, tosiendo a sus espaldas por el catarro de los cigarrillos Três Vintes:

—Como puede comprobar, caballero, es una habitación estupenda.

Piensa No me aguanto solo, piensa Tal vez aún consiga recuperar todo esto, piensa Podemos prolongar Aveiro tres o cuatro días más, pegar los fragmentos de nosotros dos, recomenzar. Avancé con la mano a lo largo del mantel de papel para coger la tuya (Te amo), pero el encendedor desapareció bajo mi palma, se escondió, se refugió, apagado, en el regazo: Joder, ¿qué hay de errado en mí que ya no permites ni siquiera que te toque?

—Aquí tiene el lavabito —aclararon los Três Vintes— y, para ducharse, la puerta al final del pasillo. Los miércoles y sábados, que el gas está por las nubes, a quince escudos la ducha. El jabón y las toallas, claro está, corren por su cuenta.

—Me presenté en el Coliseo con una compañía internacional de circo —susurró el señor Esperança acariciándome el codo con sus falanges nostálgicas—. Entraba justo después del ilusionista, cantando en un número de payasos. Ellos a bofetadas entre sí y yo, imperturbable, con tirantes y suéter a rayas, entonando un aria de *Tosca* hasta que me corrían a escobazos hacia los bastidores. Un éxito sensacional, amigo, desgraciadamente nunca lo quisieron repetir. Fue entonces cuando me convertí en compinche del enano que viene los domingos a jugar a las damas conmigo, era él quien me daba con una tarta en la cara.

—Propongo la inmediata suspensión de la camarada —dijo el que presidía, sibilante de furia—, por poner en cuestión la solidaridad obrera de la célula debido a motivos meramente sentimentales y, por consiguiente, burgueses. Solo quería añadir, camaradas, que de esta forma se prueba con toda evidencia la deletérea influencia del capitalismo.

El enano, siempre con corbata, irreprensible, con una piel color de celofán arrugado, llegaba después del almuerzo caminando como un muñeco de cuerda sobre sus zapatitos de charol, con una boquilla en la boca, frotándose las manos minúsculas, colocadas al extremo de unos brazos que apenas le rozaban la nariz, y se instalaba en una silla, balanceando las piernas, frente al tablero de cartón. Se ganaba la vida como portero en un restaurante de Alfama, porque los clientes apreciaban que aquel homúnculo deforme, disfrazado de mono de organillo, les empujase la mampara de la entrada, desgañitándose en un rezongo confuso de palabras.

—Este es un país que no respeta a los artistas —explicaba el señor Esperança con un tono de desprecio resentido, colocando las fichas para la partida siguiente y avanzando para empezar el botón de pijama que sustituía a una ficha perdida—. Fíjese, amigo, por ejemplo, en cómo nos tratan a nosotros.

—Me toca empezar a mí —gemía el enano, ultrajado.

El señor Esperança retiraba deprisa el botón y giraba el tablero para quedarse con las negras:

—Disculpa, Santos, es que me he entusiasmado hablando con el señor. Tú me conoces, caramba, ya sabes cómo me afectan las injusticias. Me pongo furioso, palabra de honor que me pongo furioso.

Una sospecha de sol iluminó por un instante el mantel de papel, bajó fuera, a lo largo de la ría, desapareció: una claridad de desaliento marcaba el contorno de los rostros tibios, las botellas en los anaqueles, las paredes revocadas con un ocre triste, una imagen enmarcada de santa que, a pesar de las gafas, no distinguía bien.

—Me llevo mi ropa —propuso Marília—, una media docena de libros a lo sumo, no necesito nada más. Y además supongo que si quisiste venir a Aveiro fue para que hablásemos de esto, ¿no? Por ser la primera vez que hablamos en cuatro años seguro que tienes algo que decir por esa boquita. ¿Estoy equivocada? Habla con franqueza, no me gusta jugar al escondite.

El padre cerró el primer cajón y abrió otro más abajo, repleto de ejemplares enormes, de alas semejantes a paletas de pintores:

—Sudamericanas —dijo él—. De Bolivia. Las mandé traer directamente en avión.

—Oh, Santos de mi alma —exclamó el señor Esperança dando una palmada en el hombro ya presa del pánico del enano—, esa jugada ha sido tu último suspiro.

—Disculpe, camarada —gritó el que presidía dirigiéndose al adolescente del acné inflamado—, pero sin duda ya tendremos oportunidad de discutir sus puntos de vista trotskistas en una reunión posterior, si hasta entonces no se ha puesto a pensar en ello con sensatez. Exijo la votación inmediata de mi propuesta y prescindo totalmente de comentarios divisionistas.

—Consigues una asistenta —le aconsejó Marília— y vas a ver cómo te acostumbras en un santiamén. Si quieres, de vez en cuando voy a echar un vistazo a la casa de Azedo Gneco, te ayudo en lo que te haga falta. Los hombres son tan poco autosuficientes, ¿no? Ahora nadie me saca de la cabeza que estabas tramando algo parecido.

—Yo he votado contra el estatuto de observador —clamó el adolescente en combustión (¿Duermes con él?)—, pero no puedo dejar de protestar acerca de la metodología usada. Acuso al camarada presidente de abuso de autoridad, y le advierto que comunicaré lo ocurrido, por escrito, a las instancias superiores del Partido.

Por la mañana temprano se acercaba a la ventana y veía al padre bajo el parral conversando con el ciego, o mirando los rosales, o dando órdenes al guardés, muy bien dispuesto, sin corbata, sentado en el sillín de la bicicleta de mi hermana mayor, con los pantalones prendidos con pinzas de la ropa. La madre leía una revista en el césped, extendida en la silla de lona, junto al estanque de los peces, cubierto de grandes hojas opacas, sin lustre, y que un niño de cerámica alimentaba con su orina sin fin: debe de haber fotos de esa época, Marília, no en la casa de la quinta porque la vendieron para construir edificios cuando Lisboa empezó a crecer desmesuradamente, sino en algún baúl del desván de la Lapa, en sobres o en álbumes enmohecidos, fotos de personas risueñas, en grupo, mirándonos con las órbitas color tabaco seco del pasado.

—Realmente me pasó eso por la cabeza —admití escachando con los dedos la cáscara del huevo—, pero estos días alcanzaron de sobra para reflexionar mejor. En el fondo, ¿entiendes?, no sé muy bien qué haría sin ti.

—Has caído en mi trampa —chilló jubilosamente el enano dando saltos en el asiento. Usaba un anillo de piedra negra en la mano izquierda, envuelto en adhesivo para ajustarlo a las dimensiones de lagartija de sus dedos—. Fíjate solamente en cómo respondo a tu golpe.

—Este es un animal rarísimo —dijo el padre mirando con un pasmo encantado un bicho oscuro—. Si supieses cuánto pagué por él, te caerías de culo.

—Durante la infancia —recordó la hermana de la música—, nuestro padre y él se llevaban bien, con tres mujeres, ¿entiende?, el deseo de tener un hijo varón, un hombre con quien hablar, a quien transmitir la complejidad de los negocios. Pero Rui le salió torcido, nunca quiso saber nada de la empresa, mis cuñados fueron ganando posiciones poco a poco, son ellos ahora quienes dirigen todo.

Le dijo al camarero que quería otro café, intentando mantenerse sereno mientras una congoja ansiosa crecía dentro de sí, le calentaba las palmas, obligaba a la sangre a galopar más deprisa en su cuerpo. Allí fuera, el tipo del surtidor de gasolina llenaba el depósito de un camionero encaramado en la parte alta de la cabina, con una punta de cigarrillo apagado adherido al labio inferior, y del otro lado de la carretera los hombros de los pinos se estremecían de fiebre, oscuros, compactos, enormes. Hay siempre una parte de la noche escondida en el interior de los árboles, piensa, una sólida fracción impermeable de sombra que ningún sol penetra, el núcleo de tinieblas que los pájaros, por la tarde, habitan. Un vaporcito agitó la lámina horizontal del agua, abandonando detrás de sí un rastro inerte de espuma, el cual se deslizó hasta la margen en pequeñas ondas sucesivas, cada vez más insignificantes y planas, y centenares de gaviotas ondulaban en la superficie, impulsadas por la fuerza de las olas, allá lejos, en medio de la ría, donde apenas se les distinguían las cabezas y los cuellos.

A veces, los domingos, cuando Santos estaba aquí, venía a jugar una partida o dos, golpeaba la puerta, pedía permiso, se sentaba en ese cajón que ve ahí que yo ni muebles tengo, unos trastos que me prestaron por caridad, la caja con las fotografías y los recortes de mi carrera artística y que luego le mostraré, aunque más no sea para que usted se haga una idea de la desconsideración que hay en esta tierra: si su periódico tuviese la delicadeza de ocuparse de este asunto tal vez se podría conseguir algo, una pensión, una jubilación, una modesta contribución para quien durante tantos años ha llevado el nombre de su país, ya no digo al extranjero, porque razones circunstanciales me impidieron siempre aceptar las numerosas invitaciones que recibí, por ejemplo de Villa Nueva del Fresno y Badajoz, ha llevado el nombre de su país, decía, a los cuatro rincones del mismo, integrado en la famosa troupe de payasos Piaçaba & Compañía, la cual cerraba el espectáculo del Gran Circo Internacional Ibero-Americano. Yo cantaba un aria de *Carmen*, disfrazado de torero, con una esfera de goma que servía de nariz, acompañado de saxofón y acordeón hasta que Piaçaba venía y le torcía la oreja y él se callaba, y Vassouras, el hermano de Piaçaba, llegaba a escondidas con unos zapatones agujereados, le torcía la otra oreja y él recomenzaba, la ópera obtenía ya un éxito gigantesco en provincias, el único problema era que Piaçaba le pagaba mal y tarde, había días, señor, en que para comer tenía que pedirle unas coronas prestadas al enano que estaba a cargo de un número cómico, con su mujer también enana y los tres hijos enanos, se daban puntapiés y bofetadas tremendas y las personas se reían hasta más no poder, tal vez se acuerda de los Gnomos Húngaros, que era el nombre artístico de ellos, hacían de húngaros que es un pueblo asiático y hasta hablaban una lengua inventada que nadie entendía pero eran tan portugueses como usted o yo, o incluso más porque nacieron en Oporto, el padre de Santos trabajaba como peón de albañil en Miramar, un hombretón que miraba con desprecio a su hijo como a un perro raquítico que no ha crecido, los hermanos deben de estar aún por ahí, en una herrería que tenían, todo muy oscuro y oxidado estremeciéndose de martillazos, la mujer de Santos acabó hartándose de los puntapiés y de ser húngara y lo cambió por un empleado de banca de Famalicão, un tipo delgaducho que se enamoraba solo de enanas y escondía ropa negra interior de mujer en un cajón de la oficina, Santos siguió en el circo pero dejó Hungría para convertirse en colombiano, lo ataban a una diana a la que lanzaban flechas y cuchillos sin acertarle nunca y ayudaba en los intermedios a los tipos que estiraban la cuerda para los equilibristas o montaban las rejas para el único león decrépito de la compañía, un animal centenario, palabra, parecido a un abrigo de piel de camello con el forro hecho jirones recogido en la basura, el cual bostezaba todo el tiempo mientras un domador con una pistola de plástico que pasaba por ser de verdad, alamares y látigo, lo intentaba convencer de que agujerease un círculo de papel de seda o de que subiese a una peana y se apoyase en las patas traseras, el hecho es que dejó de tener dinero para que yo me comiese una hamburguesa y cayó en la bebida de tal modo que empezó a ser él quien me pedía, quien me ayudó fue Madame

Simone, la de las tórtolas y las palomas amaestradas, siempre oliendo a alpiste y a caca de pájaro, que cerraba la primera parte del programa con sus avecillas tirando de cochecitos de plástico y empujando con el pico carretillas de hojalata, todo silencioso, poético, bonito, Madame Simone, con un vestido largo, pelo platinado y hombros desnudos gordísimos, dirigía a los animales con una varita, recorriendo de vez en cuando a los espectadores con sus ojos cargados de hollín del rímel, en la roulotte usaba una bata japonesa de raso con un dragón con la lengua fuera en el centro de la espalda y llamaradas azules y verdes saliéndole de la boca abierta, tenía una imagen de santa Filomena con un pabilo de aceite y la foto de Errol Flynn, ¿se acuerda?, en un marco con rosas de cerámica, el bigote de Errol Flynn le sonreía a santa Filomena con un atrevimiento desmedido que daba incluso la impresión, disculpe, de que iba a salir de las rosas para palparle el pecho con el consentimiento de ella, Madame Simone me preparaba croquetas, rehogados, suflés, comida de la buena, ponía un mantel de hule con rombos amarillos y morados, una botella de vino blanco y dos panecillos, le daba cuerda a la gramola, ponía un tango y se instalaba en el sofá viéndome comer, debía de tener cincuenta y cinco o sesenta años pero la cantidad de pintura de la cara sumergía las arrugas en una pasta uniforme en la que la sonrisa abría grietas en zigzag como en los edificios viejos, yo masticaba las croquetas mareado por su perfume como una mosca atacada por un aerosol, Madame Simone cruzaba las piernas, la bata se abría a la altura de los muslos y una gigantesca porción de carne surgía para mi asombro asustado, balanceaba en la punta del pie la chinela con una enorme borla de caja de polvo de arroz o se inclinaba para conversar conmigo y yo entreveía en el escote los mundos pendientes de sus senos, yo tenía en esa época, déjeme pensar, treinta y tres o treinta y cuatro años, llevaba raya al medio, lacito con lunares y me creía el Tito Gobbi portugués, esperaba en cualquier momento una carta del Scala llamándome para cantar con Stefanini frente a un público maravillado de críticos con levita, imaginaba a todo lo ancho de la primera página del *Diário de Notícias* del día siguiente «AMÍLCAR ESPERANÇA SE IMPONE COMO VIRTUOSO CANTANTE EN ITALIA Y ES RECIBIDO POR EL PAPA», las croquetas de Madame Simone me caían, sabrosas y tiernas, en el estómago, humedecidas por la saliva del vino, alguna que otra tórtola descarriada me palpitaba junto a la cabeza, con el vuelo pesado de los ángeles con acidez, para desaparecer tras las cortinas con un alboroto de alas, arrullos constantes llegaban de las jaulas apiladas en un rincón, plumas sueltas flotaban en el interior de la roulotte y acababan en la alfombra del suelo, en mis hombros, en el plato, en el largo cabello platinado de la domadora, echado hacia la espalda con ondulaciones centelleantes de alpaca, el latifundio del muslo aumentaba a cada impulso de la chinela, los ojos parpadeaban, lentos, en mi dirección, cubiertas las pestañas de minúsculas incrustaciones de lentejuelas, la boca se reducía a una copa saliente y yo pensé Dentro de poco su cara va a estallar en mil pedazos como un rompecabezas cuyas piezas se dispersan, pensé Cuántos centenares entrecruzados de arrugas se multiplicarán bajo esta especie de cemento, Madame Simone se levantó para hacerme café y, al moverse, la bata producía una ligera fricción de papel de fumar al mismo tiempo que incensaba el aire con su perfume de farmacia, encendió el hornillo de queroseno con una cerilla hábil y una corola azul chispeó con rabia en el tallo de metal, Corto o largo, preguntó con una voz de desmayo para mi estupefacción agradecida, Más o menos, susurré con miedo en busca de cigarrillos Tip-Top en los bolsillos, llenó dos tazas, las colocó en una bandeja de propaganda de los muebles Caruncho junto con una azucarera de hojalata con la cuchara clavada dentro del polvito blanco, acomodó todo en la silla junto al sofá estampado, se sentó de nuevo exhibiendo la grosura rugosa de elefante de las rodillas y propuso con una entonación carnívora ¿No prefiere, Esperança, tomar el café en los salones?, acabé el vino blanco que quedaba en el vaso, primero porque hay muchos pobrecitos con hambre y segundo porque me fortalece los agudos, y, mi estimado señor, el sentido del deber artístico siempre ha estado por delante de todo lo demás, o se es profesional o no se es, serlo implica un sacrificio constante, una entrega, una dádiva de uno mismo, un sacerdocio, las tórtolas y las palomas se impacientaban mansamente en las jaulas de alambre, me abroché la chaqueta y caminé, urbano, hacia el ramaje, me instalé educadamente en el extremo golpeando el cigarrillo en la uña del pulgar, por la ventana de la roulotte se veía la lona rasgada del circo y una parte de la jaula del león centenario que cabeceaba constantemente a causa de su sueño, al borde del coma, de empleado público jubilado, se oía a Piaçaba discutiendo, como siempre, con su hermano, eran solteros, dormían juntos, y habían adquirido desde muy pronto hábitos agrios de matrimonio, acabé de golpear el cigarrillo en la uña, me lo llevé a la boca, y una llama de encendedor se me presentó, inesperada, contra la nariz, el cemento se hendía en una sonrisa interminable rellena de las pepitas amarillas de los dientes, me sentía sofocado de perfume, el pelo platinado me cegaba, las órbitas delineadas a carboncillo me engullían, el escote aumentó de súbito cuando ella se inclinó hacia delante y distinguí, allí dentro, encajes lilas y florecitas de tul, una chinela se le soltó del pie y cayó de lado contra mis zapatos, las uñas escarlatas de Madame Simone se acariciaron el doble mentón con una lentitud voluptuosa, relucían anillos hinchados, repletos de piedras, Béseme Esperança, ordenó ella en un sollozo, abriendo los brazos gordos de los que se expandía una fragancia confusa de agua de colonia y de axila, una paloma arrulló detrás del cortinaje, la gramola inició un pasodoble impetuoso, la bandeja se deslizó estrepitosamente al suelo, Piaçaba llamó cabrón de mierda a Vassouras, y me vi explorando los voluminosos misterios de la bata japonesa, con las ondas de alpaca rozándome la cara y una especie de ventosa succionándome el cuello y diciendo Amílcar. Nos casamos en Almeirim, con Santos, de chaquetón, sirviendo de testigo, compenetrado, muy serio, microscópico, lo estoy viendo dibujar su nombre, con la lengua fuera, junto a la crucecita a lápiz que el tipo del registro puso en el margen del papel sellado para que nadie se equivocase, Firme ahí, me mudé a la semana siguiente a la roulotte de ella y la ayudaba a darles maíz a las palomas y a ensayar números nuevos con los picos, por ejemplo a poner todos al mismo tiempo la cabeza fuera de una casita de madera, o alzar el vuelo con las banderas portuguesa y francesa en el pico porque Madame Simone tenía un tatarabuelo marsellés, y había alimentado cuarenta años antes una pasión tumultuosa por un trapecista de Niza que la engañó después con una contorsionista de Sete Rios y le dejó de herencia una hija de mi edad profesora de primaria en Mirandela, la criatura más miope y granujienta que me ha sido dado conocer en toda mi existencia, las lentes de sus gafas superaban en espesor las escotillas de los barcos y se expresaba como si estuviese explicando que uno más uno son dos a un grupo de orangutanes mongoloides, con dolor de muelas, sarna y hepatitis, Simone cuando hablaba de la hija siempre decía Si el circo pasa por Mirandela tienes que conocer a mi Hortênsia y ser un padrastro como es debido que la muchacha pobrecita ni se acuerda de Charles, mientras los colegas montaban la tienda en un solar salimos a buscar la casa y las personas se volvían en la calle para mirarnos, la casa un primer piso tristísimo en una travesía tristísima con sendas agencias funerarias tristísimas en cada extremo dispuestas a enterrar tristísimamente a Mirandela en pleno, subimos una espiral de escalones gastados como huesos antiguos y al final la puerta, la lengua del felpudo, el botón de metal del timbre, tu vestido escarlata muy ajustado encendía la penumbra, con sesenta años y una cintura decente una mujer es todavía una mujer, señor, los goznes giraron, la profesora apareció, delgada y fea, en el umbral, Hortênsia me he casado con este caballero, y la cara de la otra abierta en dos de asombro, los puntitos confusos de los ojos parpadearon detrás de las gafas, en el comedor con muebles en ruinas apuntalados por pedazos de cartón bebimos oporto en copitas azules, por la cortina de bolas se avistaba la travesía, patios con gallineros, un montón de tejados, Simone se arreglaba el maquillaje, por la conmoción de aquel encuentro, en un espejito redondo con la fotografía de Esther Williams del otro lado, la copa de la boca, los párpados, las mejillas, Quiero que mis dos tesoros se lleven bien, la profesora me miraba con una reprobación sin nombre, salimos a las ocho a causa del espectáculo y porque las tórtolas se morirían de hambre en las jaulas, después de una tarde de silencios recriminadores, de pausas sanguinolentas y de la exagerada ternura de mi esposa, con el gollete en una de las manos y la inconmensurable boquilla dorada en la otra, llegamos a la roulotte cuando una pequeña cola crecía ya frente a la garita de la taquilla, ahogada por la música de los altavoces y la voz distorsionada de Piaçaba anunciando a los artistas, un foco iluminaba la jaula del león moribundo al que contemplaba un grupo admirativo, el animal abría de vez en cuando las fauces vacías con una modorra resignada, Madame Simone conversaba con las palomas con chillidos de mimo, el nieto de Piaçaba golpeó los cristales avisándola de que entrase en la pista con las aves, un empleado que servía de traspunte fue a llevar las jaulas a los bastidores, ella se cambió el vestido rojo por gasas largas y negras, flotantes como ramaje de árboles, y entre los dos tocadores surgieron las carnes inmensas, blanquecinas, blandas, las nalgas sin fuerza, las varices, las sucesivas curvas de la barriga, los juanetes, y creo que fue al bajar de las piernas a los juanetes cuando me decidí, fue al observar, desde el espejo rodeado de lamparitas de color ante el que me peinaba, los dedos encabalgados, cartilaginosos, escamosos, de los pies, cuando me creció en las tripas un disgusto extraño, un malestar, un asco profundo y ciego, una agrura de vómito. Yo no entraba hasta la segunda parte, de manera que tuve tiempo de hacer la maleta y para colmo con la prisa o los nervios me olvidé de los calcetines, cogí el tren correo de las nueve y diez para Lisboa y corté de esa forma con la más prometedora carrera lírica de mi tiempo, quienquiera que sea, con una mínima imparcialidad, que haya presenciado mis actuaciones le confirmará lo que le digo, Simone murió meses después, de conmoción cerebral, por haberle caído encima el trapecio mayor, la compañía se deshizo, Piaçaba consiguió un empleo de cuidador en el urinario del Rossio pero lo despidieron porque robaba la potasa, vendieron el león a un emigrante de Venezuela que lo mandó disecar para el vestíbulo, y yo conseguí esta habitación y trabajé unos años en boîtes del Intendente, interpretando sambas-canciones como vocalista del conjunto Necas y sus Endiablados del Ritmo, todos con zapatos blancos, chaqueta a rayas y sombrero de paja, fue en el Bar Picapau donde reencontré a Santos colgando chaquetas en el perchero y llevándoles tabaco americano a las damas, la vida no siempre transcurre como pensamos, ¿no es verdad, señor?, y lo único que podemos hacer es resignarnos, el enano y yo jugamos unas partiditas con garbanzos los domingos o vamos al parque del templete, allí abajo, a recordar el circo, usted ya se habrá fijado en cómo con la vejez él se asemeja a un bebé recién nacido, arrugado y rojo, lleno de muecas y de espasmos, un bebé vestido de hombre, con sombrero en la cabeza y alfiler de corbata, colocamos el tablero junto a la ventana que así siempre se ve un poco de la ciudad, los automóviles, las personas, una iglesia, estatuas, estos enormes edificios de ahora, Santos trae una botellita de orujo para avivar el pabilo del alma, y a veces, y creo que es esto lo que le interesa, señor, usted venía a la habitación, golpeaba la puerta, pedía permiso, educado, delicadísimo, un poco triste, arrastraba aquel banco y asistía a las partidas en silencio, sin beber, u observaba muy interesado los carteles de la pared, yo con pantalones anchísimos, gorro tirolés y bigote de cartón con Madame Simone sonriendo, mucho más joven que cuando yo la conocí, en medio de un remolino de palomas, una tarde me preguntó ¿Por qué tantos pájaros?, y yo le aclaré Es mi difunta esposa que amaestraba tórtolas, y usted, comprende, escuchando calladito, estudiando a los animales, observando los picos, las pupilas, las alas, el alambre finito de las patas, las rémiges blancas, grises, azuladas, que por un instante flotaron en el desván en una danza acongojada por encima de la coronilla del enano, de mi coronilla, de la coronilla de usted que las contemplaba, pasmado, con las mejillas gordas temblorosas, con aquella sonrisa de fraile melancólico que tenía, no sé si se acuerda, la sonrisa de muñeco de cerámica de él, de esos a los que se les tira de una cuerda y sale, con perdón, un pene empinado por debajo de la sotana, el enano le contó que los bichos eran capaces de guiar las carretillas de lata y los columpios de cuerda y el tipo escuchando boquiabierto, Tal vez Madame Simone supiese hablarme acerca de los pájaros, dijo él, hace treinta años que ando buscando eso, y añadió Y hasta soy capaz de aceptar un chorrito de orujo, bebió del botellín, se puso morado, empezó a toser, A ver si le da algo, pensé yo, y en ese preciso momento, ¿entiende?, tuve la certidumbre de oír, no sé si venido del techo, si del armario, si de la colcha de la cama, un arrullar de abubillas, un rozar de plumas, un murmullo que se fue difundiendo de pared a pared hasta que toda la habitación se transformó en un enorme, vibrante, insoportable corral de sonidos, y usted se alzó despacito, vertical, en la silla, para disolverse, con las alas abiertas, idéntico a un serafín ridículo y miope que tosía, en el azul desvaído del cartel.

Los barcos comenzaron a regresar en la tarde gris, uno tras otro, a la estrecha lengua de arena de la playa, y las grandes camionetas allí fuera dejaron de hacer estremecer la carretera como en las imágenes de las películas antiguas, de modo que el tipo del surtidor de gasolina vino al restaurante a conversar con el camarero de las empanadillas de bacalao, los dos con las cabezas muy próximas, junto a la barra oblicua de vejez, como una pareja de novios que conspira. Pensé Hemos pasado el maldito fin de semana arrastrándonos por cafés cutres, sentados en sillas incómodas y duras, asistiendo a la sucesión de los días grávidos de lluvia, parduscos, densos, pesados, viendo a las gaviotas y a los patos flotando en la laguna con una inercia mecánica de juguetes, oyendo el viento en la flauta de los pinos, oliendo los limos putrefactos y los juncos descompuestos, ya sin sangre, de la margen, y en esto Me parece mejor que acabemos, Voy a volver con mis viejos, Puedes quedarte en casa, De vez en cuando vengo a echarte una mano si quieres, todo, en resumen, lo que yo planeaba decirle antes de descubrir que la quería en serio, que me hacías falta, joder, que no sabía cómo mantenerme a flote sin ti, el mismo discurso, las mismas palabras, casi la misma entonación fríamente amigable, y heme aquí con un huevo cocido en ristre, con la sal y la pimienta bajándome por la muñeca, convertido en el maniquí patético de la sorpresa. Piensa Dentro de poco vamos a regresar al hostal, callados en el coche, sin hablar (¿qué hay para decirse ahora?), tan lejos el uno del otro que si por casualidad nos tocásemos no nos tocaríamos, tan extraños como yo de Tucha, Marília, al pulsar el botón del ascensor, solo con la maleta, en el rellano de la escalera, y ella se quedó, por educación, a la puerta, como si yo fuese una visita, piensa, con la vaga sonrisa de compasión ácida en la cara, con la mano en el picaporte, con los niños acechando por detrás con una curiosidad intrigada. ¿Adónde se va papá?, preguntó el menor y toda la sangre se me heló en el cuerpo. Tucha respondió Ya hablaré con vosotros. El inquilino del cuarto derecha, aquí abajo, examinaba el correo: nuestras buenas tardes neutras de costumbre, nuestra amable indiferencia. Piensa Si yo, por ejemplo, me abrazase a él llorando ¿qué ocurriría?, y después, conocida, opaca, habitual, la calle. Dejó el huevo intacto en el plato, se limpió los dedos en la servilleta sacada de un armazón de plástico, apoyó los codos en la mesa y buscó dentro de sí mismo una expresión indiferente, natural, mientras mil agujas invisibles le perforaban porfiadamente, incesantemente, sádicamente, las tripas.

—¿Ya no me quieres? —preguntó él con una vocecita menuda cuyas vacilaciones lo traicionaban.

—¿Nunca has matado a ninguna mariposa? —preguntó el padre, incrédulo, acercando una caja con rejilla con algo que palpitaba en su interior—. La única dificultad, muchacho, consiste en no estropearles las alas.

Los hombres arrastraban los barcos hacia tierra, los ponían boca abajo, desaparecían debajo del balcón de madera del restaurante, con rollos de cuerdas colgadas del hombro. ¿Por dónde andarán, piensa, adónde irán ahora? Varios tonos de gris, varias manchas superpuestas y diversas se movían lentamente en la ría; el cielo se asemejaba a un enorme, desmesurado, cóncavo rostro sin facciones, apoyándose en las copas oscurecidas de los pinos.

—Si algo no podemos permitir, camarada —advirtió el que presidía con una gravedad inquietante—, es que los sentimientos personales se sobrepongan a la tremenda lucha colectiva que trabamos por la victoria final del socialismo.

—No se trata exactamente de querer o no querer —dijo Marília trazando en la ceniza del cenicero, con una colilla, un movimiento pensativo en espiral—, tú planteas siempre las cuestiones en términos emocionales que las simplifican y vacían. Se trata ahora de considerar, por diversos motivos, que debemos proceder de esta manera. Las cosas no marchan bien, tal vez nunca hayan marchado bien entre nosotros, no lo sé. Orígenes de clase diferentes, diferente formación, culturas diferentes, objetivos diferentes. Hace cuatro años que estoy prácticamente alejada del Partido por nuestra relación, y creo que es hora de que me acerque de nuevo. Por ejemplo, con respecto a eso me siento culpable, detesto dejar las cosas a medias.

—¿Quieres ir a vender ediciones baratas de Marx al Rossio, como si fueses la Eva de la Navidad? —pregunté yo, despechado.

—Tienes que cogerlas con mucho cuidado —explicó el padre, y sus dedos, leves, precavidos, hurgaban en el interior de la caja con despaciosos ademanes de algas—. Hay pinzas y guantes especiales pero como más a gusto me siento es así.

—Dejó de ir a casa —dijo la hermana mayor—, prácticamente nunca más lo vi. Prácticamente no lo vi, en realidad.

El que presidía se inclinó hacia delante y aferró el borde de la mesa con tanta fuerza que se le pusieron blancas las articulaciones:

—La clase obrera no admite debilidades, camaradas —rugió—, la dictadura del proletariado no consiente tergiversaciones.

El vecino seguía mirando el correo en el vestíbulo que la portera había sembrado con tiestos de plantas famélicas, yo alzaba el brazo mecánico hacia los taxis, Tucha, allá arriba, acostaba a nuestros hijos con una eficiencia seca de enfermera. Piensa Comprendieron seguramente que ocurrió algo anormal, pero no se atreven a preguntar, se ponen el pijama, se lavan los dientes, se meten en la cama. Piensa Echo de menos sus cepillos pequeñitos, mientras los patos se alzan del agua y trazan una ancha hipérbole en dirección a la ciudad. Piensa La ropa de colores en la silla, los zapatos minúsculos, piensa Su respiración cuando duermen, piensa Cómo me he permitido abandonar todo eso.

—Si me mandan vender a Marx al Rossio, venderé a Marx en el Rossio —afirmó Marília sacando el encendedor del eterno y estúpido bolso con abalorios—. Pero ¿por qué demonios te cuesta aceptar que no eres el centro del mundo y que existen cosas mucho más importantes que tú?

—Los oprimidos, ya lo sé —dijo él—, conozco la cantilena de memoria. —(Y las agujas pinchaban y pinchaban con una angustia infinita.)

El tipo del surtidor de gasolina volvió a salir para encerrarse en una cabina de cristal, repleta de latas de aceite y fajos de facturas: Dentro de poco va a cerrar, pensé yo, se monta en la moto, se marcha entre sollozos, trepidando en el asfalto con un ruido de latas que se entrechocan. El padre extrajo finalmente de la caja, con el índice y el dedo corazón, un par de alas que vibraban, con un cuerpo minúsculo, agitando las patitas y las antenas, en el centro.

—La primera parte de la operación está concluida —susurró él—, fíjate ahora en lo que hago.

—Claro que sabía cosas de Rui de vez en cuando —dijo la hermana mayor encogiéndose de hombros—. Que seguía dando clases en la facultad, que escribía una tesis subversiva, que no se atrevía a separarse de la pelmaza de su mujer. Este es un mundo muy pequeño, ¿entiende?, y además dos amigas mías decidieron meterse en la carrera de historia para entretenerse y siempre lo veían por allí.

—Camaradas —afirmó el que presidía, soltando el borde de la mesa—, de ahora en adelante no toleraré desviaciones pequeñoburguesas en la célula, desviaciones de las que he sido, hasta el presente, el principal culpable. Como responsable, me dispongo desde ya a hacer una autocrítica, y en nombre del internacionalismo socialista exijo lo mismo de los demás.

Piensa Nunca más doña Agostiña, tuerta, regando las moribundas plantas esqueléticas de la entrada, nunca más el fontanero jovial que todas las semanas venía invariablemente a desatascar el mismo lavabo con el mismo alambre en anzuelo, nunca más Tucha discutiendo con la asistenta por cada plato que se rompía, nunca más Pedro por la mañana, con la almohada bajo el brazo, pidiendo en silencio, con las órbitas redondas, venir a acostarse en nuestra cama. Por el casco antiguo y sin pintura de los barcos se escurría un agua oleosa como sopa, los grises de la ría cambiaban poco a poco de color.

—Por más que te cueste, no eres el centro del mundo —insistió Marília con el cigarrillo encendido, olvidado en la mano inerte—, y ya vas teniendo edad para convencerte de eso. Eres un hombre igual a los demás, bonito, con tanta importancia como ellos.

Piensa Sin agresividad, sin ironía, sin odio, sin pretender imponer sus ideas a través de la complicada red de silogismos de costumbre, en la que aprisionaba de ordinario mi capacidad de responderle. Casi con ternura, piensa, amistosamente, como cuando se argumenta con un niño un poco impenetrable, un poco obtuso. Piensa ¿Qué sentirías por mí en ese instante? ¿Piedad, indignación contenida, pena resignada, una indiferencia total, absoluta? Y no obstante el rostro de ella era el mismo, asimétrico, feo, implacablemente sereno. El padre abrió las alas de la mariposa en una hoja de papel, les fijó las extremidades con alfileres minúsculos, buscó con los ojos el insignificante frasquito del líquido mortal.

—Una cerveza —pedí levantando el dedo al camarero que se había encaramado en un banco para encender el televisor en un estante junto al techo. Los patos pasaban en triángulo, muy alto por encima de nosotros, en la dirección ventosa del pinar, en la amplia dirección del mar: ¿habría áridas escarpas hacia el norte, lugares de postura, sitios de sueño, hoyos en la arena repletos de crías ansiosas? El tipo del surtidor de gasolina colocó un candado en la cerradura del cubículo de cristal, se demoró ajustando la hebilla del casco abollado, puso a funcionar la vieja motocicleta oxidada empujando un pedal con la zapatilla y partió humeando detrás de los patos. Un taxi paró finalmente junto a él, la Rua Azedo Gneco dio lugar a otras calles enmarañadas y diversas, vendedores ambulantes, un cine, el café con billares de los tiempos del instituto. Un epiléptico, tumbado en la acera, espumajeaba sangre entre convulsiones, observado con curiosidad entomológica por una pareja de viejas con la bolsa de la compra colgada del brazo.

—Propongo que este desagradable incidente —dijo el que presidía con una sonrisita ácida— se olvide inmediata y totalmente en nombre de la cohesión de la célula —(La voz se esforzaba en vano por adquirir una dulzura que no tenía.)—. No toleraremos, camaradas, que se abran, por ínfimos que sean, abismos entre nosotros.

Y las gaviotas, pensó, ¿cuándo se irán las gaviotas o aquellos pájaros diminutos, blancos, de cola larga, a saltitos en la arena? ¿Cuándo quedará la ría vacía de aves, horizontal y lisa como un vientre, alzándose despacio hasta tocar la noche? La hermana mayor levantó el teléfono de la horquilla con un gesto lánguido:

—Fueron alumnas de él, no entendían ni jota de las complicaciones extrañísimas que mi querido hermano soltaba en las clases. Desistieron al cabo de seis meses porque echaban de menos el bridge, no tenían la menor paciencia para semejante plomazo. Vamos ahora mismo al Círculo a por ellas.

Piensa ¿Qué se habrá hecho de doña Agostiña, qué se habrá hecho del burócrata del cuarto piso, siempre penoso, concentrado, lento, lleno de cumplidos, de delicadezas, de si me hace el favor, de vaya vaya, de atenciones?

—Papá se ha marchado —explicó Tucha—. De ahora en adelante nos quedamos los tres solos en casa.

—Una gotita, con mucho cuidado, en la cabeza —dijo el padre. Una gota azulada se estremeció en el borde del frasco, se desprendió, cayó sobre el insecto, y el tronco del bicho vibró un segundo, las patas se agitaron en una especie de espasmo, pareció que las alas se desprenderían de los alfileres. El viejo, con la frente inclinada hacia un lado, esperaba silbando a la sordina.

—Por encima de todo soy tu amiga —dijo Marília bebiendo un trago de mi cerveza y sonriéndome con un bigote blanco alrededor de la boca—. Tal vez esto no signifique gran cosa para ti, pero soy tu amiga en serio.

El sabor amargo del líquido, las tonalidades progresivamente más oscuras de la tarde, idénticas a las de las pupilas que duermen, el camarero de nuevo encaramado en el banco afanándose con la fila vertical de botones del televisor en busca de una imagen que no llegaba. Y el viento fuera, despeinando las hierbas mustias de los parterres.

—El domingo —anunció jovialmente Tucha apoyada en la litera de los niños—, papá viene a buscaros para ir al Jardín Zoológico con él a darle cinco escudos al elefante, visitar la aldea de los monos y comer cacahuetes. ¿Estáis contentos?

Piensa Los muñecos de trapo de la habitación, los cuadros de las paredes con osos y gatos y el Hombre Araña suspendido por un hilo de un edificio altísimo, los muebles azules con flores un poco ridículos, el desorden de costumbre en el cesto de mimbre de los juguetes. La noche de Lapa alrededor, piensa, mansa, familiar, casi íntima, el sosiego de las calles conocidas, de los olores conocidos, del silencio.

—Viva la clase obrera —vociferó el que presidía, con el puño cerrado en alto, de pie al lado de la bandera roja apoyada en un rincón—. Viva la lucha por la liberación de los pueblos oprimidos del mundo.

—¿Dígame? —susurró la hermana mayor al teléfono, enrollando el hilo encaracolado en torno al pulgar—. No, paso ahora mismo a buscarte, ya iba a salir con el coche. El torneo comienza a las cinco y media, ¿no?

—Esta historia contigo ha sido como una especie de paréntesis en mi vida —explicó Marília limpiándose la boca con la manga—. He descubierto que no estoy hecha para el matrimonio, ¿entiendes?, y además hay cosas que son realmente más importantes para mí.

Solo después de sentado al volante, se acordó de abrir la otra puerta. El individuo del restaurante seguía desde la barra, con el cuello torcido, interesadísimo, las imágenes invisibles del televisor.

—Listo —dijo el padre sujetando el insecto inmóvil con las yemas de los dedos y trasladándolo a una plancha rugosa de cartulina—. Ahí está, definitivamente muerto. Fácil, ¿no?

Cuando puso el motor en marcha, cerca de la jaula de cristal, tuvo que encender los faros porque había oscurecido. Había oscurecido tanto que no se distinguía la presencia próxima, asmática, de las olas.

DOMINGO

La ría comenzó a entrar lentamente en su sueño del mismo
modo que dos voces se mezclan: al principio era solo la laguna desalmada e inmóvil del agua, la lengua saburrosa de la
arena, los pinos astillados en la niebla, los barcos raros y la ciudad a lo lejos, imprecisa como los ojos de los ciegos, pero además los pájaros, las gaviotas y los patos y las aves sin nombre
del Vouga le invadieron piernas y brazos, devoraron las cirue-
las fétidas de los testículos, le arañaron con las patas el interior
de la barriga, se le posaron en los hombros, en los riñones y
en la espalda, le picotearon el sueño confuso en que se debatía (la madre incubaba un huevo enorme, con él y las hermanas allí dentro, mientras jugaba a las cartas con las amigas), y
cuando la primera bandada en vuelo penetró, gritando, en su
cabeza, se despertó con sensaciones de náufrago en la espuma
de los huesos, y un sabor de limos en la boca abierta por un
grito sin sonido. Las sábanas de la cama flotaban despacio camino del balcón, algas dispersas danzaban en la almohada, un
pez transparente se le escapó, pestañeando con las aletas, de
entre los muslos, y desapareció en el cajón de la cómoda, en
medio de las camisas y de los calzoncillos. Marília roncaba
bajito y su respiración de hámster lo conmovió, lo conmo-
vieron los dedos que asomaban fuera de la manta y se acercaban y alejaban de vez en cuando en tibios espasmos vege-
tales: tantos años viéndote dormir, cuando el comprimido
dejaba de hacer efecto y yo me despertaba, angustiado, en la
oscuridad, encendía la luz y el sosiego de tu forma extendida

a mi lado me irritaba como una mala suerte injusta, tantos años odiándote lentamente desde el fondo pedregoso del insomnio, pensando con júbilo en la fragilidad de tu cuello estrecho, en la tijera de la canastilla de la costura para cortarte las muñecas, en apretarte la cara con la funda tenaz de la almohada.

—No, nunca sospeché que ella no lo quisiese —dijo el padre, incrédulo, en busca de los puros en el bolsillo del chaleco—. Además, escuche, ¿qué más podía querer una paleta como ella?

Yo me despertaba, encendía la luz a tientas (las farolas de la Azedo Gneco, abajo, subrayaban levemente las persianas de una dulzura sin color) y pensaba Deben de ser las tres, las cuatro de la mañana porque es siempre a esta hora cuando regreso a la superficie de mí mismo, a la superficie de las sábanas, con el llanto de mis hijos retumbándome en los oídos, y Tucha, fea, despeinada, amenazadora, enorme, con el gigantesco índice levantado señalándome la calle Fuera de aquí ya no te quiero. El agua helada del frigorífico, cuyo contenido se asemejaba, a lo lejos, al de un bolso de mujer, sabía a hierro, los pies descalzos se acaracolaban, erizados, en las baldosas de la cocina, un frío de sudor le bajaba por la espalda, entre la piel y el pijama, el reloj eléctrico, por encima de la puerta, marcaba las dos y media, y acababa sentándose en el sofá de la sala, sin fumar, sin leer, sin pensar en nada, mirando, con los ojos muy abiertos, la sombra geométrica de la estantería. Pasado un tiempo el médico le consiguió unas pastillas cuya acción se prolongaba hasta las cinco o seis y le estrangulaban los sueños en una pasta confusa, de la que no conservaba en la mente nada salvo un recuerdo de episodios fragmentarios y sin nexo, y empezó a no levantarse de la cama, sintiendo crecer el día en los ruidos de vísceras del edificio, en cuyas tripas se revolvían platos, cisternas, cubiertos, el silbido sordo del ascensor, las voces agudas, que parecían discutir constantemente, de los vecinos. Como ahora en Aveiro, pensó, en la habitación del hostal saturada de humedad que sumergían la ría y las gaviotas, oyendo los pasos de los ingleses ancianos, moviéndose como buzos en el pasillo, mientras tu pecho que subía y bajaba, alejando y acercando las varillas de abanico de las costillas, parecía dirigir la oscilación de los muebles, el jugo de mi sangre y el movimiento de las paredes, en una ondulación de marea.

—Si no se encienden con cerillas de madera le aseguro que el sabor no es el mismo —explicó el padre mostrando el puro con una sonrisa de anuncio de revista: un caballero aún elegante, con las sienes canosas, bien vestido, instalado en su sillón de cuero en un ángulo confortable de la biblioteca. Estiró las mejillas en una bocanada, observó la ceniza con una mueca grave—: Que quede bien claro que me he mantenido siempre lo más alejado posible de esa relación.

—Estuve armándome de valor un montón de tiempo para hablarle abiertamente, detesto las situaciones equívocas —dijo la mujer descuidada sacudiéndose la caspa de la chaqueta con el dorso de la mano—. No por falta de valor, ¿entiende?, sino debido a la fragilidad de él. Hasta que aproveché la sugerencia de un fin de semana fuera y me decidí. Claro que lo que ocurrió después no tuvo nada que ver con eso, ya nadie muere por una relación que ha fracasado.

La prima de la clínica entró gruñendo dentro de una jaula, con las mejillas cubiertas de pelos largos de Papá Noel:

—La mujer barbuda, damas y caballeros, recién llegada especialmente de Colombia —clamó el médico hindú ante la familia inmóvil en las gradas—, rasgará para todos ustedes tres guías telefónicas de una sola vez, gracias a la fuerza impresionante de sus músculos. Solicitamos al respetable público que por favor no se acerque demasiado, debido a la peligrosidad natural de su temperamento selvático.

Tu reloj, en la mesilla de noche de formica, marcaba las seis y media, las bandadas de gaviotas giraban sin descanso en la superficie de la laguna. Una sombra informe creció, se fue acercando, y se me precisó de repente en la cabeza: Separarnos. La respiración de Marília sacudía ahora los muebles con una especie de rabia, el techo parecía a punto de deshacerse en nuestras nucas en costras polvorientas de escayola, tintineaban vidrios ilocalizables, el aire de las tuberías suspiró y el sonido se prolongó durante mucho tiempo en el silencio, con una vibración de violonchelo. Separarnos separarnos separarnos separarnos, repetían irónicamente los graznidos de los pájaros en una burla escarnecedora, un perro ladraba de furia bajo la ventana (Separarnos), los pinos se saludaban unos a otros moviendo los largos brazos oscuros en los que se escondía la noche, acuclillada (Separarnos), un aliento helado soplaba en el vértice de los eucaliptos su secreto sin sentido: Separarnos. El señor Esperança, con las cejas pintadas, y enormes tirantes rojos, ajustó el micrófono mientras el enano, por detrás de él, de pie en una silla, probaba el clarinete sucio cuyo son femenino ondeaba, en espiral, a su alrededor, idéntico a una voluta muy tenue de humo:

—Nunca más vino los domingos a jugar a las damas, leímos más tarde, en el periódico, por casualidad, lo que le ocurrió —dijo él con una voz de cinc de Juicio Final, distorsionada por los embudos de los altavoces—. En su memoria interpretaré para el distinguido público el conocido pasodoble «Te quiero, España».

—Qué tontería —sonrió el padre con un gesto de enfado que le hizo centellear el anillo de final de carrera del meñique—. Que yo sepa, nadie en la familia se ha matado por una estupidez semejante.

—No me pareció muy abatido cuando hablamos del tema —dijo la mujer descuidada bajando los escalones de la facultad camino de la parada del autobús, arrastrando la cartera tras de sí como una niña berrinchuda—. Se quedó quieto, callado, mirándome con la expresión vacía de costumbre. Aparentemente igual, ¿sabe?

—Era un neurótico de cuidado —informó el obstetra guardando la bata en el cofre del hospital, y sacando de allí dentro el chaleco colgado en una percha de alambre—. Y los neuróticos, ¿entiende?, aguantan con suma calma los temblores de tierra afectivos. Si se mató, y fíjese en que planteo el suicidio solo como hipótesis, si se mató, decía, fue seguramente por cualquier otro motivo.

Ahora estoy completamente despierto –pensó él–, tumbado en una cama de esta horrorosa posada mediocre que el Vouga deja poco a poco al descubierto, excepto un leve temblor de agua en la superficie de los espejos y el perfil de una gaviota en las persianas, suspendida sobre la ría a la manera de un gran pájaro sin peso, de cartón. Estoy completamente despierto por dentro del ruido ensordecedor de mi cráneo, sumergido en el silencio de yeso de la mañana, y me asemejo a la calavera desenterrada de un animal muy viejo, con las órbitas llenas de neblina, los dientes rechinando, sueltos, en la cerradura de las encías, y tu antiquísima presencia a mi lado, roncando como un cocodrilo deforme en las sábanas. Seis y media, siete menos veinticinco, siete menos dieciocho: una claridad oblicua, anaranjada, rompe a duras penas la bruma, y se acerca a la margen en un halo de miríadas de partículas suspendidas de bruma, en cuyo seno los pájaros se asemejan a barcos sin timón, desgobernados, reducidos al contorno estrecho de los huesos, radiografiados, contra la lámina opaca del cielo. Se recostó en el respaldo de la cama, pasó los dedos por el pelo ralo, que casi se transparentaba, de la frente, y cerró los párpados: se encontraba ya en la calle y Tucha, allá arriba, cerraba la puerta, les hacía una caricia distraída a sus hijos, marcaba el número de teléfono (Finalmente me veo libre de él, imagínate) de una amiga, y conversaba entre risitas y secreteos, con las piernas cruzadas sobre los cojines del suelo: Puta de mierda, me has arruinado la vida. Tanto tiempo para conseguir que aceptases salir conmigo, tanto tiempo para conseguir que te casases conmigo: No lo sé, déjame pensar, es muy pronto. Tus hermanas menores se burlaban de mí en el pasillo cuando fui a cenar allí por primera vez, tu padre me extendió los dedos blandos, distraídos, sin levantar el culo de la silla, siguiendo el telediario con la mitad inferior de las gafas:

—¿Está bien?

La madre de Tucha mandó que sirviesen la sopa con una seña imperceptible de las pestañas: en la pared, un paisaje inglés del siglo diecinueve exhibía, entre las cortinas de las ventanas, sus verdes majestuosos y pesados:

–Un poco blandengue para mi gusto, sin nervio –dijo ella con los tendones del cuello salientes bajo las arrugas de la piel–. No tenía energía, no tenía garra, ¿me está entendiendo?, se veía enseguida que salía perdiendo en comparación con mi hija.

Una de las hermanas de Tucha, con zapatillas, vestida con una especie de bañador centelleante, subió a una especie de peana amarilla y blanca y dobló lentamente el cuerpo hasta tocar la corva con la cabeza:

–Los gordos son asquerosos –articuló entre dientes, con dificultad, junto con una sonrisa forzada–. La barriga del tipo me daba siempre ganas de vomitar.

Marília, pensó él, ¿qué haré ahora? Nunca logré entender exactamente la importancia que tenías para mí: me pareciste siempre demasiado resuelta, demasiado fuerte, demasiado capaz frente a mis vacilaciones constantes, a mi recelo, a mi cómico pánico de todo, a la perpetua duda sobre él ¿Y después? de cada momento. No era solo Marx, y el cine norteamericano, y el teatro de vanguardia, y las uñas cortas, y el mal gusto para vestir, y la camiseta interior del padre asomado a la ventana de la casa, con los pelos del pecho que salían de los mil puntos del tejido: era la seguridad en el desorden, la tranquilidad doméstica en el polvo de los muebles, la certidumbre de que estabas allí por los restos de caspa en el cepillo del pelo, la sensación de que me protegías de las camisas mal lavadas por la asistenta, de la falta de leche en el frigorífico, de las visitas al psiquiatra, de la soledad y de la gripe, la esperanza de que me defendieses de la nostalgia de Tucha y de los niños, y de la acritud constante, inquisitiva, de la familia, de las preguntas, de las miradas disimuladas de soslayo, del asombro fingido, de las muecas. Se levantó para beber agua porque la saliva le amargaba la boca, y distinguió, del otro lado de las cortinas, el paisaje, anclado como un barco, de costumbre, los mismos pinos, los mismos eucaliptos, la misma carretera casi sin tráfico, la misma niebla pegajosa y fría.

—Desde que se fue de casa nunca supe muy bien cómo era su vida —explicó la hermana de la música que con vestido de noche, desmañada y fea, hacía gestos de molinete con los brazos y las manos, bajo el alambre en que el profesor de gimnasia realizaba, en un equilibrio difícil, complicados ejercicios—. Una bohemia resignada, creo yo, una vida cotidiana de corto vuelo.

—Falta de empuje, falta de empuje —chilló el obstetra desde la penumbra, pincelando la cara de Carlos con una escobilla de retrete llena de espuma, mientras sujetaba con la otra mano una gigantesca navaja de madera—. A cierta gente le encanta regodearse en la cutrez, ¿no?

—Mis yernos me llamaban constantemente la atención sobre su incapacidad de administrarse a sí mismo, y me mostraban a cada paso el peligro de atribuirle un lugar de relieve en la firma —dijo el padre meneando la cabeza con una resignación melancólica, al mismo tiempo que sacaba un tiesto de geranios de papel del bolsillo de la chaqueta con una presteza de ilusionista—. El hecho es que era una persona extraña con intereses estrafalarios, con manías absurdas: Mire, poco antes de morir, por ejemplo, vino a pedirme que le explicase cosas acerca de los pájaros, como si los pájaros, ¿no?, pudiesen explicarse: nunca comprendí qué quería decir con eso: los pájaros, escuche, ¿usted lo entiende?

Se irguió en medio de una explosión de aplausos (parte de la familia, de pie en los bancos de madera, lo vitoreaba entusiastamente, las manos se entrechocaban con un frenesí unánime, las bocas se abrían y se cerraban silabeando su nombre), y se dirigió al cuarto de baño acompañado por el cono de luz de un proyector, con el traje de payaso del pijama danzando cómicamente a su alrededor. Los párpados maquillados con ojeras, la nariz enrojecida y la barba sin afeitar provocaron la hilaridad de los espectadores: un tío gordo, al fondo, con la boca muy abierta, se golpeaba las rodillas con las palmas, sofocado de la risa. Al extender crema Palmolive en las mejillas, el foco mudó al lila, la cara se asemejó de súbito a almorranas a punto de reventar, y una carcajada enorme estalló en el público, pronto subrayada por la orquesta con un berrido de trombones. Ajeno, ridículo, desastrado, se vio en el espejo limpiándose la cara con la toalla y pensó ¿Cuántos años hace que, día tras día, repito este número idiota? ¿Por qué no me despido del circo o el circo no me despide a mí?, pensó, mientras la voz del padre horadaba las baldosas anunciando, con un tono mortecino, al artista siguiente, que el entusiasmo del público ahogó de aplausos y de gritos.

—Así —murmuraba el viejo blandiendo el frasco de las mariposas—, una gota en la cabeza basta. —Y se inclinaba para verter, con una pipeta, su gota asesina en las narices pálidas de la madre—. Fíjate —decía él— en qué poco tiempo tardan en morir: un momentito, uno o dos estremecimientos, ya está. —Abrió los grifos de la bañera, se sentó en el borde, y dejó que el agua corriese hasta el desagüe de arriba, probando de vez en cuando la temperatura con la yema del dedo. Los metales, las vajillas y los cristales del minúsculo recinto se empañaban lentamente, la lámpara del techo se alejaba, vertical, muy lejos de sí, a la deriva en una bruma de vapor, hasta convertirse en una luna lejana, opalina y opaca. Se desabrochó la chaqueta del pijama y allí estaba su orondo cuerpo sin aristas, cayendo en anchos pliegues blandos huesos abajo, la rosa hirsuta del pubis, las rodillas convergentes, estrábicas, recriminándose, airadas, la una a la otra: el enano, con dragonas, se dobló solemnemente en una reverencia y me señaló con el guante enorme:

—Señoras y señores, niñas y niños, respetable público, henos aquí dispuestos a alcanzar el momento culminante de nuestro espectáculo de hoy —vociferó dando unas volteretas vehementes alrededor de la pista—. El Gran Circo Monumental Garibaldi os ofrece en vivo el número único, no televisado, del suicidio de su principal artista. La dirección recomienda a los cardíacos, a las embarazadas, a los deprimidos y a las personas sensibles en general que abandonen la sala para evitar incidentes emocionales desagradables. Como podéis comprobar, el inolvidable Rui S. procede en este instante a su último baño.

Se extendió a lo largo, apoyó la nuca en el esmalte, cerró los ojos, y los miembros, libres, flotaron en el agua con una pereza despaciosa de pelos. Hasta la cabeza, entorpecida por el vapor y por el insomnio, se balanceaba leve, mientras el padre, en el despacho, colocaba a la madre en una plancha de cartón con algo escrito (¿un nombre en latín?) a los pies. Pensó ¿En qué cajón del armario la va a meter?, y empezó a enjabonarse (el cuello, las axilas, la barriga) con una de aquellas pequeñas muestras, envueltas en papel plateado y verde, de hotel, para ahuyentar el sueño. El padre se agachó casi hasta el suelo e introdujo la lámina en el armario destinado a los ejemplares menos raros o en peor estado, y de donde emanaba, a veces, un olorcito viscoso. Su rostro surgió, cohibido, disculpándose:

—Aún no había perfeccionado mi técnica y estropeé un montón de bichos con líquidos inadecuados: no te imaginas qué cara nos sale la torpeza.

Se afeitó en la bañera palpándose al azar el mentón y las mejillas, y al salir del agua, envuelto en la toga de la toalla, con la frente calva coronada de pelos mojados, idéntico a los senadores romanos del cine, comprobó que la compañía entera, en traje de gala, exuberante de plumas y de capas de terciopelo, lo observaba, apiñada en silencio junto al telón de los artistas. La hermana de la música, semioculta por la silueta cuadrada, reluciente de músculos, del profesor de gimnasia, se limpiaba las lágrimas con un pañuelo discreto: un trazo de rímel le bajaba en dirección a la boca, los rizos del peinado se alisaban poco a poco en su habitual flequillo sin gracia. El médico hindú, con una aguja enorme atravesándole el pecho delgado de faquir, rellenaba el certificado de defunción apoyando el papel en una de sus rodillas esqueléticas. La orquesta (tres o cuatro primos con melenas fúnebres, instalados en un tablado junto a la pista) atacó, desafinadísima, un tango cadavérico, y él empezó a secarse al ritmo de la batería mientras que su tronco difuso reaparecía, de abajo arriba, en el espejo, oxidado y pálido como un novio de sirena: Con este aspecto moribundo solo me falta el anzuelo en la boca, pensó él, solo me falta haber sido recién pescado. Pensó ¿Cuando lleguemos a Lisboa coges la maleta y te marchas, o te quedas todavía unos días en la Azedo Gneco, ya distante, ya ajena, ya extranjera, mirando las patatas coloradas de la cena con una concentración apática? ¿Tiraré tus fotografías a la basura, las guardaré en el baúl, me moveré furioso, triste, resignado, anclaré, como las miniaturas de barquitos de los marineros, en el interior de la botella de orujo, esparciré un aliento mortal en los anfiteatros de la facultad? ¿Te buscaría, Marília, tiempo después, para pedirte con lágrimas en los ojos, suplicante como un perro despreciado, que volvieses? ¿Me apearía del autobús, deshecho de ansiedad, en el barrio de tus viejos, te esperaría apoyado en el buzón de correos, alfombrando la acera con afanosas colillas de cigarrillo? ¿O derivaría hacia una relación tempestuosa con una alumna cualquiera, caprichosa, sardónica, adolescente, arrastrándome todas las noches, por la correa de sus exigencias sin réplica, hacia cervecerías humosas repletas de chicas con el pelo sucio, zapatillas y faldas largas floreadas, acompañadas por tipos con mochila, de genio indiscutible, que concurrían anualmente a premios de poesía con cuadernos de versos ferozmente fragmentarios? La hermana menor, con minifalda y guantes blancos hasta el codo, pintadísima, en equilibrio en una bicicleta de una sola rueda, trazó en el aire, con los brazos abiertos, dos arabescos graciosos con las muñecas:

—Aquí estamos todos, aquí estamos todos —ronroneó ella con su vocecita amohinada de muñeca—. No podíamos perdernos la muerte de él, ¿no?

—He estropeado un montón de bichos, no hay por qué negarlo —se disculpó el padre, fruncido por arrugas enfadosas—, pero ahora, en contrapartida, no fallo con ninguno. ¿Quieres verlo?

Comenzó a abrir afanosamente los cajones del armario, y yo distinguí, clavadas con alfileres en las planchas de cartón, las aves de la infancia, las que al atardecer alzaban vuelo de la higuera del pozo en dirección al bosque, con las alas crucificadas y las pupilas acuosas desmesuradamente abiertas de terror.

—¿Vamos a agujerearles la barriga? —propuso el padre con una risa cómplice, extendiendo la manga hacia la plegadera de plata de los libros—. Si les rasgamos la panza y vemos lo que tienen dentro, tal vez consigas encontrar, ¿sabes?, esa célebre explicación acerca de los pájaros.

Se puso calzoncillos limpios (el público aplaudió la delicadeza de su atención), los calcetines y la camisa de la víspera (que provocaron algún que otro silbido disperso, de desagrado, de los espectadores), los pantalones de pana (Casi nunca me los pongo, pensó, ¿por qué demonios me acordé de meterlos en la maleta?) y la cazadora del uniforme comunista, y se quedó unos instantes inmóvil, en medio de la habitación, viéndote dormir y pensando ¿Por qué? Algo irremediable se había roto desde la víspera como un viejo motor estropeado que se paró, y se sintió de repente muy abandonado y muy solo en la mañana de Aveiro, que hacía ondular aún en los espejos su sombra sin color. Una luz insinuada aclaraba los muebles al sesgo, tu poncho colgado en la silla como la piel suelta de una serpiente, un talón fuera de las sábanas, suspendido del vacío como el pie de un ahorcado. Piensa La primera vez que te vi desnuda fue en el apartamento de una amiga, en Algés, me invitaste a ir allá para conversar mejor, en calma, de Orson Welles, Nunca se ha hecho una película como *Ciudadano Kane*, fíjate por ejemplo en la secuencia de la vejez, yo prefería a Fellini, Visconti, los italianos, que tú clasificabas, autoritaria, de arte decadente. El apartamento estaba en una cuarta planta sin ascensor con vistas a la calle de los tranvías y sus casas viejas y sin gracia, árboles delgados, barracones en mal estado, ruidos metálicos de talleres. Piensa Discutimos horas sentados en sofás forrados con una especie de plástico perla, con pésimas reproducciones de pintura en las paredes, cortinitas y techo acastañados por el humo, una absoluta impersonalidad en los ceniceros de metal y en los muebles esquemáticos, cada cual con un vaso de refresco en la mano, obstinadamente serios, con los pies apoyados en la manta a rayas que servía de alfombra y se doblaba y volvía a doblar bajo las suelas. Había libros de contabilidad en un estante bajo, revistas antiguas, un cerdito alcancía de cerámica «RECUERDO DE MALVEIRA», y de vez en cuando las tuberías protestaban ruidosamente a sus espaldas con la turbulencia de los gases. En el cuarto de baño, la bañera muy sucia, rodeada por una cortina rasgada, y el inodoro atascado, maloliente, en el que se amontonaban compresas de menstruación, trozos de papel higiénico y espuma de orina, lo asquearon, y prefirió lavarse las manos en el bidé, huyendo del lavabo lleno de pelos rubios y de trozos resecos de jabón. El propio espejo se enturbiaba por los excrementos de moscas y de insectos aplastados de una palmada, y los dos o tres frascos de perfume colocados en un armarito blanco se le antojaron mohosos y cubiertos de polvo. Hicieron un amor incómodo y rápido en el diván de una sala exigua, cuyos muelles se les escapaban constantemente por debajo del cuerpo, y después, cuando fumaban un cigarrillo tumbados boca arriba, echando la ceniza en el envoltorio de celofán del paquete, y recogiendo periódicos brasileños de la pila de papeles amarillentos bajo la cama, oyeron el ruido de la llave en la cerradura, se taparon rápidamente con la colcha de percal, y casi enseguida, en vendaval, agarrada a una cartera enorme, la amiga entró en medio de un remolino de volantes, tiró la cartera en un rincón, se sentó en el suelo apoyada en un mueble de puertas de cristal en el que se amontonaban al azar documentos y revistas, y empezó inmediatamente a quejarse, nerviosísima, de sus alumnos del instituto (Pertenecía a la clase de personas, pensó él, que parten palillos a trocitos en los restaurantes), limpiando las lentes de las gafas con la punta de la camisa, y arrancando costras de huevo de la colcha, con la uña, en un súbito, inesperado afán de limpieza.

—Estaba preocupadísima, pobre, no sabía qué debía hacer —le recriminó después Marília, acusadora, en el autobús—, y tú, para colmo, con cara de mono, callado como una tumba, no ayudaste nada.

Poco después, entre sorbos de refresco (No consigo beber otra cosa, ¿qué os apetece a vosotros?), por fragmentos de conversación, restos de diálogo, frases ocasionales, se enteró de que la amiga daba clases de matemáticas en la Amadora, había vivido unos años con un estudiante brasileño de medicina, militaba en una organización revolucionaria, y no debía de gustarle mucho lavarse: un sudor de chivo se mezclaba con el de ellos en una trenza de olores desagradables y vehementes, mientras una franja de sol trepaba como una babosa a lo largo de la pared, dividida en dos por la esquina del mueble. Cuando la muchacha se levantó, con el pelo claro y sin brillo sacudiéndose alrededor del cuello, recogió a toda prisa los calzoncillos del suelo y se los puso, y, a gatas, comenzó a buscar los calcetines bajo la cama.

—Deberías haberle agradecido a ella que nos prestase la casa —continuó Marília, con una voz contenida, después de un silencio furioso— en lugar de arrastrarme casi desnuda hacia fuera —(Su cara se reflejaba en el cristal en la tarde moribunda: Dos jodidas Marílias, pensó él)—. Después de esta escena, te juro que nunca más vuelvo allí.

Pero yo me sentía incómodo, húmedo, humillado, demasiado desnudo delante de aquella mujer excesivamente locuaz, excesivamente a sus anchas, soltando sin interrupción nombres de personas que yo desconocía, riéndose contigo de episodios pasados sin significado para mí, recordando un paleolítico común que me excluía. Y me irritaba tu ausencia de pudor delante de ella, los hombros al aire, el pecho fuera de la colcha, el ombligo a la vista, el inicio enmarañado de los pelos. Me subí los pantalones mientras conversaban, me abroché la camisa, anudé al buen tuntún los cordones de los zapatos, me apoyé ostensiblemente en la puerta a tu espera, y tú, sin verme, proseguías interesadísima el tumultuoso diálogo con tu amiga, con los senos temblando de entusiasmo y el vaso vacío de refresco en la mano, olvidada ya de mí, fijando citas, visitas a exposiciones, una noche en casa de un antiguo novio pintor, un bajo donde todas las sillas me ensuciaron los fondillos de pintura y en el cual una vieja solitaria, con las guedejas teñidas de violeta, levitando, enteramente absorta, en un ángulo de la sala, esnifaba coca con un billete de cien escudos.

—Mi madre —la presentó el pintor, con los pelos sobre los hombros y la voz aflautada, dando giros, con pasitos leves de bailarín, para distribuir vino blanco a unos grupos de barbudos creídos y muchachas de una fealdad irreversible, envueltas en el lento humo dulzarrón del hachís.

—¿No te diste cuenta de que ella se quedó tan amilanada como nosotros y necesitaba un poco de conversación para relajarse? —preguntó Marília, siempre reflejada en el cristal, con el mismo tono punzante y acusador: las fachadas se deslizaban, líquidas, por detrás de ella, edificios, tiendas, esquinas, personas amontonadas en un quiosco de periódicos—. Pero claro que como a ti te revientan mis amigos no entendiste un carajo de lo que ocurría.

Se inclinó hacia delante en el asiento del autobús y se vio también, nublado, en la ventanilla, con los ojos sustituidos por dos agujeros oscuros, y sombras móviles en las mejillas y en el mentón. Encogió y estiró disimuladamente los dedos, y la imagen, pronto, lo imitó: No hay por qué dudar, pensó, soy yo. Soy yo y por cierto con la misma expresión atolondrada de sonámbulo con la que divagaba en el taller del pintor, tropezando con telas absurdas (un trazo negro, dos trazos negros, tres trazos negros, siempre los mismos, sobre fondo blanco, o amarillo, o verde), con pies torcidos, de uñas crecidas, calzados en sandalias bíblicas, con zapatillas, con botas de suela de goma de reforma agraria intelectual, y, por fin, en el cuerpo extendido de la vieja violeta, sobrecargada de collares, que besaba arrebatadamente a un chaval imberbe, con una pulsera de pelo de elefante en el tobillo, rodando ambos en una estera marroquí. Si son estos los novios que tuviste antes de mí deben de ser estos los novios que tendrás después de mí, pensó él, con la mano en el picaporte de la puerta, observando tu sueño en la mañana de Aveiro, cuyo cielo se desplegaba más de nubes como las varillas de un abanico, abierto a partir de la superficie horizontal de la ría, en la cual se reflejaba la silueta achatada de la ciudad, dibujada, muy leve, en la tela. Poetas con encías de escorbuto, vagos cineastas de opiniones definitivas, críticos de jazz ladrándose con meliflua ferocidad a las piernas unos a otros, tipos imprecisos, con pañuelo hindú al cuello, buscando el balón de oxígeno de un cigarrillo salvador en los bolsillos vacíos. Y la noche de Lisboa allí abajo, piensa, la batahola de latas de los hombres de la limpieza, las estrellas polares de las farolas iluminando, fijas, óvalos azulados de pared, el neón de una tienda de televisores perforando las tinieblas junto a una comisaría.

–Aquí estamos todos, aquí estamos todos –repitió la hermana menor subiendo, siempre pedaleando, una rampa en espiral–. Menos nuestra madre, claro –añadió ella con su murmullo de muñeca.

El padre continuaba mostrándole cajones y más cajones de pájaros crucificados, las pequeñas aves de la infancia que flotaban, panza arriba, en su cielo de cartulina etiquetada, encogiendo las patitas contra los flacos vientres ateridos, y mientras cerraba despacio la puerta para que Marília no lo oyese y bajaba a la planta baja del hostal, perseguido por el cono del proyector y por la música fúnebre de la orquesta, echó una ojeada a la multitud de caras familiares de los artistas que lo observaban, amontonados cerca del telón, disfrazados con el maquillaje, con las narices postizas, con las pelucas, con las plumas y, de hecho, no logró distinguir a la madre entre aquella maraña confusa de primos, de conocidos, de compañeros de colegio, de amigos de antaño reencontrados, ocasionalmente, en la calle, más gordos, más barrigones, más calvos, preocupados y serios. Pensó Tal vez telefonearon miles de veces desde la clínica buscándome, tal vez el viejo dejó a medias un viaje de negocios para regresar deprisa, contrariado, a Lisboa, llegar

a las Amoreiras alisándose el pelo de las sienes, parlamentar
con el médico, entre susurros, en el pasillo, abrir y cerrar las
patillas de las gafas, acabar sentándose, solo, en una de las rígidas sillas tachonadas de la sala de espera, muy cohibido, mirando con órbitas neutras de notario un almacén antiquísimo.

–Tucha vaya y pase –dijo la voz de la madre, gigantesca, al
micrófono, haciendo vibrar las vigas que sostenían la lona–.
Pero esa tal Marília, por el amor de Dios, no quiero oír hablar
de ella.

El guardés movió apenas las gruesas manos sensibles como
antenas, posadas levemente sobre la tela de las rodillas. Las narices rugosas husmeaban delicadamente el aire:

–Vamos a tener un buen año, muchacho.

Vamos a tener un buen año, muchacho, piensa él instalado
a la mesa del desayuno, observando con repugnancia la habitual cestita de mimbre del pan, los rollitos de mantequilla, las
teteras metálicas, las frutas de plástico en una copa de porcelana. Un hilo anémico de agua se escurría de una cascada in-
crustada en la pared, tropezando de concha en concha hasta
desaparecer, sin gloria, en una especie de desagüe de bidé. El
camarero, con chaleco, dormitaba apoyado en una cómoda
repleta de vasos y de pilas de platos, con una servilleta en el
brazo. Por las ventanas, el mismo día de siempre se dilataba
desde su pus de lluvia, y las gaviotas de costumbre bailaban, a
lo lejos, en una mancha más oscura, color de tinta de escribir,
de la laguna. Un cuco revoloteó desmañadamente, nadando
en la niebla, entre los pinos.

–La última comida del malogrado historiador –anunció el
enano con una pirueta sarcástica, frente a las risas divertidas
del público. El señor Esperança, con la nariz en el tablero, colocaba las fichas para una nueva partida, y en cuanto retiraban
alguna de ellas del juego se apresuraban a sustituir el botón de
pijama:

–¿Cuál de nosotros dos comienza ahora? –preguntó, indeciso, rascándose la cabeza. En un cartel un hombre joven, con
el que poseía semejanzas remotas, sonreía, con levita, incli-

nando uno de los hombros, con una simpatía exagerada. Una faja oblicua, en un ángulo, anunciaba en rojo «AMÍLCAR ESPE-RANÇA, LA VOZ ROMÁNTICA DE MARVILA».

Piensa ¿Por qué no veo a mi madre tomando el desayuno en una de las mesas de la sala vacía, con un libro abierto al lado de la taza y una tostada olvidada en la mano, a centíme-tros de la boca, aguardando un telefonazo del extranjero que no llegaría nunca, esperando que mi padre, súbitamente jovial y tierno, le propusiese Vuelvo antes de Italia, Fernanda, ¿qué tal un fin de semana a orillas del mar? Bebió un sorbo de café mirando el agua, los árboles y los arbustos cada vez más rese-cos de la margen, la humedad que adhería al balcón su vaho ansioso de animal. El café le causó escozor en la lengua y dejó, por un momento, de sentir un afta dolorosa de la mejilla, que no lograba dejar de chupar constantemente. El público, incli-nado en las sillas, asistía desde la sombra con una atención desmesurada, él pensó, sin miedo, sin alarma, ¿Cómo será esta tarde al llegar a Lisboa? ¿Te ayudo con las maletas? ¿Te per-mito que te vayas? ¿Llamo a un taxi por teléfono y nos que-damos en la sala, callados y tensos, a la espera del ruido del motor allí abajo, del claxon reticente del automóvil? ¿Nos despedimos en el vestíbulo con un beso recriminatorio y amargo, hirviendo de odio? ¿Vuelvo adentro, cierro la puerta, y noto con melancolía que todo el polvo de la Azedo Gneco me pertenece, todas las revistas, todos los libros inútiles, toda la basura? ¿Cómo se pone en marcha la lavadora comprada de segunda mano al prestamista bizco, cojeando en el tendejón oscuro en que se acumulaban naufragios de desgracias? ¿Atien-do si suena el timbre, pregunto quién es, inclinado, como una navaja, desde el rellano? El público aplaudió sus dudas domés-ticas mientras él se limpiaba el mentón con la servilleta, em-pujaba la silla hacia atrás, se levantaba. En los cristales la ne-blina se deshilachaba como un traje ajado, los barcos, boca abajo en la franja de arena cerca del hostal, adquirían una es-pecie desvaída de colores, como rostros que despiertan de lar-gos desmayos. Estrías derretidas de sol flotaban sin dirección entre las nubes, y el horizonte permanecía desierto, despoblado de aves y de perros.

—Que le hablase acerca de los pájaros, imagínese qué estupidez —dijo el padre con un rictus resignado—. Pedirme a mí que hiciese el papel de biólogo sin más ni más, ¿entiende?, yo que soy un pobre hombre de negocios.

Rozó la mesa donde debía de estar la madre, camino de la salida, y de paso sacó un cuchillo grande, con la hoja dentada, del aparador de los platos y de los vasos, mientras el enano, súbitamente iluminado por un violento foco lila, vociferaba:

—Señoras y señores, niñas y niños, estimado público, solicito de vosotros la cortesía de observar convenientemente la terrible arma del suicidio: no hay truco, no hay trampa, no hay embuste: se trata, como podéis comprobar, de un legítimo y auténtico acero inoxidable de fabricación portuguesa, el mismo que conquistó Lisboa a los moros, expandió la Fe y el Imperio, circundó el globo, y actualmente empuja el arroz hacia el tenedor, y lo ayuda a extraer, con delicadeza incomparable, las espinas de la merluza en el restaurante.

Y con un tono teatralmente interrogativo de final de episodio, destinado a estimular la curiosidad de los espectadores:

—¿Cómo la utilizará el inventivo Rui S.?

No eran mariposas, piensa, eran jilgueros y verderones y gorriones y mirlos y petirrojos y abubillas crucificados en el papel, eran los pájaros de la higuera, los pájaros del pozo, los pájaros del bosque los que él coleccionaba en el armario del despacho, en decenas y más decenas de cajones numerados, proponiéndome con un tono cómplice, susurrado, que me echaba, a pesar de los perfumes, a pesar de los desodorantes, a pesar de los aerosoles, su vaho tibio de viejo en el oído:

—¿Vamos a rasgarles la barriga para enterarnos de qué tienen dentro?

—¿Cortar las muñecas, las carótidas, la garganta entera, hacer el haraquiri? —preguntó estentóreamente el enano mientras unas chicas con diadema y tacones altos, con sonrisas congeladas en los labios rojos, recorrían meneando las nalgas el contorno de la arena, transportando carteles en que se leía CORTAR LAS MUÑECAS, CORTAR LAS CARÓTIDAS, CORTAR LA GARGANTA ENTERA, HACER EL HARAQUIRI–. La gerencia, damas y caballeros –gritó el enano con actitud solemne–, deseosa de obsequiar a sus distinguidos espectadores, distribuirá sobres sorpresa que contienen valiosos regalos entre los que acierten en el método de suicidio elegido por el desventurado profesor de historia, gracias a la gentil colaboración de los Preservativos Donald, Donald el enemigo número uno del crecimiento demográfico, de las Medias de mujer Penélope, Penelopícese y sienta la diferencia en la mirada tierna de su marido, y del Gimnasio Mano de Hierro, en Chelas, con filiales en Tavira y en la Póvoa do Varzim, porque Mano de Hierro, en menos de un año, hará de usted, en la playa, la envidia de los hombres y el blanco apasionado del sexo opuesto.

Guardó el cuchillo en la cazadora sin que el camarero, con los ojos cerrados, se diese cuenta, y abandonó el comedor camino de la calle. Sentía el cuerpo tenso, la espalda le sudaba, la camisa se le pegaba a los omóplatos, una mujer mayor, en un camarote, se apresuró a taparse la cara con los dedos. Y allí estaba la recepción del hostal, piensa, el estante de las llaves, las postales ilustradas en el armazón, en forma de cono, de alambre, el teléfono, los desplegables «VISITE AVEIRO», el gran cenicero redondo, de cerámica ocre, con las iniciales de la posada, la empleada antipática, con gafas sujetas con una cadenita al cuello, rellenando con una letra complicada una especie de mapa de papel cuadriculado. Piensa Allí estaban las plantas en el lago bajo la escalera de caracol, y el verde oscuro, casi obsceno, de las hojas, lustrosas de un lado y opacas del otro, los zarcillos semejantes a tentáculos gelatinosos, las piedras con musgo, las ranas de cerámica: una vez logré arrastrar a Tucha al Invernadero después de horas de poderosos argumentos botánicos (Parece mentira que nunca hayas ido, hay helechos preciosos diseñados por Chanel e importados directamente de París, seguramente has visto las fotografías en el *Vogue*), nos sentamos en un banco de tablas, al abrigo de un arbusto repugnante y maloliente, y me preparaba para tocarte los senos, palparte los muslos, besarte, cuando, de repente, después de haber pasado delante de nosotros una excursión de colegiales, guiada por una profesora de piernas razonables que dos tipos de bigote y gafas ahumadas seguían, con la colilla en la boca, farfullando madrigales, lo que se me antojaba un eucalipto en miniatura se transformó en un guardia uniformado, bajito y lustroso de sudor, que avanzó hacia nosotros en un torbellino de odio:

—¿A qué se debe esta falta de vergüenza? —refunfuñó.

Tucha, pálida, se alisaba la falda, se componía la blusa, se retocaba al azar el pelo con la mano desgobernada, y yo me encogía contra las tablas, sofocado de miedo, abriendo y cerrando la boca sin mejillas, sin encías, sin dientes, sin lengua, reducida a una inútil caverna de pavor. El guardia, frente a nosotros, remolineaba de furia, un nuevo grupo de niños asomaba en la curva de una alameda.

—Y saque la mano de ahí, so guarro —me ordenó el tipo, con el rostro encendido—, a ver si empezamos respetando a la autoridad antes de que yo lo obligue a respetarla a puntapiés.

Me había olvidado completamente del pulgar pecaminoso en la raíz de tus caderas, frotándote despacio el pubis hacia abajo y hacia arriba, me había olvidado completamente de la rodilla apoyada en tu rodilla, de las pantorrillas comprimidas una junto a la otra, de las cabezas atontolinadas demasiado próximas. Transpiraba de pánico y no obstante el hombre era más bajo que yo, más débil, mucho más viejo, fácil de intimidar con la amenaza de una bofetada o el fantasma omnipotente de mi padre. Piensa ¿Fue en ese momento, Tucha, frente a mi cobardía, a mi incapacidad de luchar, cuando empezaste a despreciarme? Se apartó hacia el otro extremo del banco, intimidado, una rama le rozó la oreja, y el vientre del guardia se le acercó a la nariz, cubierto de gruesos botones plateados, redondo, minúsculo, tierno, vulnerable: Pero ni aun así fui capaz, piensa, seguí disminuyendo, palideciendo, sintiendo la sangre rápida y desigual en las sienes, mientras que el tipo se daba cuenta de mi temor y se crecía en importancia y en coraje:

—¿Y ahora, desvergonzados? ¿Qué tal una multita, qué tal una estancia en el Gobierno Civil para curaros de los ataques de calentura en público?

Piensa Una cabeza calva pequeñita, unos ojitos minúsculos y estúpidos, la cerilla en la comisura torcida de la boca danzando al ritmo de las palabras, la nariz que sorbía, radiante de importancia, hinchado como un pene enfermo. Los labios volvieron a moverse desdeñosamente con una aplicación escupidora:

—Tres días en chirona curan la calentura en un instante.

Tucha había abierto el bolso, buscaba el pañuelo allí dentro, se enjugaba los ojos. Piensa ¿Cuántos años tendríamos? ¿Veintidós, veintitrés? Contempló unos minutos las plantas del vestíbulo, blandas como mucosas, desagradablemente carnívoras, y se apoyó en el ciprés de alambre de las postales ilustradas hasta que la empleada antipática, la de gafas con cadena, acabó su mapa y le prestó atención, con una arruga de desagrado en la frente. El guardia introdujo los dedos en el cinturón y balanceó ligeramente el cuerpo esférico, sin músculo. Una punta de lápiz asomaba fuera del bolsillo.

—Los carnets de identidad —pidió él con un susurro oleoso de amenazas—. Los carnets de identidad y la acreditación profesional.

—Querría que me preparase la cuenta, por favor —dije yo amablemente—. Volvemos hoy a Lisboa.

No había ningún automóvil a la puerta salvo el nuestro, estacionado en la grava, con la rejilla pegada a un arriate de geranios como si los pastase, como si fuese un enorme mamífero de metal con los faros de las órbitas apagados y opacos, sonámbulos, y después la arena, la mañana nublada y pegajosa, los hombros de los árboles sacudiéndose en silencio, el cielo y la ría reflejándose mutuamente como dos espejos paralelos. El guardia, que movía las orejas leyendo, retrocedió un paso, indeciso: el tono de su voz se había vuelto acongojadamente respetuoso:

—¿Este papel quiere decir que usted es médico? —preguntó él empujando la gorra hacia la nuca, encogido de timidez.

—El infausto joven —sollozó pomposamente el enano señalándome con el índice aparatoso a la familia en las gradas— va a abandonar el hostal para su último y postrer paseo. Estamos a punto de llegar, señoras y señores, al punto más alto, al vértice, al ápice, a la cumbre, al paroxismo de nuestro inolvidable espectáculo. Maestro: el *Bolero* de Ravel.

Los cuatro o cinco individuos tristes de la orquesta cambiaron de ritmo, encabezados por un tipo delgaducho, con corbata y peluca, que los dirigía escoba en ristre con grandes gestos vehementes que le bajaban las mangas ya demasiado cortas y mostraban los guantes blancos, de dedos larguísimos, y a lo lejos, sobre el agua, oscilando levemente, los patos y las gaviotas del Vouga, inmemorialmente inmóviles, ¿a la espera de qué? La empleada de la recepción lo observó sin simpatía, revolviendo, sin mirarlo, una pila de rectángulos de papel repletos de números minúsculos:

—Hay que desocupar la habitación a las doce en punto —informó ella con su timbre agrio.

Qué mujer tan reseca, pensé, qué cuerpo tan reseco, qué cagajón reseco, esquelético, rencoroso. Piensa Qué acidez debe de tener ella, cómo se le deben de agitar ahí dentro las tripas, carbonizadas, en un tumulto sulfúrico. Los miembros de la orquesta usaban narices de varios colores, mejillas enharinadas, bombines, suéteres a rayas y gruesas cejas de carbón.

—Es médico, sí —dijo Tucha—, da clases en la universidad. —Y su voz, empañada de un odio corrosivo, parecía ablandar al guardia, vaciarlo de la autoridad de sus gritos, disminuir la agresiva importancia de su uniforme, convertirlo en un ser insignificante y provinciano, sumiso, dispuesto a afanarse en disculpas. Fue entonces cuando decidí casarme contigo, piensa, fue entonces cuando por primera vez te admiré: los ojos enormes, la boca desdeñosa, el amargo pánico tragado a la fuerza convirtiéndose en una tonalidad sin réplica de ama. Piensa Tu modo de hablar con las asistentas, los fontaneros, las empleadas del supermercado, las costureras, la superioridad, para ti obvia, sin réplica, del nacimiento, la tos del abuelo vizconde en tu garganta, el esnobismo arrastrado, imperativo, de la madre dando órdenes a los hijos por encima del tablero de chaquete. Piensa Fue entonces cuando decidí casarme contigo para que me protegieses de los demás, impidieses a los guardias de los invernaderos intimidarme con el Gobierno Civil, para que resolvieses por mí, por tonto que te parezca, los asuntos que yo no era capaz de resolver. El enano, efusivo, volvió a acercarse al micrófono:

–Una nota simpática más, damas y caballeros –anunció él triunfalmente, mientras la orquesta se callaba con un redoble de tambor–. Nuestros sobres sorpresa, destinados a premiar a los que acertaren en la forma del suicidio, corte de las muñecas, de las carótidas, de la garganta, haraquiri, perforación de los pulmones, certero golpe cardíaco, han sido ahora mismo enriquecidos gracias a un generoso donativo de la Pomada Eyaculal, que aumentará fácilmente el largo de su pene en tres centímetros y medio. ¿Sufre usted problemas de tamaño, se cohíbe al orinar en los mingitorios públicos, se queja su esposa de insatisfacción sexual, tantas veces generadora de un desentendimiento entre las parejas, cuando no de tormentosas separaciones y dolorosos divorcios, le angustia, en suma, la longitud de su órgano viril? Aplíquese Eyaculal por la mañana y por la noche y obtendrá rápidamente la majestuosa dimensión que ambiciona. Eyaculal, la crema que ha llegado a colocar a los portugueses, de acuerdo con las últimas estadísticas del Instituto Estatal de Placer del Arizona Phillips, Phillips & Phillips, en el lugar cimero del mundo no socialista en lo que se refiere a la capacidad eréctil y al volumen de los cuerpos cavernosos. Eyaculal, el único medicamento de su clase que no provoca erupción, eccemas, deformidad ni dolor. Y después de esta agradable noticia de nuevo el *Bolero* de Ravel. Maestro, por favor.

El individuo de levita y cabellera de estopa levantó la escoba, el tipo del acordeón hizo una seña con el mentón al clarinete y a la guitarra eléctrica, la música recomenzó, fúnebre, ganando fuerza a cada compás, la mujer antipática de la recepción le volvió ostensiblemente la espalda, desinteresada de él, para examinar un dossier, vacilé un segundo, desconcertado, empujé con la rodilla la puerta de cristal que se movió sin rumor, oponiéndome la leve resistencia oleosa de los goznes, y salí al frío de la mañana, enmohecido de humedad suspendida y opresiva, como si millares de partículas transparentes de algodón danzasen, sofocantes, en el aire. El guardia le devolvió los documentos, amilanado:

—Disculpe, doctor, pero yo pensé que usted y la señora eran una de esas parejas de viciosos que se pasan aquí la vida palpándose delante de todos. Tenemos orden de no permitir guarrerías, vienen aquí muchos niños, muchos colegios, usted comprende, doctor, y yo me arriesgo a perder el puesto si me dejo llevar por blanduras: no podía adivinar que usted fuese la persona de respeto que es, doctor.

La franja de arena, el agua color mierda, la aterida congoja de los eucaliptos, aves desconocidas pasando, veloces, entre las ramas, el lodo pútrido y canceroso de la margen, idéntico a leche cuajada, y, allá al fondo, los patos, planeando ahora en dirección a la ciudad. Querría que me preparase la cuenta, por favor, volvemos hoy a Lisboa: carreteras lentas, descampados, poblaciones dispersas, el silencio incómodo, compacto, sobreponiéndose al ruido del motor, sentido como una especie de calambre en el estómago: Quiero separarme de ti, quiero separarme de ti, quiero separarme de ti, repiten las mansas olitas color ceniza de la margen, deshechas en los flancos anclados de los barcos. Y el domingo voy a buscar a mis hijos, a pasear con ellos por el jardín de la Gulbenkian, a tumbarme en la hierba, con los ojos cerrados, bajo un sauce, mientras ellos juegan a la pelota, o conversan, o discuten, o se caen, o lloran. Piensa Nunca les he hecho mucho caso, nunca les he prestado mucha atención, fueron siempre inciertos, confusos y embarazosos en mi vida, dos seres extraños a los que había que alimentar, vestir, entretener, vacunar, oírles a veces, desde la cama, las quejumbrosas pesadillas que sacudían la casa dormida, impidiéndome descansar, olvidarme de mí, sumergirme en el pozo pantanoso del sueño. El mango del cuchillo le apretaba las costillas, la punta de la hoja le pinchaba la cintura: de pie en la grava, a la entrada del hostal, oía el rumor de tarántula del público, sus toses dispersas, el rascar de los zapatos, conversaciones, cuchicheos, algunas risas, se esforzaba en vano por distinguir las caras que la penumbra volvía anónimas, percibía a duras penas el juego de los reflectores allí arriba, lloviendo sobre él con su claridad despiadada y excesiva. Junto al telón de los artistas las hermanas se codeaban con ansiedad, lo alentaban con pequeños gestos de la mano, y la de la música, con la cara revocada de pintura y de lágrimas, le sonreía. No puedo fallar, pensó él, tengo que lograr un número decente. El guardia los acompañó hasta la salida del Invernadero, minúsculo, insignificante, inofensivo, disolviéndose en disculpas:

—Por lo que más quiera, doctor, no dé parte de mí a la dirección. Yo me irrito por cualquier cosa, es una desgracia, hasta he comenzado ahora un tratamiento para los nervios por la seguridad social.

Rebuscó desesperadamente en los bolsillos, sacó de los pantalones un frasquito con píldoras, con un copo de algodón bajo la tapa:

—Me han recetado estos tranquilizantes, el médico me explicó que no los hay más fuertes, me ha prohibido la bebida, el tabaco, el café. Y aun así acabo de perder la cabeza con ustedes, ya ve. —(Y los ojos de mastín apaleado mirándolos, pidiendo, implorando.)

Tucha se ensoberbeció: Nos las vas a pagar, cuando ella sonríe así, pensé yo, la única solución es atarse al mástil mayor:

—Escriba en un papel su nombre y su número. Mi padre es diputado en la Asamblea Nacional, seguramente va a querer hablar con sus jefes. Él se enorgullece mucho de sus hijas, no admite que se las trate sin consideración. Y su ordinariez, francamente, se pasa de la raya.

El tipo, microscópico, inició el movimiento patético de arrodillarse sobre sus pantalones sobados. Las pestañas ralas temblaban:

—Apiádese de mí, señorita, que si pierdo este empleo se me viene el mundo encima. Les doy de comer a cinco bocas, mi mujer no puede trabajar por culpa de la tensión, en el momento menos pensado se empieza a hinchar, no se sostiene en los cepos de las piernas, se pasa los días en la cama hecha una piltrafa, tengo que pagar a alguien que se ocupe de los hijos —(Y él imaginó una multitud de niños mocosos, de un barrio suburbano.)—. Ni nos alcanza el dinero para una casa decente, vivimos en una chabola prestada, mi hija mayor enfermó, si me echan de aquí me muero. —(Los dedos rechonchos se agitaban, el labio inferior parecía a punto de estallar en sollozos, un forúnculo de la frente, escarlata, iba a reventar.)

Al menos conseguir un número decente, pensó él, no desilusionar al público, no traicionar la expectativa inquieta de las hermanas. Alehop, gritó con una reverencia frente a los espectadores al bajar de la grava a la franja de arena de la posada, repleta de limos, de desperdicios, de cestos rotos, de pedazos mohosos de madera. Mis mechones de payaso pobre, mis pantalones enormes, mi chaquetita de tela ondulaban al viento. La sonrisa de Tucha se ensanchó, chispeando siempre, con una alegría perversa:

—Haberse acordado antes de eso ya que se muestra tan preocupado por la familia —(Su voz aguda despedazaba implacablemente las tripas del guardia, y la sangre se escurría, densa, en el empedrado, pronto sorbida por una hilera de arbustos famélicos.)—. Lo que me interesa es su nombre y su número: aquí no puede haber insolentes de su ralea.

Miró hacia arriba la fachada del hostal, que la perspectiva volvía oblicuo, como a punto de derrumbarse, en bloque, sobre mí, y, como en la casa de la partera, intentó calcular dónde estaba situado el balcón de la habitación en una hilera de balcones iguales, todos con las persianas bajadas, con la misma silla y la misma mesa apoyadas en las rejas en su misma negligencia herrumbrosa: ¿este?, ¿aquel?, ¿el de más allá? Una ovación entusiasta estalló de inmediato entre los espectadores al mismo tiempo que el enano vociferaba, intentando nadar en el río desordenado de los aplausos:

—Aplausos para la última mirada añorante a la ventana de la mujer amada, un lance digno de Romeo, un verdadero eco de Abelardo. Fijaos en la magnífica contención del artista, en su estupendo juego fisionómico, en el brazo que vacila, dispuesto a alzarse en un dramático adiós, otorga incluso la ilusión de levantarse unos centímetros y acaba quedándose rígido, pegado al tronco, en la desesperada melancolía de los impotentes, conmovedoramente inerte. Solo quería subrayar que esta dificilísima, aunque breve, escena teatral, os ha sido ofrecida, en rigurosa exclusiva, por los Conos Vaginales Explosivos Pimpampún, los cuales, cinco minutos después de introducidos, señora, reciben festivamente a su marido, su amante, su novio con un bonito fuego de artificio de estrellitas plateadas, subiendo desde los muslos a modo de surtidor centelleante, hasta culminar en un estallido equivalente a quinientos gramos de trinitrotolueno, que propulsarán el lecho, en un torbellino de sábanas chamuscadas y de hierros retorcidos, hasta el frigorífico de la cocina. No se olvide, señora: Los Conos Vaginales Explosivos Pimpampún convierten el amor en una aventura diferente: transforme la monotonía de sus relaciones sexuales en hitos históricos que ninguno de sus vecinos olvidará.

—Señorita, ay señorita, ay señorita —pidió el guardia, milimétrico y verde, intentando sacar un muñón de lápiz y un pedazo arrugado de papel del bolsillo de encima del uniforme, los cuales se desparramaron por el suelo junto con una pata de conejo y una higa de plástico, envueltas en la cuerda del silbato. La cara aumentaba y disminuía acompasadamente de terror como las bocas de los peces, los ojitos menudos parpadeaban, descoloridos de angustia. El microbio agonizaba a la entrada del Invernadero en un charquito de sudor, de legañas, de fetidez, de olores confundidos, y Tucha lo miraba, sardónica, de arriba abajo, con una crueldad despiadada y triunfante.

Los cimientos del hostal se enterraban, oxidados, en la arena, formando una especie de porche en que se acumulaban pilas de remos, anclas y cuerdas devoradas por el agua, desechos de barcos, conos de cenizas, grandes cajas de basura contra una pared de ladrillo. Un viejo vestido de augusto de *soirée* (un murmullo se extendió entre los espectadores cuando el foco lo iluminó, exagerando los andrajos del traje) agitaba, en la mañana gris, las brasas de un hornillo con un abanico de mimbre, y los carbones se encendían de vez en cuando como si bombillas pequeñitas los iluminasen por dentro, semejantes a gruesos cristales color naranja. ¿En qué circo habremos trabajado juntos?, pensé yo, ¿por qué pueblos de provincias hemos andado en destartaladas roulottes tiradas por ruinosos coches americanos sin guardabarros, con nuestras focas lunáticas, nuestros elefantes de felpa mustia, nuestros perritos, vestidos de sevillanas, infinitamente melancólicos, nuestros hipopótamos absurdos y nuestros murciélagos de pesadillas, en qué miserables restaurantes con manchas de mostaza y de moscas patudas hemos comido sopas de rancho observando por la ventana sucia los insectos del verano, qué número sin gracia hemos compartido en noches de casa vacía, con un bombero y tres soldados rasos asistiendo, hastiados, al espectáculo? Mi padre se inclinó en la silla hasta tocar mi nariz con la suya:

—Hay que abrirles la barriga para ver cómo reaccionan —insistió él extendiéndome la plegadera de los libros—. ¿Estás completamente seguro de que no quieres probar?

¿Sería él el viejo acuclillado bajo la posada, pensó, en el enorme silencio de los árboles y de la ría? ¿Sería él un augusto de *soirée* con las uñas limadas y traje de alpaca, del que las secretarias y los ejecutivos no distinguían los remiendos, la anchura ridícula, los bolsillos llenos de peras de goma que se

aprietan para hacer salir los chorros postizos de las lágrimas?
El vagabundo extrajo un gorrión muerto de una bolsa, lo cla-
vó con un palo afilado, y empezó a asarlo, sin quitarle las plumas, en un hornillo de barro. El olor a la carne quemada se
difundió como una mancha en la sombra. El guardia se aferró
a la muñeca de Tucha y comenzó a sacudirla con desesperación:

—Por los huesos de mi hermana que está en la tumba —chilló—, le juro que no tuve la intención de faltarle al respeto.

El señor Esperança, con un clavel en la solapa, avanzó dos
pasos, subió el micrófono, probó el sonido golpeándolo con
la punta curvada, a modo de martillo, del índice, y proclamó:

—Apruebo el suicidio como una especie, aunque severa, de
castigo, porque nunca me prestó la menor ayuda para pagar el
alquiler. Fueron los Preservativos Donald, el enemigo número uno del crecimiento demográfico, quienes se entendieron
este mes con doña Sara.

Sacó un vaso de vino, ya lleno, del bolsillo, y lo alzó en dirección al público:

—Como barítono de fama nacional e internacional, como
hombre que se precia de serlo y como caballero, propongo un
brindis por los Preservativos Donald, de fabricación portuguesa, lubricados con aceite de oliva y de palma, con o sin
corona de pelos y a prueba de roturas, en sus cuatro colores
rojo, sepia, añil y azul turquesa, además de la digna variante en
negro, especialmente recomendada para viudos recientes, co-
roneles en la reserva y bibliotecarios castos. Aprovecho, eso sí,
la oportunidad para preveniros contra el peligro de las imita-
ciones, aconsejándoos que comprobéis siempre, al solicitar en
vuestra farmacia los Preservativos Donald, si el inconfundible
patito se encuentra impreso, en bajorrelieve, en la punta acol-
chada. Con Donald pequeño, mediano y grande obtendrá la
seguridad de una relación tranquila, como hace muy poco
tiempo el doctor Nelson de Jesús Junior, ilustre fundador de
las Industrias Sexológicas Donald y presidente vitalicio y
de honor de su consejo de administración, afirmó a la prensa

escrita, hablada y televisiva a la salida del palacio del Vaticano, en Roma, poco después de haber sido recibido, en audiencia privada, por Su Santidad el Papa, el cual le manifestó paternal júbilo y calurosa simpatía por su noble actividad, dispensadora de la condenable y pecaminosa píldora, y se dignó aceptar un preservativo en oro macizo, destinado a embellecer la severa austeridad de su mesa de trabajo. El doctor Nelson de Jesus Júnior tuvo ocasión de ofrecer a los miembros de la Curia envases de lujo de los Preservativos Donald, revestidos de púrpura cardenalicia y con un pequeño báculo grabado en la base, por lo que fue designado, a cambio, Caballero del Santo Sepulcro, y recibió el honroso título de Guardián de la Fe Cristiana. Elija Donald, el preservativo de los católicos.

Un vaporcito se deslizó frente al hostal en dirección a la desembocadura, perseguido por una corona de gaviotas famélicas, desordenando, con la tos del motor, la mansa inquietud de los eucaliptos. Doña Sara colocó mejor el alfiler con la foto del difunto que le cerraba el escote del vestido, en un gesto de pudor inadecuado para sus seiscientos años:

—Aquí tenemos la habitación —informó ella con un susurro de más allá de la tumba—. Los primeros seis meses se pagan por adelantado.

Comenzó a tirar, incómodo, de la manga del vestido de Tucha, pero ella se sacudió con fuerza, su codo me perforó el estómago, y me vino a la boca la chuletita de cordero del almuerzo en un acceso de guindilla y ajo. La rodeaba un halo fosforescente de venganza, su propio pelo parecía endurecido y electrizado por el sabor sádico de la victoria, el ápice de la lengua asomaba, exuberante, por el espacio entre los labios. Piensa Qué bonita estabas esa tarde, caramba.

—Apártese de mi vista, zopenco —susurró ella señalando con el dedo las alamedas confusas de plantas, los cristales pintados de blanco, la distancia sabulosa y sus arbustos lanudos y húmedos—. Apártese de mi vista antes de que cambie de idea.

Doña Sara guardó los billetes en el pañuelo, le dio la espalda y caminó chancleteando hacia la puerta, arrastrando a duras penas las piernas esqueléticas. Ya con la mano en el picaporte, lo miró desde el umbral con una mueca avinagrada:

—Quería avisarlo de que no permito visitas.

—Menuda hija de puta tu ex —dijo Marília mientras la ceniza interminable del cigarrillo caía y se deshacía en su regazo. Del piso de arriba de la Rua Azedo Gneco alguien (una voz de hombre) gritaba frases inciertas hacia la calle—. Si os estabais dando el lote, ¿qué iba a hacer el desgraciado?

Piensa Si Tucha es una hija de puta, ¿no seré yo tan hijo de puta como ella?, mientras el público aplaudía el brindis por los Preservativos Donald, y el viejo desplumaba el gorrión asado antes de meterlo amorosamente entre dos mitades de un pan:

—¿Te apetece? —preguntó el padre.

—Sea la hora que fuere, ¿me entiende? —repitió doña Sara toqueteando el alfiler con los dedos demasiado blancos y finos, agitados por una congoja constante (Debes de tener la tensión alta, pensé yo, la tensión alta, y diabetes, y urea, y patas de gallo y el mal de San Vito.)—. Visitas, ni por asomo.

Sus zapatillas alejándose por el pasillo, unos arrullos sordos en el desván entonando un aria. Marília echó la ceniza de la falda al suelo, sacudiéndose con una biografía de Antonioni, y yo pensé Si soy un hijo de puta ¿por qué coño estás aquí conmigo?

—Siempre que hay jaleo te pones más apático que un buey de cerámica —le recriminó Tucha bajando rápidamente por el Parque hacia el metro de Marquês de Pombal—. El otro día en la boîte te habrían dado una paliza si no hubiese sido por mi hermano.

El mendigo, masticando siempre, se levantó para mear junto a una columna, meneando el pingajo, al fin, con grandes sacudidas indiferentes: pero cuando lo conoció mejor, doña Sara se olvidó de la prohibición, lo invitaba a tomar el té en una salita hexagonal atestada de baúles chinos y grandes muebles viejos, en la que un reloj invisible repicaba de vez en cuando horas infinitas, le ofrecía bizcochos ya blandos alzando con parsimonia la tapa de una caja de zapatos, y el día en que Marília fue allí a entregarle unos libros quiso conocerla a toda costa, y pasaron una eternidad con la taza en la mano, enterrados en gigantescos sofás muy incómodos, sin muelles, rehusando galletas y oyendo a doña Sara disertar acerca de épocas más felices, acariciando con los dedos de momia la foto sepia del marido, que se llamaba Porfírio Alves, se había jubilado de su puesto en la Compañía de Teléfonos, y un autobús lo había atropellado, siglos atrás, en la Avenida Infante Santo. Poco a poco se familiarizó con los demás huéspedes, un negro de mediana edad, educadísimo, irreprensible, empleado en el Banco de Fomento y gran admirador, por motivos oscuros, del Sporting de Covilhã, un piloto de la Marina Mercante que, siempre que llegaba de viaje, le daba una tremenda somanta de palos a su mujer, Por una cuestión de principios, me explicó solemnemente una vez en la parada del autobús, sin que yo, pasmado, entendiese de qué principios se trataba, el señor Esperança, barítono de calibre mundial que vivía en el bajo, un par de mellizas solteras, siempre juntas, con anillo de sello, antiguas empleadas de los Almacenes Grandela, que los martes tomaban el té con nosotros en medio de un silencio sepulcral, fabricando sin descanso, en gestos simétricos, tapetes de ganchillo, y el padre Mendonça, que chupaba pastillas de mentol para dejar de fumar, exhalaba a su alrededor una frescura de farmacia, vivía estrangulado por el alzacuello de celuloide, y se refería siempre a Dios como a un amo tiránico, demasiado exigente. Comenzaba a sentirme bien, piensa, y me mudé a la Azedo Gneco contra el consejo del piloto, que había partido en la víspera, por una cuestión de principios, el brazo izquierdo de su mujer, y me incitó, en un recodo del pasillo, rechinando los dientes de furia, Péguele, sacudiéndome el cuello de la chaqueta con una colérica y atormentada súplica fraternal.

—Qué burguesa insoportable debía de ser tu ex —insistió Marília sacudiéndose otro rollito de ceniza de la falda con una biografía de Visconti, mientras yo le tendía tímidamente el gato de bronce del cenicero, acordándome de mis crisis nocturnas de asma en aquel indescriptible almacén de polvo, noches y noches despierto, sentado en la cama, jadeando, con las estrellas pegadas a la ventana en una armonía suspendida, el Campo de Ourique ciñéndose a mi alrededor con sus pequeñas tiendas y sus edificios sin lozanía. Marília se descalzó y empezó a rascarse pensativamente los juanetes:

—¿Cuánto tiempo aguantaste aquello?

El viejo se acabó el pan y se quedó estúpidamente inmóvil mirando el hornillo cuyas brasas morían, cada vez más pálidas, en la sombra cuadrada del porche, despidiendo chispitas moribundas. Un hilo líquido castaño se le escurría despacio de la comisura de la boca, mientras se escarbaba los dientes con el meñique con una meticulosidad de sacacorchos. El chico borracho vaciló: las luces intermitentes de la boîte le encendían y apagaban alternadamente la cara, el pelo en desorden, la camisa rasgada a la que le faltaban botones. Dos pacificadores lo agarraron por los brazos y lo arrastraron en dirección al bar.

—Si vuelves a fastidiarla —informó el hermano de Tucha, heroico, aún de pie, enderezándose el nudo ligeramente desviado de la corbata—, te pongo la cara como un mapa.

Tú no tenías a nadie, Marília: tu madre me habló vagamente una vez de un hermanastro mucho mayor, emigrado a Canadá, un tipo parecido a ti, con las manos en la cintura, en un marco sobre el televisor, con una mujer de aspecto extranjero al lado y un niño llorando, con una garganta desmesurada, en medio de ellos. El foco buscó de nuevo al vagabundo del pájaro, que se había bajado ahora los pantalones y defecaba, con las piernas abiertas, junto al hornillo, una interminable serpentina de carnaval, y el público se rió. El pelo amarillo vibraba como mil antenas de alambre, las gigantescas nalgas postizas, de tela, se sacudían con temblores ridículos. La voz de la hermana menor, en algún sitio en la oscuridad, susurró, ondulante, al micrófono:

—Esta graciosa escena os ha sido ofrecida por las medias y leotardos de mujer Penélope, penelopícese y sienta la diferencia en la mirada tierna de su marido, el tejido que transforma sus piernas en auténticos momentos de seducción. Leves y suaves al tacto, ricas en matices y reflejos, oscuras, de red, con pintitas, o simplemente color carne, las medias Penélope representan, por sí solas, la garantía de un gran amor. Impregnadas de un tenue aroma de lirios y de flores silvestres (el cual se mantiene inalterable aun después de sucesivos lavados), y combinadas con un juego de cinturones rojos decorados con bonitas rosas de tul, las medias y leotardos de mujer Penélope, penelopícese y sienta la diferencia en la mirada tierna de su marido, se recomiendan especialmente para primeros encuentros, visitas a tíos solteros o viudos, respuestas a anuncios de convivencia y casamiento, y a las mujeres que desesperan ya de la felicidad por el matrimonio y se refugian en la exposición del Santísimo Sacramento de los Mártires o en los paseos colectivos en autobús, los domingos, con fiambrera y pandereta, al monasterio de Batalha o al Museo de los Coches. Penélope, las medias de quienes gustan de ser femeninas, Penélope, la solución a sus complejos de timidez, el bienestar de una atracción irresistible, el aderezo que la volverá envidiada, admirada y deseada. Penelopícese y sienta la diferencia en la mirada tierna de su marido.

Comenzó a caminar a lo largo de la margen en el sentido opuesto a la desembocadura. Las suelas trituraban la arena como si pisasen lija o trozos de cristal, un viento frío se introducía por los pantalones, por el cuello de la camisa, por las aberturas de la ropa. El agua que se doblaba y redoblaba en gruesos pliegues de cuero parecía humear como una colada, burgueses de mierda, dijo Marília, pusilánimes de mierda, dijo Marília, solo me pregunto cómo soportaste eso tanto tiempo, y allí estaba Aveiro imprecisa en la distancia, pardusca contra el cielo pardusco y el agua pardusca, vibrando en la desnudez de la mañana. Al menos conseguir un número decente, pensó él mientras el cuchillo le pinchaba a cada paso la grasa de las caderas, al menos no dejar al empresario avergonzado.

—El artista se acerca, sin la menor imperfección técnica, al final de su trabajo —gritó el enano, con un acento de alivio en la voz, ante los espectadores que se desinteresaban—. Esta magnífica apoteosis, que todos vosotros por cierto admiraréis, hasta ahora solo fue conseguida en Londres, en mil novecientos treinta y seis, por el inolvidable y glorioso Aristóteles Szadagadanis, estrella griega del circo nacional de su país.

La brisa cambió de rumbo y los patos se desperdigaron en la laguna: una parte de la bandada alzó el vuelo para posarse más abajo, aún asustados, palpando el aire con las alas desplegadas, las plumas finitas del cuello erguidas en una especie de enfado o de alarma. Tenía que telefonear a la clínica, piensa, tenía que tratar de enterarse de cómo iba todo.

—¿Quieres casarte conmigo? —le preguntó él a Tucha mientras bajaban los escalones del metro, sucios de cáscaras, de papeles, de basura, del lacre gelatinoso de los escupitajos. La cuadrada boca de cemento, con restos de carteles y consignas escritas con tiza inflamada en las paredes, los engulló como la entrada del Castillo Fantasma sus carretas tambaleantes, y allí dentro, en la penumbra iluminada por tubos comprimidos de neón, la multitud apresurada y ansiosa de costumbre.

—¿Yo? ¿Casarme contigo? —exclamó Marília riendo, sentada, completamente desnuda, en la cama de la amiga. Era verano, piensa, usabas sandalias de plástico azul, habías abandonado temporalmente el poncho, tus tetas, divertidas, temblaban, el cuerpo se suspendía, como el de los dioses chinos, en la claridad polvorienta del crepúsculo. Piensa Tus tobillos enormes, tus manos de campesino, las carcajadas duras, graves, masculinas, recorriéndote el torso, esparciéndose por tus nalgas, sacudiéndote los riñones—. ¿Yo? ¿Casarme contigo? —seguía ella, estupefacta—. ¿No te ha bastado con una experiencia, desgraciado?

Ninguna de ellas me tomó en serio, pensó él dando puntapiés a una lata de conservas oxidada que había desenterrado, con la puntera del zapato, de la arena, ninguna de ellas creyó en mí. Se pasó dos años detrás de Tucha, insistiendo, pidiéndole, invitándola, escribiéndole largas cartas vehementes, apasionadas y necias, dos años jurando una pasión sin fin, hasta que el fulano casado, con quien ella mantenía una tormentosa relación clandestina, emigró a Río de Janeiro sin despedirse, y Tucha, de rabia, le dijo que sí con la cara vidriada de lágrimas, y la pintura de los ojos transformada en un par de borrones suplicantes y patéticos. Meses después recorría la nave central de la iglesia a paso lento, de frac, con una forma blanca y leve, como gaseosa, por el brazo, mientras a uno y otro lado las cabezas emplumadas, ridículas, de las tías, se inclinaban desde el pasillo a fin de observarlo mejor, apabulladas por el órgano que balanceaba desde arriba las pesadas olas de una marcha triunfal.

—Casarme contigo, imagina —murmuró Marília, pensativa, diciendo que no con la cabeza, mientras buscaba el paquete de cigarrillos en el montón de ropa enmarañado en el suelo—. Palabra de honor que esperaba cualquier cosa menos una propuesta como esa. Solo que aún no he entendido si eres burgués o estás loco, o las dos cosas juntas, para variar.

Y de nuevo, como la primera vez, meses de porfiadas insistencias, de un cerrado cerco sumiso y sin treguas, de tiernas miradas de soslayo sin respuesta, de amabilidades excesivas, de súplicas exageradas y dramáticas. Le conocía unas pocas relaciones pasajeras, sin importancia, escuálidos compañeros de la facultad, oblicuos camaradas de Partido, un escultor con barba canosa y sandalias, notablemente poco limpio, con aspecto de caminar con túnica sobre las aguas, distribuyendo a los frecuentadores de la Sociedad de Bellas Artes milagros abstractos: ¿Y por qué no yo, piensa, qué tienen esos tipos que yo no tenga, por qué diablos no me toman en serio, no me miran con las órbitas redondas, pasmadas de deseo? En una ocasión, en la sala de espera del médico de las glándulas, leí en una revista brasileña un artículo titulado «El encanto erótico de los gordos», con mulatas en biquini y zapatillas de tacón alto voluptuosamente abrazadas a hombres esféricos, semejantes a huevos cocidos sin cáscara: el texto exaltaba los méritos seductores del doble mentón, la orgiástica comodidad de las barrigas enormes, la alegría de entrelazar las piernas en un par de tobillos de elefante, citaba declaraciones en cursiva, transcribía arrebatados versos de poetisas románticas enloquecidas con las grasas en un furor de sonetos, y yo pensé No vale la pena hacer régimen, no vale la pena adelgazar, no tomaré las píldoras del médico para volverme elegante como un signo de exclamación, voy a aumentar unos kilos más todavía y un racimo de muchachas rubias, con vestidos de noche, escotadísimas, bonitas y maquilladas como las artistas de cine de los chicles, van a ponerse seguramente a dar vueltas, encandiladas, a mi alrededor. Y no obstante, piensa, creo que Marília se casó conmigo a causa de sus padres (¿Quién es burgués?) que amenazaban con morirse de disgusto si seguías viviendo con un hombre en pecado mortal. Lloraron todo el tiempo, durante la ceremonia civil, sonándose con estrépito, conmovidísimos, a cada frase del juez de paz, y comimos los cuatro en una cafetería de Arroios, con la madre goteando siempre emociones en la tisana de limón y el padre, con el cuello desabrochado y la corbata roja y amarilla, bebiendo sucesivas cervezas con una mudez compungida. Comimos tartitas de crema, bizcochos durísimos, y tostadas secas como lonchas de piedra pómez. En las mesas vecinas unos caballeros solitarios y unas damas con su perrito en brazos sorbían refrescos con una gravedad fúnebre, y los camareros gritaban los pedidos de los clientes hacia un cubículo en cuyo interior debía de haber una entidad cualquiera, dispensadora de pasteles de nata y botellitas de naranjada. Se despidieron en la acera junto al escaparate, con más sonaderas, más lágrimas, más sollozos estrangulados en los pañuelos, cogimos el autobús hasta la Rua Azedo Gneco en la manzana de más abajo, y al volverme vi a los viejos trotar, juntos, hacia la parada del tranvía, él alto y ella pequeñita intentando seguir el paso de su marido, y nunca se me antojaron tan viejos y vulnerables y dignos de compasión como esa tarde. Cuando llegamos te encerraste un buen rato en el cuarto de baño, y al salir evitabas cautelosamente mirarme: tenías los párpados gruesos y la nariz roja, te sentaste en el suelo a hojear un libro, al intentar besarte me empujaste con toda tu fuerza como si me odiases, y yo decidí escribir a la revista del consultorio de las glándulas explicando que «El encanto erótico de los gordos» era una patraña imbécil. Afortunadamente después las cosas mejoraron, sin duda, por la misma sinrazón aparente con que el cielo se descubre, fuimos a cenar a un restaurante chino de la Rua Duque de Loulé, repleto de orientales atareados y de las lámparas de papel de un san Antonio de Shanghai, logré hacerte reír con mi torpeza de banderillero con los palitos del arroz, vine todo el camino de regreso, excitado por el cerdo agridulce, premeditando hacer el amor contigo, pero empero sin embargo con todo el ascensor se averió en medio de dos pisos, la alarma no sonaba, dimos puñetazos en las rejas hasta las cuatro de la mañana y por fin apareció el señor con pijama violeta del primero derecha, seguido de la mujer en camisón, que telefonearon a un cuñado entendido en mecánica, el cual, en albornoz, todo manchado de aceite, atornillaba y desatornillaba piezas sin éxito, mientras el edificio entero, en pantuflas, consternado y solidario, nos alentaba y consolaba. Una mujer nos dio de beber licor de cacao con una pajita, otra, con los ojos cerrados, rezaba el rosario de rodillas en el felpudo, a las siete vinieron los bomberos con gran aparato de sirenas, ambulancias, cascos pulidos, cuerdas, mangueras y escalas, el entendido del albornoz, totalmente negro, martillaba tenazmente en los confines del sótano, los bomberos, bajo las órdenes de un tipo pausado, con tres medallas en el pecho semejantes a chapitas de limonada, y calzoncillos que asomaban por debajo de los pantalones, rompieron las rejas con soplete chamuscándome la única chaqueta decente en medio de un calor infernal (los pelos nos ardían como patas de insectos), estábamos casi a punto de salir cuando alguien en la calle abrió la manguera depositada en el suelo, la cual se empinó en una erección incontrolable y echó abajo a la mujer de las plegarias que cayó rodando por los escalones y se partió la clavícula, los inquilinos huían a gritos frente al chorro, inundados, el jefe de las condecoraciones soltó en un gemido Quién ha puesto a funcionar esa mierda, pero el chisguete le dio de lleno en la cara y fue proyectado, hacia atrás, al interior del apartamento de la mujer del cacao, dio de espaldas contra el aparador del vestíbulo, derribó un mendigo de cerámica idéntico a Manuel de Arriaga sin levita, un espejo enorme, con el marco tallado carcomido, le cayó encima del casco y se desintegró en mil pedazos, el propietario, con las manos en la cabeza, gritaba Ay mi estupendo edificio hasta que la correntada de personas y aguas que rodaba por los escalones lo hizo desaparecer, agitando un brazo de náufrago, en la piscina sin pie de la planta baja, donde las plantas se habían transformado en una marchita selva de corales, cuando la manguera se ablandó y se calló, de nuevo extendida en concéntricas e inocentes espirales de lona, había gente tumbada por todas partes por desmayos empapados, subimos el piso que faltaba a paso de cigüeña con el propósito de no pisar a las víctimas que bullían, firmamos una solicitada al nuncio apostólico exigiendo la canonización inmediata de la devota del rosario, el jefe de los bomberos, reanimado a golpes de licor por la dueña del mismo, que distribuía copas generosas al cuerpo en pleno, hacía sonar un pito que nadie oía, un pandemónium de automóviles se multiplicaba en la calle, cerramos la puerta, nos desnudamos, nos lavamos los dientes, le dimos cuerda al despertador, apagamos la luz, y oímos, a través de los vapores fluidos del sueño, más allá de los alaridos, de los gemidos, de las sirenas, de los badajazos de las gotas de agua que caían en la oscuridad, el martillo tenaz del cuñado de las mecánicas, que proseguía en su pozo, indiferente como la polilla, una obstinada tarea de topo.

–¿Casarnos contigo? –preguntaron al mismo tiempo, indignadas, Tucha y Marília.

–Señoras y señores, niñas y niños, distinguido público que tanto nos honra con su presencia y su entusiasmo –anunció el enano haciendo interrumpir el *Bolero* de Ravel con la manga extendida–. Tenemos el honor de presentaros a Las Esposas. Aplausos para Las Esposas, por favor.

El tambor de la orquesta empezó a redoblar lúgubremente, y un foco se encendió de súbito, iluminando la cúpula de lona del circo (se distinguía vagamente una estrella por un rasgón), un trapecio balanceándose levemente, y de pie en el trapecio, con zapatillas y bañador con lentejuelas, Marília y Tucha saludaban con la mano libre a los espectadores que aplaudían, mientras el polvillo de tiza de los gimnastas se les desprendía de las palmas. El director agitó el mango de la escoba en una elipse autoritaria, el tambor se calló con un último estruendo, y las personas, con el cuello torcido, contemplaban a las artistas allá arriba, mientras él caminaba por la arena, con los puños en los bolsillos y la nariz apuntando al suelo, en la humedad turbia de la mañana.

—Nunca quisimos casarnos —dijeron ellas a coro—, el matrimonio no ha sido más que un lamentable equívoco de nuestra parte.

—Hasta los hijos —añadió Tucha, cuyas nalgas esféricas palpitaban bajo la ropa—. El parto fue sin dolor, pero nunca respiraba con la cadencia justa, me cambió todas las contracciones, faltó poco, me dijo después el médico, para que naciesen mongoloides. ¿Os imagináis lo que serían dos niños con la lengua fuera babeándose en casa, gruñendo cosas que nadie entiende? Yo, por mí, los mandaría enseguida a una clínica.

—Al principio —dijo Marília—, pensé que era un burgués recuperable, un socialista en potencia dispuesto a convertirse, mediante la lectura, la convivencia y el ejemplo, a la gloriosa ideología de la clase obrera. Vivir con él representaba para mí parte de mi labor de militante, hasta que los camaradas, en reunión de célula, me demostraron científicamente lo contrario, es decir, su mentalidad capitalista empedernida, su elitismo atroz, su egoísmo absoluto. Claro que ya he hecho la autocrítica en el seno del Partido.

—Mi psiquiatra —dijo Tucha— me explicó en dos palabras que Rui era sadomasoquista en grado sumo, deseoso de tener niños anormales. Solo la separación me permitió resolver de forma no neurótica mi complejo de Edipo: por su voluntad yo habría seguido indefinidamente en la fase oral.

—En cierto sentido, me obligó a abortar por omisión —acusó Marília—. Cuando yo decía que no quería bebés lo hacía más para ponerlo a prueba que otra cosa. Me respondía siempre que con dos ya le bastaba, que no quería complicaciones aún mayores. Llevaba en la sangre el egocentrismo intrínseco de las clases dominantes.

—Nunca me llevó el desayuno a la cama —se quejó Tucha—, se quedaba agalbanado entre las sábanas como un sapo en una planchuela, con la boca abierta, a la espera. Y si había nata en la leche no se la bebía.

—Creía que las mujeres habían nacido exclusivamente para servirle —completó Marília—, estando conmigo se comía siempre las tostadas de arriba, las que estaban más calientes, y me dejaba las otras.

—Le preparaba el pescado —dijo Tucha— y, aun así, si encontraba una espina o una piel, se ponía enseguida a protestar. Afortunadamente, los niños no heredaron sus modales en la mesa.

—Pollo, por ejemplo, no comía —dijo Marília—, solo hamburguesa y arroz con salsa de tomate. Años y más años de hamburguesa y arroz con salsa de tomate enloquecen a cualquier persona.

—No enrollaba el tubo de la pasta de dientes —dijo Tucha—, daba un giro al azar el tapón y echaba luego la mitad del contenido en el cepillo. Tanta que poco faltaba para que se atascase el desagüe.

—Cada vez que meaba —dijo Marília— dejaba el borde de plástico lleno de gotas. Yo, para sentarme ahí, tenía que limpiarlo primero con papel higiénico.

—Nunca fue capaz de ir al supermercado conmigo —declaró Tucha, colgada cabeza abajo, por las rodillas, en la barra del trapecio, mientras que Marília, cogida de las manos de ella, oscilaba en el vacío—. Y quien dice supermercado dice carnicería, dice panadería, dice sastrería, dice juguetería, dice todo. Era yo quien llevaba el coche al taller para cambiar el aceite.

—Exigía que las personas viviesen en función de él —aseguró Marília girando sobre sí misma en una acrobacia confusa que la orquesta subrayó con un compás vigoroso y el público aplaudió con estrépito (En la pista, iluminado por un reflector más pequeño, el enano, con los brazos abiertos, avanzaba y retrocedía como para recibirla en el suelo si ella se precipitase desde lo alto.)—. Necesitaba una disponibilidad constante, de un afecto sin límites, de una adoración sin condiciones, ¿y quién aguanta una situación así mucho tiempo?

—Ni los suéteres doblaba —dijo Tucha compungida—, tenía que elegirle la ropa por la mañana porque si salía vestido a su gusto daba miedo. Llegué a preguntarme si no sería daltónico.

—Nunca dejó de ser un reaccionario del peor calibre —dijo Marília deslizándose por una cuerda, hasta la pista, y agradeciendo con las manos levantadas, girando el cuerpo, el entusiasmo del público, que el enano estimulaba obligándola a dirigirse, a saltitos, hacia el centro de la arena—. El cáncer del capitalismo lo minó por completo, el espectro de la religión lo dominaba, la lucha de clases le producía pánico. Menos mal que el Partido me salvó de su contagio mostrándome siempre la línea correcta de acción.

—Solo después de separarme de él pude ser feliz —dijo Tucha deslizándose, a su vez, por la cuerda, y acercándose, empujada por el enano, a Marília, que la esperaba con una enorme sonrisa cómplice en la boca carmín. Una piña de antiguos novios, inclinados sobre la balaustrada de un palco, las ovacionaban rendidos de admiración, y él pensó sin melancolía, mirando los eucaliptos de Aveiro, casi blancos en la neblina, cuyos últimos ramajes parecían disolverse en las nubes. Me siento ya tan lejos de todo eso. Y el mango del cuchillo, contra la axila, dificultándole los movimientos como el ganglio de una herida.

—Están aquí todos los pájaros de la quinta —aclaró el padre mientras las hojas de cartón con aves crucificadas, de redondas órbitas de gelatina y patas curvas, negras y rojas, se amontonaban al azar en la alfombra. Los pelos de las sienes comenzaban a desprenderse de la brillantina, un mechón suelto bailaba en la concha de la oreja. La lámpara de diseño del escritorio le dejaba en la sombra la mitad superior de la cara y sus ojos de ahora, críticos y escrutadores.

—¿Sigues queriendo que les abra la barriga y te hable acerca de ellos? —preguntó él en busca de otro puro en la caja de plata.

A medida que la mañana se dilataba y crecía se sentía como si circulase en una luminosidad de desván, en un huevo de vidrio, en una especie de cristal de pus que modificaba los sonidos, reagrupaba los árboles en un orden diferente, dividía el viento y traía consigo el olor intenso de la ría, semejante al tufo a podrido de un cadáver: Tucha y Marília desaparecieron corriendo, perseguidas por el foco, detrás del telón, el palco de los antiguos novios se aquietó, una urraca graznaba en un matojo, amarraban el mentón de la madre, en la clínica, con un pañuelo, el cielo parecía formado por sucesivos peldaños de agua matizando la laguna y copiándose unos a otros como en un juego sin final, el padre examinaba atentamente, con los párpados fruncidos, una mariposa que poco a poco se convertía en un jilguero de pupilas reviradas de terror, se volvió para observar el edificio de la posada ¿Ya te habrás despertado, te estarás duchando ahora?, creyó oír el motor de un coche en la carretera, ¿Los ingleses, huéspedes que llegan, tú?, un ruido de motor ¿Quién viene a enterrarse con este tiempo en un arca de Noé pilotada por la mujer antipática de la recepción?, Maestro, el *Bolero* de Ravel por favor, ordenó el gnomo con su vocecita bitonal ridículamente imperativa, vistiéndote, tomando el desayuno, encendiendo un cigarrillo, sentada en la cama, con una arruga en la frente, el tipo de la escoba gesticuló con ímpetu y la temerosa charanga recomenzó con un estruendo de platillos, Carlos, con la raya muy bien marcada en el pelo, botas altas y alamares, ahuyentó al último caballo empenachado con un chasquido de látigo, apoyó el pie izquierdo en el borde agrietado de vejez de la pista exhibiendo el pico pulido de la espuela, miró al público con el soslayo de desafío lento, seguro de sí, insoportable, de costumbre, y allí estaba la odiosa sonrisita obtusa de las cenas en casa de los padres, los sarcásticos chistes anticomunistas sin gracia, la pierna trenzada con actitud de propietario en el sillón de cuero, el meado del eterno whisky en la mano:

—¿Qué tal va el Partido, camarada? —preguntó doblándose hacia delante para servirse el aperitivo de queso que un miembro del público le extendió y él devoró con una rapidez instantánea e impasible de camaleón. Odio tus patillas de mozo de *forcado*, pensé yo, odio tu agua de colonia, tus corbatas de seda, el monograma de la camisa, odio la desenvoltura servil con que conversas con mi padre, tu modo atrevido de observar los muslos de las muchachas, de inclinarte ante ellas murmurando frases que no entiendo por la comisura desdeñosa de los labios.

—Madre —se quejó la hermana menor llorando—, fíjese en que me han telefoneado para decirme que Carlos se ha liado con Filipa, aquella amiga mía del colegio.

Carlos se dejó caer, desplomándose, en el sofá, entre la mujer y otra joven más o menos de la misma edad, de aspecto agitanado, sin soltar el látigo que serpenteaba por la alfombra, daba la vuelta a una mesa tallada y desaparecía en la boca oscura del vestíbulo. El foco que lo iluminaba revelaba una estrecha línea de sudor junto a la raíz del pelo, y el labio superior brillaba también, rodeado por la espesa mancha de la barba:

—Me encuentro aquí hoy con vosotros —anunció él con su tono sordo y rugoso, que volvía las frases exasperadamente desagradables— a consecuencia de una amable invitación del Gimnasio Mano de Hierro, el único en Portugal dotado de profesores especializados capaces de transformar su cuerpo, aun esmirriado, aun raquítico, aun cheposo, en una impresionante y opulenta estatua de músculos que hará de usted, en la playa, en el transcurso de la calmosa estación estival que se avecina, el objetivo apasionado de las miradas femeninas y la envidia admirativa de sus amigos. Recurra al Gimnasio Mano de Hierro y hágase temido, solicitado, respetado, buscado, adulado gracias a la consistencia, volumen y fuerza de sus bíceps. ¿Le gustaría mejorar su situación profesional, adquirir relaciones nuevas, ser invitado a menudo a fiestas, cócteles y cumpleaños, ocupar posiciones de irrefutable relieve social, seducir a aquella a la que hace tantos años persigue en vano en lugar de responder a aleatorios anuncios de contactos del periódico y encontrarse, en confiterías dudosas, con mujeres de mediana edad, infinitamente tristes, que remueven en el fondo de las tazas el azúcar de su soledad, con una novela de Harold Robbins en la mesa de piedra? El Gimnasio Mano de Hierro, dirigido por profesores especializados, entre los cuales se cuenta el glorioso Jacinto da Conceição Augusto, Míster Músculo Ibérico en mil novecientos cincuenta y nueve y actualmente unido en matrimonio con una princesa sueca, le dará, además de lo que acabo de enumerar, el gusto de vivir, la capacidad de abrir las chapitas de las botellas de cerveza con un simple golpe del meñique, o de tirar una puerta blindada abajo con un impulso ocasional del codo. Con sus sesiones de gimnasia educativa, correctiva, aplicada, rítmica y de mantenimiento, su sauna finlandesa, sus salas de esgrima, boxeo, *jogo do pau* y kárate, sus masajes especiales a cargo del competente Júlio Dedo de Oro, el departamento de baños turcos y duchas escocesas, y el Restaurante Supervitaminado Mano de Hierro para uso exclusivo de los socios, donde las comidas se componen de veintitrés calidades diferentes y complementarias de comprimidos, pastillas, píldoras, cápsulas, ampollas bebibles, intramusculares y endovenosas, jarabes, aerosoles, hostias, suspensiones, choques eléctricos e insulínicos, cremas, fortificantes y supositorios, el Gimnasio Mano de Hierro constituye entre nosotros una iniciativa impar destinada a proporcionar a los portugueses la salud, el bienestar, la silueta y los tendones que merecen, ahuyentando el horrible espectro de la enfermedad física, psíquica o psicosomática, tensión alta, infarto de miocardio, varicocele, microcefalia, sífilis, gonorrea, fiebre de malta y tifus, eccemas, estrabismo, calvicie, ojos hundidos,

bocio, reumatismo, dolores de cabeza, oídos y garganta, exof-
talmia, tos convulsa, preconvulsa y no convulsa, prisión de
vientre, esguinces, uñas encarnadas, hemorroides, callos, ansiedad, angustia, esquizofrenia, fracturas de fémur, insomnio,
alcoholismo, puntos negros, droga, escorbuto y fantasías o ten-
tativas de suicidio −(El foco cambió de color: era ahora verde
lechuga y el *Bolero* de Ravel proseguía despiadadamente su
marcha, ahuyentado, como un pavo, por la escoba frenética
del maestro.)−. Y hablando de suicidio, señoras y señores, y re-
firiéndome específicamente al número que mi cuñado ejecu-
ta en este momento −(Treinta o cuarenta metros más, pensó
él, y alcanzo a ver las gaviotas de cerca, las que flotan en el agua
y las que se posan en las boyas de corcho que balizan la ría y se
peinan el dorso con los picos)−, en cuanto al acto de liberación o locura o desesperación o simple necedad que ese tipejo
gordo intentará dentro de breves instantes −(visto desde la ventana era ya una sombra pequeñita caminando, obstinada, por la
arena, en la mañana gris, un bulto insignificante que desaparecía a lo lejos, en el ovillo de pinos y de niebla, como los
héroes de cine al final de las películas, una cosita que palpitaba, parecía crecer, se esfumaba)−, mi opinión estrictamente
personal, mi pálpito, mi apuesta, mi convicción íntima, damas y caballeros −(susurró una frase cualquiera al oído de la
moza agitanada, que se echó a reír y le tiró de la oreja en una
reprimenda divertida)−, es que fracasará, sin gloria ni honor,
en su proeza o, más bien, su proyecto de proeza, del mismo
modo que hasta ahora, por así decir, ha fracasado en todo en
la vida.

−Un pequeño rasguño en la muñeca a lo sumo −opinó la
muchacha morena haciendo tintinear las esclavas del brazo−.
Se le pone un esparadrapo y asunto arreglado, ya veréis.

−Carlos tiene toda la razón −coincidió la hermana menor
mirando a la otra con odio−. Si padre cometiese la triste estupidez de meterlo en la empresa sería un desastre total.

−Lo de Filipa no tiene ninguna importancia −respondió la
madre−. Suéltale un poco la rienda y se harta de ella enseguida.

—Es evidente que va a fracasar —repitió Carlos acariciando la rodilla de la muchacha con el pulgar despacioso—. Está claro que en treinta años no ha logrado hacer nada que valga la pena.

—Basta con pensar en sus bodas —declaró la voz del obstetra desde el centro de las gradas, y pronto lo siguió un reflector rojo que llevaba a la superficie y empujaba a las tinieblas a filas sucesivas de espectadores, algunos de los cuales se apresuraban a hacer una seña con la mano con la esperanza de una cámara escondida—. Basta con reparar en las continuas burradas que ha hecho.

—Tal vez algunos jilgueros más, ¿no? —sugirió amablemente el padre, que seguía abriendo los cajones del armario y lanzando al suelo planchas de cartulina repletas de pájaros muertos—. Jilgueros, verderones, ruiseñores, abubillas, petirrojos, mirlos, canarios —enumeraba a ciegas—, todas las aves que quieras.

¿Qué burradas?, pensó él sentado en la arena, en medio de las hierbas, observando el agua densa, vaporosa, inmóvil, del Vouga. La separación de Tucha, el aborto de Marília, no haber entrado en la empresa como quería el viejo, no haber aceptado siquiera, ¿por orgullo?, ¿por coherencia? (pero ¿coherencia con qué?), ¿por un mero, infantil instinto de rebeldía, un lugar nominal en la dirección? ¿Qué burradas?, pensó él, intrigado, hurgando en el súbito, angustioso, enorme vacío de la memoria hasta donde llegaba el brazo del recuerdo.

El frío afeitaba los arbustos y las ramas de los pinos, agitaba los eucaliptos, blandía la piel del agua como una frente meditativa. De vez en cuando, una camioneta circulaba en la carretera que no veía, y el rumor iba decreciendo, lentamente, en dirección a la ciudad, perseguido por el encono de los perros.

Piensa ¿Qué burradas?, y el ciego de la quinta surge de repente (En una simpática contribución de los Conos Vaginales Pimpampún) caminando por el parral en busca, con el bastón, del banco de piedra donde suele sentarse al atardecer, con la cara mosqueada por el filtro verde de las hojas y por las sombras y manchas de luz que el sol dispersa y reúne, como si destruyese y rehiciese constantemente un rompecabezas sin nexo (Aplausos para los muchachos de los efectos especiales, tronó el enano, y el público aplaudió con ímpetu), hasta que la punta del bastón rozó la piedra caliza, él extendió vacilante el brazo hacia la superficie plana, flexionó las rodillas, se acomodó, y las gafas de mica, amenazadoras y redondas, abarcaban la quinta entera con una atención silenciosa. El viento de agosto traía hasta él el olor dulce del huerto, los violonchelos de la hierba ondulaban en los arriates.

—Viva el Gimnasio Mano de Hierro —gritó Carlos mientras el pulgar desaparecía bajo la falda de Filipa, formando un relieve que avanzaba, reptando, camino de los muslos.

Tumbado en la arena, con la nuca en el codo doblado, veía las nubes viajar, muy alto, en dirección al mar, casi sólidas en su espesura de goma, estirándose y encogiéndose como el humo de los cigarrillos de los espectadores junto a las hileras de lámparas amarillas del circo, mientras el frío de febrero le endurecía el rostro como si lo envolviese con una pasta incómoda de barro. Oía el soplo de los árboles, el parpar disperso de los patos, alguna que otra paloma torcaz atravesando los eucaliptos, presenciaba la despaciosa bajada de la marea, retrocediendo palmo a palmo en la arena con sus detritos, sus limos, sus cadáveres hinchados de gatos, imaginaba a Marília haciendo la maleta en la posada, metiendo dentro de ella, al azar, sin doblarla, la ropa de los cajones, barriendo con la palma los peines, los cepillos y los tubos a un bolso ajado, dejando las perchas vacías balanceándose en la barra de aluminio, y en esto, sin mudar de expresión, sin un gesto, casi sin mover los labios, el ciego dijo

—¿Eres tú, niño?

y yo pensé ¿Cómo ha venido hasta Aveiro, cómo diablos me ha descubierto aquí? ¿Anduviste tropezando con los arbustos y las cañas hasta reconocerme por el olfato como los perros viejos distinguen a sus amos? Piensa No sé si sigues vivo, hace mucho tiempo que no les pregunto por ti a mis padres, hace mucho tiempo que nadie pasa las vacaciones en la quinta, el musgo debe de crecer en los muebles, en los manteles, en las cortinas, en las sonrisas color yodo de las fotos, en la habitación del desván de entarimado inestable, invadido por las enredaderas, por la hiedra, por el hambre carnívora de la polilla, tal vez la casa se ha hundido irremediablemente en el pasado como esos barcos presos a una roca que se deshacen de vez en cuando en el Tajo, crecen dalias y narcisos de las soperas, una extraña flora de líquenes se reproduce en las fundas, en las colchas, en las toallas, en el moho de las sábanas, Marília tiraba de las correas de las maletas, dentro de poco telefonea a la recepción pidiendo que un empleado se las lleve abajo o intentará arrastrarlas, sola, a través del pasillo, entorpecida por el poncho, ayudada por la criada de la limpieza, pagará la cuenta, llamará a un taxi que la conduzca hasta el tren, explicará a la mujer antipática Mi marido se va después en el coche, Cuántos días se quedará allí el automóvil sin que nadie lo toque, pensó él, en el instante en que un graznido de gaviota le perforaba la cabeza de oreja a oreja (Exactamente como una aguja, dijo el enano a los espectadores, una aguja muy fina, incandescente, dolorosa) y el viento sacudía, furibundo, los eucaliptos, la mano tocó sin querer el mango del cuchillo (un murmullo se difundió en los palcos, se comunicó a las tablas precarias del balconcillo), vaciló, se alejó, y la alfombra del despacho se encontraba ahora completamente repleta de pájaros con el pico abierto, las patas estiradas y redondos ojos fijos de gelatina, que el padre y él, de pie, observaban con una atención fascinada.

—¿Eres tú, niño? —preguntó de nuevo el ciego con su entonación de papagayo.

—Burradas tras burradas tras burradas —dijo el médico, muy lejos—. Centenares de burradas se pagan caro.

Oyó un ruido a su izquierda y, sin mirar, supo que el ciego se había sentado a su vera, con las gafas oscuras dirigidas hacia el agua, reflejando un barco minúsculo que bogaba trémulamente en el cristal. ¿Cómo estará madre, pensó, qué habrá ocurrido durante estos días en la clínica, cuántos horrorosos suéteres a rayas habrá tejido la prima del jueves a hoy, contando los puntos con los labios fruncidos?

La casa de la quinta abandonada, el pozo abandonado, las higueras abandonadas goteando su leche rosada e inútil en el suelo, el bosque flotando, azul, al fondo, en las densas y largas y escarlatas tardes de verano, plagadas de pájaros inmóviles y mudos que aguardan la noche en la pauta musical de las ramas, idénticos a semifusas sin sonido, una silla de lona destiñéndose, solitaria, en el patio tan sola como el portón herrumbroso, las tristes salas de la casa, el lugar geométrico, más claro, de los cuadros en las paredes vacías, una máquina de coser cubierta de polvo en un desván, una escoba detrás de un cortinaje sucio. Circulaba de habitación en habitación casi sin rozar el entarimado (Aplausos para el equipo artístico y técnico de los decorados, pidió estentóreamente el enano) observando, como en la claridad tamizada e irreal de los sueños, los objetos antiguos del pasado, más pálidos, más misteriosos, más pequeños, cargados de cierto significado oculto que no entendía, que no lograría nunca entender, muebles abiertos de par en par de los que pendían restos lívidos de vestidos, acuarelas desvaídas, cortinas apolilladas que se desprendían de las argollas, camas sin colchón reducidas al esqueleto de las tablas, círculos de sillas repletos de fantasmas susurrantes, de bocas invisibles conversando en voz baja, de cabezas que se inclinaban, serias, unas a otras en secreteos confusos, bajó a la planta baja con una sutileza de perfume, atravesó la despensa acristalada y los grandes tiestos con plantas marchitas asomando sus largos cuellos sobre el borde de barro, el comedor donde el tiempo se había estancado en los relojes inmemorialmente averiados. Suéltale un poco la rienda, le dijo la madre a la hermana menor, y esa bobería con Filipa se acaba enseguida, el cubículo con postigo en el que se guardaban amontonadas las bicicletas ahora cubiertas de telas de araña, cagarrutas de ratones, inmundicia, la cocina con mesa de madera y tablero de mármol en el centro, los fregaderos de aluminio bajo la ventana, el frigorífico descantillado, los fogones ya sin quemadores, el azulejo de las paredes fracturado por rajaduras y grietas en las que proliferaban las margaritas de la ausencia, y salió a la quinta por el jardín en desorden, con la cortacésped apoyada en el muro y los lagos de cemento, sin agua, forrados con un polvo blanquecino de basura. Tumbado en la arena, a doscientos metros del hostal, entre los graznidos cada vez más próximos de las gaviotas (No voy a abrir los ojos, pensó él, no voy a verlas hasta que no llegue al pozo y mi padre me traiga a caballito de vuelta a casa), oía el sonido de sus zapatos pisando las hojas secas que se acumulaban en el patio sin que ningún rastrillo las barriese, y después la grava de las alamedas que los tacones aplastaban y el tambor duro y mate de la tierra, las raíces que se disolvían en carbón, las hierbas elásticas, como falanges que se encogían y estiraban, protestando débilmente a cada paso. Pensó Va a llover, como llueve esta noche en que escribo el final de mi libro, tumbado junto a ti en el silencio gigantesco de la habitación, con una pierna sobre tus piernas y el suave soplo de tu sueño en mi hombro respirando al ritmo lento de las palabras, pensó Va a llover como llueve en el papel, como llueve en la cama, como llueve en nuestros muslos enlazados, como tu hijo llueve en tu vientre y me llama con la voz marciana y transparente de las anémonas, pensó Dentro de poco dejo la estilográfica y el bloc en la mesilla de noche, me acomodo contra ti, apago la luz, tu brazo redondo me aprieta el cuello y el pene crece apasionadamente apoyado en el isósceles del pubis como crecen las nubes de la mañana de Aveiro desplegando las alas en el basalto del cielo, como crecen las hierbas en la quinta sin cuidar, como crecen mis dedos en tu pecho, en tu espalda, en la carne llena, redonda de los riñones, como tu saliva crece en mi lengua y los pies se cruzan y se desenlazan en un movimiento cada vez más rápido. ¿Eres tú, niño?, preguntó el ciego mientras el bastón tanteaba la arena a su alrededor con una agilidad súbita de antena, Carlos hurgaba en el interior de las faldas de Filipa mirándola intensamente con la mirada trágica, exageradamente pestañosa, de los hombres con raya al medio de las postales ilustradas antiguas, oyó el motor del taxi de Marília trepidar en la carretera rumbo al hostal, el olor del agua se acercaba jadeando costosamente su cansancio, la higuera del pozo surgió allí delante, por detrás de un arbusto, despojada de hojas y de vida, seca, color ceniza, reducida a las articulaciones nudosas de gota de las ramas, distinguió el perfil del pozo, la roldana oxidada, el balde viejo, Filipa se desabrochó la blusa, liberó los pezones de cuero de los senos, el nudito de piel del ombligo, la tabla achatada y lisa de la barriga que los huesos del pubis levantaban en la cintura, Carlos le lamía los ijares, le estrujaba el pecho, buscaba su bragueta con la mano libre (La del anillo de sello, pensó él, la de aquel ridículo anillejo pretencioso), el *Bolero* de Ravel de la orquesta se volvió manso y cómplice, el señor Esperança, ahora de esmoquin, comedido y digno, sujetó delicadamente el micrófono, lo inclinó hacia la boca, y señaló a la pareja que rodaba, semidesnuda, del sofá a la alfombra, ante la indiferencia de la familia:

—Esta pequeña escena erótica, a la altura de las mejores casas de París, Londres, Nueva York y Manila, a cargo de talentosos artistas nacionales sin otra escuela que el tablado del circo, os es ofrecido por un producto muy nuestro, muy lusitano, muy portugués, por un reciente descubrimiento de la ciencia patria, por la última maravilla de la técnica coimbrense: la pomada Eyaculal, ahora también en crema y aerosol a petición de innumerables clientes, el medicamento que aumenta el tamaño de su órgano viril en tres centímetros y medio, únicamente en dos semanas y mediante una discreta aplicación dos veces al día, por la mañana al levantarse y por la noche al acostarse, o sea en los momentos en que usted se lava los dientes, pudiendo además utilizar el mismo cepillo y la misma cantidad de producto, una pulgada a lo sumo, para ambos tipos de tratamiento. Preguntará con razón el caballero: ¿y cómo se consigue ese milagro, cómo se alcanza esa hasta ahora impensable perfección, cómo se logra a domicilio, con sigilo y comodidad, el oculto deseo de una vida, a qué se debe la extraordinaria, fantástica, desmedida dilatación de mi pene? Pues el Instituto Universitario Independiente de Coimbra, caballero de la Orden de Cristo y de Utilidad Pública, comendador del Mérito Agrícola, socio de Honor de la UECC (Unión Europea para el Coito Cristiano) y titular de la SIEVV (Sociedad Ibérica de Estudios Vulvo-Vaginales), le desvela, por mi modesto intermedio, su maravilloso secreto: el Liquen Púrpura del Mondego, vegetal rarísimo recogido en las márgenes de ese poético curso de agua, en las inmediaciones de la desembocadura, por las propicias madrugadas de martes de carnaval y miércoles de ceniza, el cual, pulverizado, amasado, acidificado, deshidratado, liofilizado, atomizado, concentrado, combinado con menstruación de mujer virgen, escupitajo de niño, esperma de ballena y jugo de calcetín, proporciona a los músculos del pubis la dureza del acero, concede a los testículos un volumen medio de cincuenta y siete centímetros cúbicos coma tres, y provoca, a consecuencia de sus apocalípticos, repito, apocalípticos resultados, el desmayo exaltado, frenético, rendido y obediente de las mujeres. Con Eyaculal, estimado amigo, usted transporta un auténtico autotanque de sexo en la barriga.

Carlos, en calzoncillos, sacó un tubo del bolsillo de la chaqueta y lo exhibió girando sobre sí mismo, como los toreros, en medio de un chaparrón de aplausos, mientras la muchacha agitanada, en el suelo, alzaba hacia la pomada Eyaculal el brazo suplicantemente implorador.

—Aunque me pida el divorcio de rodillas —dijo la hermana menor a la madre, limpiándose la cara con el pañuelo, cautelosamente, para mantener intacta la pintura de los ojos—, no se lo doy ni por asomo a causa de las niñas: no quiero que les ocurra lo mismo que a los hijos de Rui.

—Señoras y señores, damas y caballeros, niñas y niños, dignísimas autoridades presentes, distinguido público —gritó el enano con falsetes trágicos en la voz, mientras los reflectores recorrían en todas direcciones la cúpula del circo, y el *Bolero* de Ravel proseguía con ferocidad su marcha implacable, empujado por el maestro de la escoba cuya cabellera postiza resbalaba, a sacudidas, por la nuca, descubriendo la calva pegajosa de sudor y los mechones descoloridos agitándose en desorden–, tenemos el honor de anunciaros que el insigne Rui S. procederá, dentro de muy escasos momentos, a la histórica consumación de su arrojado número. Por primera vez en Portugal, y gracias a nuestros amables patrocinadores, un artista se inmola delante de vosotros, en espectáculo rigurosamente no televisado, con el fin de proporcionaros unos instantes de agradable pasatiempo, lejos de las preocupaciones, angustias y disgustos de la vida cotidiana.

El taxi volvió a cruzar la carretera, allá arriba, ahora rumbo a Aveiro, y el ruido discontinuo del motor parecía enredado en la humedad de la mañana como los gemidos de un náufrago en la arena, que la curiosidad de las personas envuelve con preguntas, con exclamaciones, con sugerencias y con suspiros. Pensó ¿Dentro de cuántas horas llegas a Lisboa? Pensó ¿Qué dirán tus padres cuando te vean entrar? Imaginó las lágrimas y las preguntas de la madre, el bovino silencio perplejo del padre, la cena los tres juntos, con el televisor encendido y el locutor del telediario mirándolos, en las pausas de la lectura, con las miradas moribundas de soslayo del Señor de los Pasos, imaginó al tío jubilado que iba siempre, después de las comidas, a beber en un rincón de la mesa su orujo lento de viudo, parado en el umbral de la puerta, confundido, aflojando la corbata con el dedo (¿Qué ha ocurrido, qué pasa, de quién son esas maletas en el vestíbulo?), dudando si entrar, si sentarse, si hablar, si sacar la baraja del bolsillo para el interminable solitario de costumbre, mojando el pulgar con la punta de la lengua para extender las cartas sobre el mantel.

–Ser revisor de la empresa ferroviaria Carris –anunció él con pompa, erguido, casi de puntillas sobre los zapatitos de gamuza– era un trabajo de mucha responsabilidad en mi época.

A pesar de la insistencia del foco que lo cegaba (tal vez un haz de sol lograse atravesar la neblina y le rozase la cara con su luz polvorienta y triste), lo distinguía, insignificante, humilde, apagado, balanceándose, sorprendido, con la gabardina enorme repleta de sotas y triunfos, junto a los empleados más modestos del circo, los que articulaban las rejas para los tigres, montaban la red de los trapecistas, y llevaban rodando las peanas descantilladas, rojas y blancas, de los leones, y él pensó Siempre me has caído bien, viejo, pensó Un domingo en que estabas enfermo fui a visitarte a tu casa, un vestíbulo minúsculo, salitas de juguete con raros muebles cubiertos por periódicos, por mantas, por sábanas, una escalera estrecha y allí arriba tú, esmirriado, pálido, sin afeitar, en pijama en una cama descoyuntada con boliches, con la mesilla de noche repleta de frascos de jarabe que ocultaban la foto de una mujer capotuda, severa, feísima, girando los ojos globulosos por la habitación. El sonido de una cisterna averiada tropezaba de continuo en nuestra cabeza, haciendo estremecer el calendario Michelin colgado de una escarpia en la pared, las cortinas de la ventana se mosqueaban por la suciedad, y los edificios emergían, desenfocados y ondulantes, por detrás, como si un viento misterioso soplase las fachadas de papel. Había una revista antigua abierta sobre la cama, un sofá destartalado en un rincón, con el respaldo protegido por un tapete en rombo amarilleado por el tiempo, un repelente de insectos atado por una cuerda a la lámpara del techo. Me senté en el borde del colchón (Qué manos tan delgadas, tito, pensé yo, qué muñecas frágiles de lagartija, ¿cómo te mantienes de pie con ese cuerpo?), el olor indefinible de la casa, hecho de la suma de muchos olores difíciles de distinguir, se cernía en la sala y le invadía, nauseabundo, la nariz, los huesos le estiraban la piel de la cara tal como los rostros aguzados y tensos de los muertos, como a la escucha de inaudibles ruidos de sombras, el viejo se quitó el termómetro de la axila, lo levantó, horizontal, a la altura de la nariz, con el fin de descifrar la cintita plateada, dijo Treinta y nueve y medio con su vocecita sorda de cuervo, las gaviotas chillaban cada vez más cerca, oía el batir rápido de sus alas, sentía el aroma salado de sus plumas, y un reflejo de mar le creció por momentos en el interior de los párpados, Ser revisor de ferrocarriles, susurró el viudo, es una tarea complicadísima, ¿entiende?, se encontraba junto al pozo, bajo la higuera, con la mancha del bosque oscilando a lo lejos, la peluca caída del maestro se expandió como una medusa en el tablado, la escoba giraba en un frenesí de desesperación, los músicos ascendían como llamaradas en torno a los instrumentos enloquecidos, el bastón del ciego le tocó la rodilla ¿Eres tú, niño?, preguntó el timbre de papagayo disolviéndose en la pasta mojada de la mañana de la ría, escrutó el interior del pozo, inclinándose desde el pretil deshecho, y no había agua en el fondo, solo una manchita de barro brillando entre matas de hierbas y trozos de piedras, el padre surgió a su izquierda oliendo a desodorante y a perfume y le dijo ¿Has visto ya a los pájaros?, señalando la alfombra de arbustos, de frutos podridos, de guijarros y de cagajones secos del suelo, y él notó, agarrando el mango del cuchillo, clavados con alfileres en las hojas de cartulina, con los brazos abiertos y las órbitas redondas y asombradas, a la madre, a las hermanas, a Filipa, a Carlos, al obstetra, a Marília, al señor Esperança, al ciego, al tío viudo, de vez en cuando las hojas secas de los eucaliptos soplaban en su dirección un secreto múltiple, incierto, de frases, vio a la recepcionista antipática de la posada, a los compañeros de la facultad, la burla de los alumnos, la mueca desconfiada de la partera, Silencio por favor, aullaba el enano sin que nadie lo obedeciese, el público se daba codazos y se empujaba para examinar mejor, los focos, todos encendidos, giraban al azar en la pista, entre los espectadores, en el balconcillo, en la cúpula de la lona, despertando y olvidando un sinnúmero de objetos y de rostros, trapecios, cabos, cuerdas, vigas de aluminio y de madera, el padre se alisó el pelo contra las sienes y le entregó la plegadera Voy a ayudarte a entender los pájaros, dijo él, voy a ayudarte a comprenderlos, el caballo de tela formado por dos primos echó a galopar camino de casa, se vio a sí mismo en una plancha de cartón etiquetada y numerada, la pelusa del pecho, el pico, las patas, las pupilas, desorbitadas de pavor, las alas desplegadas de los brazos, me incliné, curioso, hacia mí, y ahora las gaviotas gritaban, estridentes, en las paredes de mi cráneo, los eucaliptos oscilaban, el primer revoloteo de gorriones se desprendió en desorden del huerto en dirección al bosque, Córtale la barriga a ese, dijo mi padre señalándome con el dedo, córtale la barriga a ese para que te explique algo acerca de él, volvió a abrir los ojos, volvió a intentar incorporarse, penosamente, de la arena, elevarse en el aire saturado, reunirse con las gaviotas que giraban sobre su cuerpo extendido, pero el cuchillo, el alfiler, el cuchillo lo mantenía clavado en su hoja de papel, y mientras los ojos se hundían y había dejado de oír, progresivamente, los aplausos entusiasmados del público, logró distinguir, más allá de la pista del circo resplandeciente de luces, los contornos de la ciudad del otro lado de la ría, que se empequeñecían despacio hasta desaparecer por completo en la neblina descolorida de la mañana.

ÍNDICE

ESTE LIBRO HA SIDO IMPRESO
EN LOS TALLERES DE
CAYFOSA